［新版］

助産師業務要覧

第4版 2024年版

II 実践編

福井トシ子
井本　寛子　編

日本看護協会出版会

はじめに

　日本の少子化は，2019年末に始まる新型コロナウイルス感染症（COVID-19）の感染拡大，いわゆる「コロナ禍」で加速したといわれ，2022年の出生数は約77万人と，統計開始以来，初めて80万人を割り込んだ。

　出生数の減少に伴い，分娩取り扱い施設も年々減少しており，分娩を取り扱う一般病院においては，妊産婦のほかに複数の診療科の患者が産科病棟に入院するという，「混合病棟化」が進んでいる。この状況は，妊産婦へのケアの質を維持することを困難にするほか，助産師が活動する地域や医療施設の偏在化を加速させている。また，助産師の助産実践能力の維持・向上への影響も懸念されている。

　妊産婦・乳幼児を取り巻く環境も，大きく変化している。たとえば，晩婚化・晩産化，地域でのつながりの希薄化などが背景となり，子育てにおいて周囲の支援が得られず，孤立や不安感の増大から，メンタルヘルスの不調を抱える妊産婦も多い。その対応が，社会的課題となっている。

　そうした状況の中，第8次医療計画の策定に向けた検討が行われ，その検討に基づいた周産期医療の提供が2024年度より開始する。

　第8次医療計画では，「目指すべき方向」として，「母子に配慮した周産期医療の提供が可能な体制」が明記された。分娩を取り扱う医療機関は，母子の心身の安定・安全の確保等を図る観点から，産科区域の特定や，安全な無痛（麻酔）分娩の実施などの対応を講ずることが望ましいとして，当該医療機関の実情を踏まえた適切な対応を推進することが記された。なお，「産科区域の特定」には，院内助産・助産師外来や，医療機関における産後ケア事業の実施，母子保健や福祉に関連する事業と連携する機能を包括的に実施する機能を備えた病棟の概念が含まれる（厚生労働省医政局地域医療計画課長通知，令和5年3月31日　医政地発0331第14号）。

　また，2023年3月に閣議決定された，成育医療等の提供に関する施策の総合的な推進に関する基本的な方針（成育医療等基本方針）の改定においても，産科区域の特定が盛り込まれた。

　さらに，「女性活躍・男女共同参画の重点方針2023」には，女性の健康に関する理解の増進等を図る方策として，助産師等の活用を進めることが示された。

以上のことから，現代の助産師には，周産期を核とした「マタニティケア」のみならず，女性の生涯を見すえた「ウィメンズヘルスケア」を提供することが求められていると示唆される。

　本書『助産師業務要覧』は，助産師業務を実施する上で必要となる法律とその解釈をまとめたものとして，1970年に発刊された。以降，巻構成などを変えながら改訂・増刷を重ね，助産教育・実践・研究の現場にある皆様のご支持を頂戴してきた。

　2017年刊行の「第3版」からは，主に助産学生を対象とするI巻〔基礎編〕，助産実践者を対象とするII巻〔実践編〕に加え，中堅・管理者的立場や開業助産師，「アドバンス助産師」を主な読者対象とするIII巻〔アドバンス編〕を設け，3巻構成とした。

　今回の改訂「第4版」では，収載内容とともに構成から見直しを図り，「第3版」も踏襲しつつ，近年の動向を加えた。なお，III巻については，2025年度以降の「助産実践能力習熟段階（CLoCMiP®）レベルIII認証制度」の必読本として活用するため，より高度な助産実践の展開に必要なマネジメントや政策の視点を加えている。

　また，各巻の中心的な読者層を想定しつつも，全巻を通覧することにより，基本的な知識から具体的な実践内容，そして実践の応用や政策の視点までを理解できるように再構成した。たとえば，本改訂で新たに記載したテーマ，「助産政策」に関しては，概論をI巻〔基礎編〕に，各論をIII巻〔アドバンス編〕に分けて収載している。ぜひ，各巻別々にではなく，〔基礎編〕から〔アドバンス編〕まで，通して活用していただきたい。

　妊産婦へ切れ目ない支援を提供するための医療・保健・福祉における新たな体制整備は，「待ったなし」の状況である。母子保健，医療・福祉政策が大きく動いていく時機にあって，本書が，助産学生，助産師諸姉に活用され，教育と臨床，研究，政策が一体となってケア環境を整え，母子保健がそのあるべき姿に向かうことを期待している。

　2023年9月

編者　**福井トシ子**

　　　井本　寛子

執筆者一覧

編者

福井トシ子	国際医療福祉大学大学院教授・副大学院長／前日本看護協会会長
井本　寛子	日本看護協会常任理事

執筆者（執筆順）

島田真理恵	上智大学教授
安達久美子	東京都立大学教授
山本　詩子	山本助産院院長
中根　直子	前日本赤十字社医療センター看護副部長・周産母子・小児センター副センター長
石川　紀子	総合母子保健センター愛育病院看護部長
今井　晶子	総合母子保健センター愛育病院看護師長
大賀　明子	西武文理大学教授
宮下美代子	みやした助産院院長
関屋　伸子	宮崎大学教授
片岡弥恵子	聖路加国際大学大学院教授
田中　佳代	久留米大学教授
大橋　一友	大手前大学教授
相良　洋子	さがらレディスクリニック院長
光田　信明	大阪母子医療センター病院長
山本　智美	聖母病院看護部長
早川ひと美	日本看護協会神戸研修センター教育研修部部長
大田えりか	聖路加国際大学大学院教授
服部　律子	神戸女子大学教授
小笹　由香	東京医科歯科大学病院臨床試験管理センター師長
納富　理絵	秋田大学医学部附属病院看護部
黒川寿美江	聖路加国際病院ナースマネジャー
宮川祐三子	大阪母子医療センター看護部長
市川百香里	岐阜県医療的ケア児支援センター・重症心身障がい在宅支援センターみらい
滋田　泰子	日本赤十字社医療センター看護師長
中井　章人	日本医科大学名誉教授／日本医科大学多摩永山病院院長
谷垣　伸治	杏林大学教授／杏林大学医学部付属病院総合周産期母子医療センター長
飯田　俊彦	済生会宇都宮病院産婦人科主任診療科長
鈴木　俊治	日本医科大学大学院教授
松岡　隆	昭和大学准教授

（2023 年 9 月現在）

目 次

第4章 ウィメンズヘルスケア能力

第5章 専門的自律能力

───────── 他巻内容 ─────────

Ⅰ巻：基礎編
● 主な読者対象：助産学生
● 助産業務の根拠となる関連法規・文書に基づき，基本的事項を解説

第1章　助産師とは　　　　　　　　　第5章　活動場所の特性と業務
第2章　助産師の教育　　　　　　　　第6章　助産政策
第3章　助産師と倫理　　　　　　　　資料
第4章　助産師の業務と義務

Ⅲ巻：アドバンス編
● 主な読者対象：「アドバンス助産師」，中堅・管理的立場
● より高度な助産実践を展開するために必要な，マネジメントの視点を紹介

第1章　「アドバンス助産師」の役割　　第4章　助産師に関連する法律・制度・政策の変遷
第2章　助産サービスのマネジメント　　第5章　助産政策の実際
第3章　労務管理　　　　　　　　　　資料

助産実践に必須の
コンピテンシー

国際助産師連盟（ICM）が示す「助産実践に必須のコンピテンシー」

コンピテンシー（competency）とは，一般的に職務や役割遂行の上で必要なスキルや行動特性を意味する言葉である。専門職能団体は，その専門性を社会に示すことや，実践の質を担保するために，その職業に携わる者に必要なコンピテンシーを示す義務がある。

本章では，国際助産師連盟（ICM）と日本助産師会が示す助産師のコンピテンシーに基づき概説する（Ⅰ巻の第2章の4も参照）。

＊

2002年，国際助産師連盟（International Confederation of Midwives；ICM）は，ICMが「助産師の定義」において定める「助産師」が持つべき助産実践の能力（コンピテンシー）を示した。以降，ICM加盟国への調査や意見聴取などを重ね，複数回の改訂がなされている。

ICMが示すコンピテンシーとは，助産師が居住する地域や環境および使用する言語などにかかわらず，ICMが定める「助産師」の資格称号を使用して助産実践を始めようとする個人に求められる，最低限の知識・技能・専門職としての行動を表したものである。

コンピテンシーは，「カテゴリー1：一般的なコンピテンシー」「カテゴリー2：妊娠前・妊娠中のケア」「カテゴリー3：分娩・出産直後のケア」「カテゴリー4：女性と新生児に対する継続的なケア」の4つのカテゴリーで構成されている。各カテゴリーに示されているコンピテンシーには，そのコンピテンシーのパフォーマンス基準を達成するために必要な知識（knowledge），技能（skill），行動（behavior）が概説されている。

また，カテゴリー1は，医療従事者としての助産師の自律性と説明責任，女性や他のケア提供者との関係，助産実践のあらゆる側面に応用されるケア活動の基盤となる能力であり，カテゴリー2〜4は，生殖過程の各時期に係る能力であり，それぞれが独立した能力ではない枠組みであることが示されている。

2 日本助産師会が示す「助産師のコア・コンピテンシー」

　日本助産師会は，2009年に「助産師のコア・コンピテンシー」を公表した。これは，日本の助産師に求められる実践能力の基準であり，2006年に同会が公表した「助産師の声明」の実践内容を反映するものである。

　医療の進歩，女性や母子とその家族を取り巻く状況に変化があれば，助産師のコア・コンピテンシーも当然，異なってくる。また，前述のように，ICMの「助産実践に必須のコンピテンシー」が2019年に改訂されたため，それに呼応して日本助産師会の「コア・コンピテンシー」も見直しの必要があると判断し，「助産師のコア・コンピテンシー2021」を公表したのである。

　「助産師のコア・コンピテンシー」は，「コンピテンシー1：倫理的感応力」「コンピテンシー2：マタニティケア能力」「コンピテンシー3：ウィメンズヘルスケア能力」「コンピテンシー4：専門的自律能力」という4つの要素から構成されている。

　図1-1は「助産師のコア・コンピテンシー」のイメージ図である。コンピテンシー1の〈倫理的感応力〉は，コンピテンシー2〜4を働かせるときに必須の能力である。また，コンピテンシー1〜4は相互的で，それぞれのコンピテンシーの高まりが他のコンピテンシーを高める関係にある。また，助産師として持つべき必須の概念であるとされる「助産師の理念」において，〈生命の尊重〉〈自然性の尊重〉〈智の尊重〉が「助産師のコア・コンピテンシー」の中核に位置するとされている。

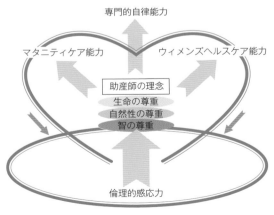

図1-1　日本助産師会「助産師のコア・コンピテンシー」のイメージ[2]

なお，4つのコア・コンピテンシーそれぞれで求められている能力についての詳細は，第2章〜第5章を参照されたい。下記にはその概要を示す。

1 コンピテンシー1〈倫理的感応力〉

日本助産師会の「助産師の声明」における「Ⅲ　助産師の倫理綱領」に示された，助産師活動における道徳的義務を実践に反映する能力である。

「助産師は，対象一人ひとりを尊重し，そのニーズに対して倫理的に応答する」ことが必要である。「倫理的に応答する」とは，対象と関わる中で援助へのニーズを見極め，対象と情報を共有しながら対象にとってよりよい選択ができるように支援していくことである。

実践の基準は13項目あり，助産師は倫理綱領に沿ってケアを実施することを基本とし，対象の尊厳と権利を尊重し，対象との信頼関係のもとに個人のプライバシーを守り，最善のケアを提供する。また，助産師同士ならびに多職種と連携することや自己の健康管理，専門職としての品位と社会的信頼の保持に努めることが必要であることなどが示されている。

2 コンピテンシー2〈マタニティケア能力〉

「助産師の声明」における「Ⅳ　助産師の役割責務」の「Ⅳ-1　妊娠期，分娩期，産褥期，乳幼児期のケアにおける助産師の役割・責務」を実践に反映する能力である。

「助産師は，分娩を核とするマタニティサイクルにおいて，安全で有効な助産ケアを提供する」専門職者である。

実践基準は20項目あり，自己の責任のもとに正常分娩を介助するだけではなく，妊娠〜育児期において，女性の意思や要望を反映し，多職種と連携しながら助産過程を展開し，あらゆる母子に安全で良質なケアを提供することが示されている。

3 コンピテンシー3〈ウィメンズヘルスケア能力〉

「助産師の声明」における「Ⅳ-2　ウィメンズヘルスにおける役割・責務」に示された，ウィメンズヘルスケアにおける助産師の実践を反映する能力である。

「助産師は，女性の生涯を通じた支援者であ」り，「相互にパートナーシップを築」き，実践する。

実践の基準は9項目あり，さまざまな健康教育や個別ケアによって女性が自己の健康の保持・増進を図ることができるよう，支援を行うことが示

されている。

4 | コンピテンシー 4 〈専門的自律能力〉

「助産師の声明」における「Ⅴ　助産管理における役割責務」と「Ⅵ　専門職としての自律を保つための役割・責務」に示された内容を実践に反映する能力である。

「助産師は，専門職としてのパワーを組織化し，社会に発信する」ことが求められる。

実践の基準は 14 項目あり，経営管理に参画することや，緊急時に適切に対応することのほか，専門職能団体を組織し，社会に発信することや，研究に参画すること，後輩助産師を育成することなどが，専門職業人として備えるべき能力として示されている。

引用・参考文献
 1）国際助産師連盟（2019）：助産実践に必須のコンピテンシー 2019 年改訂.
 2）日本助産師会編（2021）：助産師の声明／コア・コンピテンシー 2021, 日本助産師会出版.

倫理的感応力

〈倫理的感応力〉とは

　妊産婦と新生児，その家族をケアの対象としている助産師には，高い倫理性が求められる。

　日本助産師会の示す「助産師のコア・コンピテンシー」の一つ，〈倫理的感応力〉とは，「対象となる人々の行為や言動の意味を心に感じ，倫理的に応答する能力。『倫理的に応答する』とは，対象とかかわる中で援助を必要とするニーズを見極め，対象と情報を共有しながら対象にとってよりよい選択ができるように支援していくこと」[1]とされている。

　ここでは，この視点で，次に示す事例を振り返りながら，具体的に〈倫理的感応力〉について考えてみよう。

事例紹介

　Ａさんは，30歳の初産婦。妊娠38週にて正常分娩した。児は3,050 gで出生した。本日，産後4日目で，母児ともに経過は順調である。母児同室で，病室にて自律授乳を行っていた。

午前6時半：

　深夜勤の助産師より「今日は，小児科医師によるお子さんの退院診察があるので，授乳を済ませて，10時までに新生児室にお子さんを連れて来てください」と説明を受ける。

午前7時半：

　児が覚醒し，動き出したので，授乳を開始した。児の吸啜はよく，20分ほど左右の乳房から授乳をし，児が吸啜を止めて眠ったので，授乳を終えた。

午前9時：

　日勤の助産師より再度，「10時までに授乳を終えて，お子さんを新生児室に連れて来てください」と伝えられる。

午前9時半：

　10時になる前に終えようと授乳を試みるが，児が眠っており，吸啜する様子がなかった。Ａさんは，ちょうどそのときに訪室したまた別の助産師に「子どもが眠っていて，飲んでくれないのですが」と相談した。助産師は，「お子さんを起こして，授乳をしてください」と伝えた。さらに，助産師は，児が覚醒し吸啜するのを促すように児の足を刺激し，授乳を促した。

このときのＡさんの思い

　Ａさんは，子どもが眠っているので，退院診察が終わってから授乳をしたいと思い，助産師に相談した。しかし，助産師からは，Ａさんが希望していたこととは反対の返答があった。子どもが静かに眠っているのに足を刺激して授乳をすることに，Ａさんは，児に対して心苦しい気持ちであった。無理に授乳をする必要があるのか，授乳をせずに新生児室に児を連れて行ってはいけないのかと疑問に感じていた。一方で，朝から3人の助産師より同じ説明を受けていたので，仕方がないという思いがあり，助産師がすることを黙って受け入れた。

以下，倫理的に応答する（倫理的感応力）という３つの視点から，この事例を振り返る。

(1) 対象となる人々の行為や言動の意味を心に感じる

まず，「子どもが眠っていて，飲んでくれないのですが」というAさんの発言に意味を感じることが重要である。Aさんは，このときにどのような思いから助産師にこの言葉を発したのか，そして，助産師はどう受け取ったのか（解釈したのか）を振り返る。

【Aさんの言動の意味】

眠っている子どもへ授乳することに抵抗を感じており，Aさんにとってのこの発言の意味は，「今，子どもは眠っているので，退院診察後に授乳をしたい」ということであった。

【助産師の解釈】

助産師は，「Aさんは，児が眠っていて授乳ができないと困っている」と解釈したと推察される。

【〈倫理的感応力〉の視点から検討】

助産師は，Aさんの言動の意味を，Aさんの側に立って適切に察知できていなかったのではないか。さらに，助産師は，Aさんの思いとは異なる意味づけをしていたと考えられる。

(2) 対象と関わる中で援助を必要とするニーズを見極める

このときのAさんのニーズは何であったのか，助産師はどのようにニーズをとらえ，援助したのかを振り返る。

【Aさんのニーズ】

児が眠っているので，退院診察後に授乳したいという希望があり，そのことについて助産師に相談したかった。

【助産師がとらえたニーズと行った援助】

Aさんが10時までに授乳を終えることをニーズととらえ，児が覚醒し授乳できるよう援助した。

【〈倫理的感応力〉の視点から検討】

Aさんと新生児のニーズを助産師が適切に見極めることができていなかったと考える。この場面で，「児を刺激して授乳をする」というのは，Aさんと新生児のニーズではなく，助産師側のニーズではないだろうか。

(3) 対象と情報を共有しながら，対象にとってよりよい選択ができるように支援していく

この場面では，どのような情報をAさんと助産師が得ており，それらが共有されていたか。また，Aさんがよりよい選択ができるために情報が十分であったのかを振り返る。

【Aさんが得ていた情報】

　10時から児の退院診察があること，そして，そのために10時までに授乳を済ませて新生児室に連れて行く必要がある。

【助産師が得ていた情報】

　事例中には記載がないため，助産師らが持っていた情報は明確ではないが，新生児の退院診察の状況や要する時間については把握していると考える。

【〈倫理的感応力〉の視点から検討】

　Aさんは，10時までに授乳を終えて，退院診察のため児を新生児室に戻すことは伝えられており，この点については助産師と共有されていた。一方で，Aさんは授乳の必要性や授乳ができなかった場合の対応についての情報は得ていなかったため，選択のための十分な情報を持ち合わせていなかったといえる。

本事例における「倫理的応答」とは

　助産師が〈倫理的感応力〉を働かせ，どのように対応していれば，Aさんの真の思いやニーズに応えられていたのだろうか。

　本事例の助産師は，「倫理的に応答する」ための第一歩である「Aさんの言動の意味」を感じることができていなかった。助産師が自身の解釈に基づく判断をしたことが，Aさんのニーズに対応できなかったことの始まりであった。まずは，Aさんが発した言葉の意味を理解するため，改めて，その意味を聴くことが求められる。そのことによって，Aさんのニーズを見極めることが可能となる。

　また，助産師はそれまでの授乳の状況，現在の児の状況，退院診察に要する時間などについて，Aさんと情報を共有することが必要であった。Aさんの思いを理解しながら一緒に対応策を検討し，最終的にAさんが自分でどうするのかを選択できるよう支援することが「倫理的に応答する」ということになろう。

　さらに，助産師にとっては日常の臨床の出来事であっても，ケアの対象となる人々にとっては初めてのことであったり，自身が想像していたことと異なっていたりすることもある。また，ケアの提供者である助産師の視点からは適切であると思われる行為であったとしても，ケアの受け手である女性やその家族にとってはそうでないこともある。情報量やその質にも，助産師とケア対象者の間で大きく差があることがある。助産師はパターナリズムにならないよう注意が必要であり，「倫理的に応答する力」が求められる。

引 用 文 献

　1）日本助産師会（2021）：助産師の声明／コア・コンピテンシー2021，日本助産師会出版，p.20.

ケアリングの姿勢

　ケアリングとは,「① 対象者との相互的な関係性, 関わり合い, ② 対象者の尊厳を守り大切にしようとする看護職の理想・理念・倫理的態度, ③ 気づかいや配慮, が看護職の援助行動に示され, 対象者に伝わり, それが対象者にとって何らかの意味(安らかさ, 癒し, 内省の促し, 成長発達, 危険の回避, 健康状態の改善等)をもつという意味合いを含む。また, ケアされる人とケアする人の双方の人間的成長をもたらすことが強調されている用語である」[1]とされている。

　助産実践能力習熟段階(クリニカルラダー;CLoCMiP®)では,〈倫理的感応力〉としてケアリングの姿勢を示すことは, 助産師にとっての必須の能力であるとしている[2]。ケアリングの意味, 概念を理解し, 実践の場で適用できることが求められる。

　ここでは, Swanson[3]が示すケアリングの概念をもとに,【若年妊婦への支援例】を通して, ケアリングの姿勢について示す。

(1) 信念を維持すること:対象者およびその人がその出来事を乗り越えられる力を信じる

　若年妊婦は,「子どもが子どもを育てられるのか」といった視点からとらえられることがある。若年であっても, 適切な助言や支援があれば子どもの養育は可能である。若年妊婦が多いアメリカでは, 若年妊婦に特化した支援プログラムが準備され, 支援によって母親が自立し, 母子の健康が向上していることが示されている。若年妊婦の持つ力を信じ, 一緒に考えていく姿勢が重要である。

(2) 知ること:対象者の人生における出来事の意味を理解しようと努力し, 仮説を避け, その対象者に焦点を当てる

　助産師は, 若年妊婦にどちらかというと否定的なイメージを抱いていることがある。若年妊婦を一括りにし, バイアスがかかった見方でとらえることなく, 妊娠に至った経緯や成育歴などを理解し, 一人一人の若年妊婦を知るための努力をすることが求められる。

(3) 共にいること:対象者と共に存在し, 感情を共有する

　若年妊婦の中には, 適切な愛情を受けずに養育された人も少なくない。

表 2-1 ケアリングの振り返りシート

振り返りたい事例の概要・状況・ケア場面

ケアリングの振り返り：実践したこと，実践が難しかったこと，その理由	
信念を維持すること [対象者およびその人がその出来事を乗り越えられる力を信じる]	
知ること [対象者の人生における出来事の意味を理解しようと努力し，仮説を避け，その対象者に焦点を当てる]	
共にいること [対象者と共に存在し，感情を共有する]	
誰かのために行うこと [自分のために行うように，対象者のために行う]	
可能にする力を持たせること [対象者へ情報提供，コーチング，フィードバックをし，その人が出来事を乗り越えることを容易にする]	

（文献[3]により作成）

安心して相談できる大人が周囲にいないこともある。助産師は，若年妊婦の気持ちに寄り添い，その人の思いを受け止め，妊婦にとって信頼できる大人となることが重要である。

（4）誰かのために行うこと：自分のために行うように，対象者のために行う

　若年妊婦にとっての妊娠や出産は，その後の人生に大きく影響を及ぼす。そのことを理解し，短期的な視点だけでなく，長期的な視点に立ったウェルビーイングを考えて，自分のことのようにとらえ，支援することが必要である。

(5) 可能にする力を持たせること：対象者へ情報提供，コーチング，フィードバックをし，その人が出来事を乗り越えることを容易にする

　若年妊婦が理解しやすい言葉でより具体的に情報を提供し，理解度をそのつど確認しながら，一つ一つていねいに助言，指導をしていくことが重要である。そして，若年妊婦ができたことを具体的かつ肯定的にフィードバックし，自己効力感や自己肯定感を高めるような支援をすることが求められる。このような支援を行うことで，若年妊婦は，助産師への信頼感や安心感を抱き，自信を持つことができ，セルフケア能力が高まっていく。

＊

　ケアリングの姿勢は，助産ケアに当たって常に意識され，実践に落とし込まれることが求められる。そのためには，自分自身が行った対象者へのケアについて，助産師としての姿勢を自己評価することが重要である。それを繰り返すことによって自然にケアリングの姿勢が備わっていくのである（参考例：ケアリングの振り返りシート，表 2-1）。

　ケアリングの姿勢を備えた助産師は，助産ケアの質の向上に寄与し，対象者にとって信頼できる専門家となるだけでなく，後輩助産師にとってのよきロールモデルともなる。

引用文献
1) 日本看護協会（2007）：看護ケア／ケア／ケアリング．看護にかかわる主要な用語の解説―概念的定義・歴史的変遷・社会的文脈―，p.14.
2) 日本看護協会編（2022）：助産実践能力習熟段階活用ガイド 2022.
3) Swanson, K. M.（1993）：Nursing as informed caring for the well-being of others. *Journal of Nursing Scholarship*, 25（4）：352-335.

第3章

マタニティケア能力

妊娠期の診断とケア

1 妊婦の主体性を尊重するケア

　施設分娩が主流の現在では，妊婦健康診査（妊婦健診）や助産診断は，医師の手に委ねられていることが多い。そのため，勤務助産師による妊婦健診能力は，かなり限定されたものとなっている。正常に経過する妊産婦を正常と見極め，診断する助産診断能力が必要であり，アセスメント力を磨き，研ぎ澄ましていかなければならない。

　多くの助産師外来で行われている妊婦健診の進め方は，マニュアルに沿った画一的なもので，個を見ることが希薄になっており，「そつなく」「漏れなく」，決められた内容に沿って，伝えなければならないことをチェックしながらの妊婦健診になっている。

　助産師による妊婦健診が，「はい」「いいえ」「変わりありません」といった言葉の羅列で終わる健診にならないよう，健診技術とともにコミュニケーション技術を磨いていくことで，妊産婦の主体性が引き出されていく。しかし，妊婦の主体性を引き出すには，妊娠初期からの取り組みが必要で，日々の忙しい業務の中では，妊産婦にじっくり関わる時間がないなどといった声も聞かれる。

　妊娠・出産・育児が，分断されることなく滑らかなつながりの中で支えられ，助産師は初めて出会った産婦に対しても，まるでずっと寄り添っていたかのように受け入れ，対応することが要求される。それは，助産師個々のパーソナリティの問題ではない。「どのような人や場面でも受け入れる能力」も助産師にとっては重要な技術であり，優しく強く寄り添う能力が不可欠なのである。

　「医師には聞けないが，助産師には相談できる」といった身近な関係性の中で，妊娠・出産を通して女性が医療者に依存しすぎず，主体的に自立していけるような，助産師ならではの保健指導が必要である。

　妊婦とその家族が，出産に対する思いを妊娠中から助産師らに伝えることができれば，自分自身の妊娠や出産を主体的にとらえることができるようになり，「私がしたい，お産」が明確になってくる。妊婦が主体的に出産を考えることができるような指導により，自ずとセルフケアの大切さも理解でき，必要のない不安は取り除かれ，リラックスして出産に臨めるようになるのである。

(1) 主体性を引き出す助産師の役割

主体性を引き出す役割として，助産師は，「医師には聞けないが，助産師には聞きやすい」というような，相談しやすい立ち位置でありたい。一方で，妊娠・出産を通して女性が自立していけるようなサポートを行うには，妊婦が助産師に依存しすぎないように適度な距離感を持って関わっていく。助産師ならではのきめ細かな指導を実施し，いつも身近に助産師がいるといったメッセージを出していく。

(2) 初診で心をつかむ

初対面時の脳の判断は素早く，最初の2～3秒で相手の全体像をつかむといわれている。この数秒間の対応が，その後の健診を左右するといっても過言ではない。

穏やかな物腰や話しぶりは，妊婦に安心感を与えるため，目線を合わせ，笑顔で接する。妊娠中に何度も通院することを考え合わせ，妊婦の状況を知る機会となるため，問診票の項目に沿ってていねいに情報収集を実施する。

> **問診項目**
> ① 固定情報：年齢，身長，非妊時体重，住居環境，同居家族，結婚の状況，本人および夫（パートナー）の職業，経済状況，習慣，喫煙・飲酒の有無，常用薬，スポーツ歴，里帰り分娩の別
> ② 家族歴・遺伝的要素：血圧，糖尿病，結核，がん，精神科疾患，血液疾患，先天異常，その他
> ③ 既往歴・合併症：疾患，糖尿病，腎炎，高血圧，喘息，風疹，感染症，手術既往，アレルギー（特に薬剤），血栓性要素，その他
> ④ 婦人科疾患の既往歴・合併症：不妊，卵巣機能不全，子宮筋腫，卵巣嚢腫，胞状奇胎，その他
> ⑤ 月経歴・既往妊娠・分娩歴
> ⑥ 今回の妊娠経過における現象・主訴

(3) 妊婦健診で心がけること

妊婦健診では，次のようなことを心がけたい。

① 環境を整え，居心地のよい空間を作ること

② 穏やかな物腰と笑顔でゆっくり話しかけること

③ 妊婦と目線を合わせ，診察時以外は見下ろさないこと

④ 家族背景（産後の手伝いなどを含む）の把握を念入りに実施すること

⑤ 姓とともに会話の中では，名前で呼ぶこと（同行の児についても名前で呼びかける）

⑥ マニュアルどおりでなく，その妊婦にとって必要な問題点をピックアップすること

⑦ 一方的な指導を避け，妊婦自身の言葉を引き出すこと

⑧ 妊婦からの情報は，カルテに記載・入力し，次につなぐこと

⑨　妊婦が実行に移せるような指導を実施すること

⑩　腹囲・子宮底長などの計測時は，温かい手で優しく触れながら実施すること

そして，「正しい」指導より実施可能な指導で行動変容を引き出すことが重要である。

ほとんどの妊婦は，規則正しい食生活や運動の必要性を認識している。しかし，わかってはいるが実践できずにいることが多いため，体に入れるものを気にかけ，どのような運動・食事ならば実践できるか，妊婦本人ができそうなことを自身の言葉で発してもらうことが，動機づけのスイッチを入れることにつながっていく。

「正しい」指導の羅列は，妊婦の心に届かず，実施にはつながっていかないことが多い。妊娠を機に自分自身の体と生活を見つめ直すこととなり，行動変容を促すための指導をする絶好の機会となる。

2　妊娠期の支援展開の場

妊婦の主体性を引き出し，支援する場は，妊婦健診や両親教室などを実施する医療施設や保健センターだけではない。さまざまな場において，助産師とともに，スポーツインストラクターや鍼灸師，整体師，アロマセラピスト，栄養士，歯科衛生士などを含めた多職種が総合的に関わることによって，妊婦の心と体を整え，主体性を見出し，分娩後にも続く支援体制を構築していく。

(1) 保健センター

母子保健法第15条では，妊娠した者は，速やかに市町村長に妊娠の届出をしなければならないとされている。地域の身近にある保健センターでは，妊娠の届出への対応や，母子健康手帳の交付を実施している。母子健康手帳の活用方法や，行政として充実した母子保健サービスの提供を説明する，最初の機会である。

母子健康手帳は，妊娠期から乳幼児期までの健康に関する情報が，1冊にまとめられ，管理されるため，予防接種状況を含む健康の記録を医療者が必要に応じて記し，参照できる貴重な情報源である。母子健康手帳があることで，どこでどのような状況においても医療者に正しい情報が届き，適切な支援が受けられる。

両親教室や祖父母教室など，公的支援も充実している。また，必要な妊婦をピックアップし，家庭訪問指導を行ったり，妊娠中のレスパイト施設などの社会資源の活用につないだりすることができる。

（2）病院，診療所，助産所

　これらの医療施設における，妊娠期，分娩期，産褥期と継続した関わりは，保健センターとの連携によってより充実した支援となる。施設独自のマタニティクラス，両親教室，安産クラス，沐浴指導など，さまざまな支援が行われている。特に，地域において助産所は，「かかりつけ助産所」としての役割を担っていくことで，母児に密接に関わり，安心感を提供できる場所として機能する。

（3）スポーツクラブ，鍼灸院，整体院など

　妊娠期の支援においては，安産を目指し，心と体を整えてくれるインストラクターや鍼灸師などの役割も大きい。妊娠中の鍼灸により骨盤位の矯正効果も出ているとの報告があるため，医療処置に移行する前に，こうした代替医療なども駆使していくとよい。スポーツクラブでも妊婦向けのスイミングやエクササイズがあり，助産師によるバイタルチェック，心音チェックや妊婦相談があることも多い。このように，安産を目指す妊娠期の支援は多岐にわたっている。

（4）歯科医師，歯科衛生士など

　妊娠中に虫歯（齲歯）を治療しておくことは，炎症によるサイトカインの発生を抑え，早産を予防するために重要である（虫歯と早産の関連については，後述）。歯科の受診は，行政支援を受けることができ，母子健康手帳に補助券がついていることが多い。

3　妊婦の健康診査

　診察室の基本は，プライバシーが守られ，安心して話ができる場所であることである。

　助産師による妊婦健診は，産婦人科医師の代行といった考え方ではなく，助産師ならではの役割を発揮し，創意工夫により独自の妊婦健診スタイルを構築し，医師や他部門とのネットワークによる連携により進められるべきである。

　安全な妊婦健診を目指すには，助産師によるスクリーニング機能を高め，産科医師の後方支援のもと，一部のハイリスク群と，大半の問題のない妊婦への介入の仕組みを明確にすることである。ハイリスク群は，産科医師につなぎ，十分な経過観察と対処をすることが必要であるが，ハイリスク群ほど，助産師の手厚いケアと指導が必要である。

　健診は，五感を研ぎ澄まして，問診・視診・触診・計測・聴診・内診を系統的に実施する。実際に妊婦の体に触れながら，症状の把握や，異常の早期発見を行う。これらのことをフィジカルアセスメントといい，身体的

な情報を意図的に収集し，判断する健診方法である。

　また，第六感である心覚は，「悟る」ことである。「悟」という漢字には，心で繊細な動きを把握するといった意味があり，エビデンス（科学的根拠）に基づく医療（evidence based medicine；EBM）の上に，この感覚を合わせて健診を進めることが必要である。

1）初　　診

　近年では，市販の妊娠検査薬を購入し，妊娠反応の出た人が来院することが多い。最終月経の聞き取りと超音波診察による妊娠確定後の情報収集は，妊婦にとって最も緊張感が高まるときである。初診時に入室して来るときの表情や体形，顔色など，一見してとらえられる情報は重要で，その後の妊婦健診につながっていく。

問　　診

　詳細な問診は，妊婦管理を行う上で重要な情報であり，ハイリスク妊娠のスクリーニングに欠かすことができないため，自己記載の問診票をもとに念入りに行われる。生活環境や生活習慣，特に既往歴，アレルギー，家族歴は丹念に聴取していく。妊娠歴は，妊娠経過とともに分娩歴，流産や人工妊娠中絶などの状況把握に努める。

2）妊婦健診回数

　妊婦健診スケジュールと回数は，妊娠初期より 23 週までは 4 週間に 1 回，24〜35 週までは 2 週間に 1 回，36 週以降は 1 週間に 1 回を原則とするが，妊婦や胎児のリスクに応じ，健診間隔は適宜，調整する。全妊娠期間を通して 13〜14 回ほどの健診になり，健診費用には，公費による補助制度が実施されている（図 3-1）。

● 厚生労働省児童家庭局長通知「母性，乳幼児に対する健康診査及び保健指導の実施について」，最終改正平成 12 年 4 月 5 日　児発第 410 号に基づく。

3）基本健診内容など

(1) 尿検査（尿蛋白，尿糖，尿ケトン体，尿混濁，色など）

　来院時，直ちに排尿カップに尿を採取してもらい，テステープでチェックする。腟分泌物（帯下）が増加している場合は浮遊物があり，尿蛋白が（±）〜（＋）になりやすい。また，胎児を含めた血液の濾過機能を果たすため，非妊時に比べて腎機能に負担がかかりやすくなり，尿蛋白が出やすくなる。

　尿所見は摂取した食事内容にも影響され，たとえば，高カロリーな食事の後は，尿混濁していることが多いため，その後の指導に連動して観察する。

標準的な"妊婦健診"の例

厚生労働省では、14回分の妊婦健康診査として、次のようなスケジュールと内容を例示しています。
あくまでも標準的なものですので、特に「必要に応じて行う医学的検査」の内容は、医療機関等の方針、
妊婦さんと赤ちゃんの健康状態に基づく主治医の判断などによって、実際にはさまざまです。
より主体的に受診していただくために、標準的な妊婦健康診査の例をご紹介します。

妊婦健診を受けられる主な場所は、病院・診療所・助産所です。
（助産所で出産する予定の方は、助産師と相談の上、病院又は診療所でも妊婦健診を受けておきましょう。）

期　　間	妊娠初期〜23週	妊娠24週〜35週	妊娠36週〜出産まで
健診回数 （1回目が8週の場合）	1・2・3・4	5・6・7・8・9・10	11・12・13・14
受診間隔	4週間に1回	2週間に1回	1週間に1回
毎回共通する基本的な項目	●健康状態の把握…妊娠週数に応じた問診・診察等を行います。 ●検査計測…妊婦さんの健康状態と赤ちゃんの発育状態を確認するための基本検査を行います。 　基本検査例：子宮底長、腹囲、血圧、浮腫、尿検査〔糖・蛋白〕、体重〔1回目は身長も測定〕 ●保健指導…妊娠期間を健やかに過ごすための食事や生活に関するアドバイスを行うとともに、妊婦さんの精神的な健康に留意し、妊娠・出産・育児に対する不安や悩みの相談に応じます。また、家庭的・経済的問題などを抱えており、個別の支援を必要とする方には、適切な保健や福祉のサービスが提供されるように、市区町村の保健師等と協力して対応します。		
必要に応じて行う医学的検査	●血液検査 〔初期に1回〕 血液型（ABO血液型・Rh血液型・不規則抗体）、血算、血糖、B型肝炎抗原、C型肝炎抗体、HIV抗体、梅毒血清反応、風疹ウイルス抗体 ●子宮頸がん検診（細胞診） 〔初期に1回〕 ●超音波検査 〔期間内に2回〕	●血液検査 〔期間内に1回〕 血算、血糖 ●B群溶血性レンサ球菌 〔期間内に1回〕 ●超音波検査 〔期間内に1回〕	●血液検査 〔期間内に1回〕 血算 ●超音波検査 〔期間内に1回〕
	●血液検査 〔妊娠30週までに1回〕 HTLV-1抗体検査 ●性器クラミジア 〔妊娠30週までに1回〕		〔平成23年4月現在〕

図 3-1　妊婦健診のスケジュールと内容の例[1]

(2) 体重測定，浮腫の有無の観察

　妊婦健診時の体重測定では，健診時に自己測定し，申告することが多いが，できるだけ医療者の眼で確認する。着衣のままでの計測なので，多少影響はあるが，体重増加は，妊娠中の健康診査に有用な情報を含んでいるため，このように単純なことほどていねいに実施していく。体重増加による管理指導を，ストレスと感じる妊婦も多く，神経質になるあまり，健診前に食事をせずに来院し，検査値に影響する場合がある（後述）。体重増加した場合，食事内容の聞き取りや浮腫の有無の観察をする。

　通常の体重増加の目安は，胎児3 kg，胎盤500 g，羊水500 g，子宮・乳房・血液増加で4 kg，全妊娠期間を通して8〜10 kg以内を基準としている。各期の目安は，初期2 kg，中期5 kg，後期3 kgである。

① 貧血対策

　体重増加に伴い，妊娠期の循環血液量は，妊娠32週ごろには，1.3〜1.5倍に増加する。しかし，血液成分は増加量に比例するものではない。そのため，赤血球などの血球成分より水分量が多く，薄まった状態となり，妊

娠期の生理的な貧血が起こる。血液量の増加は，胎児への酸素と栄養供給のためと分娩時の出血に備えるためであるが，Hb 11 g/dL 以下にならないように貧血対策の食事指導を実施する。

貧血が原因で自律神経に失調が生じ，体温調整ができなくなって氷が食べたくなる氷食症をきたすと，アイスクリームや氷を頻繁に食べるために体が冷え，腹緊が引き起こされる場合もある。鉄分の供給，鉄剤投与により軽快する。

② 浮腫対策

浮腫は，腹囲測定時の下着痕でも判断できるが，多くは，脛骨，腓骨，足背部での圧迫によるへこみの深さから4ランクに分類され，へこみ2mm が1+，4 mm が2+，6 mm が3+，8 mm が4+となる[2]。

浮腫が著明なときは，ほとんどの場合，下肢や腹部の冷感があり，総じて貧血も併発している。体内循環の不良から水分量が増加するためである。対策としては，保温，食事，運動についての保健指導が有用である。

(3) 血圧・脈拍測定

自動血圧計により測定値が印字された記録をもとに健診を進めることが多いが，低値や高値の場合は，必ず医療者による再検を実施し，リスク因子を見逃さないようにする。血圧測定で注意が必要なことは，妊婦の常日ごろの正常値をもとに観察することであり，たとえば妊娠初期より100/50 mmHg 程度の妊婦が，後期になってから 128/76 mmHg を示すというような，一見平均値ではあるが，初期からの上昇が見られる場合は，要注意で観察をし，必ず医師の診察につないでいく。120/70 mmHg 平均の妊婦が 140/90 mmHg に変化したときと同じような対応と考えるとよい。近年，常位胎盤早期剥離が増加しているため，脈拍の変化と同様，重要所見となる血圧の微上昇も見逃してはならない。

(4) 腹囲・子宮底長計測

病院施設での妊婦健診の場合，腹囲・子宮底長測定は行われず，母子健康手帳の記載欄が空欄で，毎回，超音波での結果で胎児の推定体重が記載されているところも見受けられるようになった。しかし，妊婦の腹部に直接触れることで，保健指導につながる情報を得ることができるため，各期の変化を詳細に計測していくことが必要である。

腹囲の計測法には，最大周囲径と臍周囲径があるが，施設により統一しておくとよい。腹部に下着痕がくっきりと残り，冷感があり，下肢の浮腫もあるときには，体重増加と貧血が予測される。急激な浮腫は，妊娠高血圧症候群（HDP）などと連動させながら観察を行う。

子宮底長の平均値は，妊娠4〜5か月で3×月数（cm），妊娠6か月以降で3×月数+3（cm）である。妊婦の体格にもよるが，大きい場合は，羊

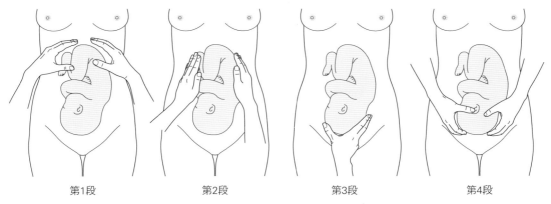

第1段　　　　　　第2段　　　　　　第3段　　　　　　第4段

図 3-2　レオポルド触診法

水過多や児が大きめ，小さい場合は，羊水過少や児が小さめと予測しながら慎重に対応していく。

（5）胎児心音聴取，胎位・胎向確認

　妊娠初期（妊娠 5〜8 週ごろ）の胎児心拍は，医師により経腟プローブで確認することが多い。12 週以降は，ほぼ 100％，ドップラーによる聴取が可能となる。妊娠初期（妊娠 8〜12 週ごろ）には胎児心拍数は 160〜180 bpm と速めで，その後，妊娠 17 週ごろより徐々に 140 bpm，妊娠後期には 120〜160 bpm になってくる。

　胎児心拍聴取時は，「赤ちゃんの心音を聞かせてくださいね」と前置きし，妊婦に膝を曲げてもらい，レオポルド触診法（図 3-2）で児背を確認した後，ドップラーを当て，聴取する。反対側の手は，腹部にそっと当てるようにする。触れるときの医療者の手は温かくしておくことに努め，レオポルド触診法の際もゆっくりとした手技で行うとよい。ドップラーで聴取しにくくなり，プローブを動かすときに「ガサガサ」と耳障りな雑音になるので，児背の確認を十分に行ってから正確に当てられるようにする。また，妊娠初期のころは，おおむね恥骨結合上縁 3 横指辺りをやや下に向けると聴取しやすい。

　胎児の位置により聴取しにくい場合は，超音波断層装置などで胎位とともに再確認する。結滞，リズム不正，強弱などにも注意を払う。

レオポルド触診法
　レオポルド触診法は，第 4 段まであるが，実務的に実施しているのは，第 4 段の児頭確認を先に行い，次に第 2 段で児背確認を行うという 2 段階での触診がほとんどである。
　妊娠後期では，児頭の浮動，固定などで児頭骨盤不均衡などの予測をしていく。

ザイツ法
　分娩直前期に児頭が浮動している場合に行う。妊婦に膝を伸展してもらい，左手掌を児頭に添えて下方向に慎重に圧をかける。右手の拇指以外の指は揃えて恥

骨結合上に置き，そこから児頭の方に向けて移動させる。
・ザイツ法（－）：児頭が恥骨より低い。
・ザイツ法（±）：児頭と恥骨の高さが同じ。陣痛の強さや角度によっては通過可能。
・ザイツ法（＋）：児頭が恥骨より高い。児頭骨盤不均衡の可能性が高い。

(6) 超音波検査

最終月経から間もなくの妊娠5週前でも，経腟超音波で胎嚢の確認ができ，子宮内の胎嚢確認の後，妊娠9～11週ごろの超音波診断での頭殿長（crown-rump length；CRL）で，予定日がほぼ確定する。

なお，妊娠検査薬による判定が（＋）の場合で子宮腔内に胎嚢が確認されない場合は，異所性（子宮外）妊娠，胞状奇胎などの可能性がある（妊娠初期での超音波診断は，医師が実施する）。

妊娠中期ごろより，週数確認，推定体重，胎盤付着位置，羊水量，胎児診断その他により，胎児発育評価を行う。

超音波検査は，妊娠中だけではなく，分娩中の回旋異常や不正軸侵入，胎盤剝離の確認などにも使用され，助産診断に役立ち，活用できるものである。

(7) 体調聞き取り，問診，その他

妊婦健診時，問診，視診，触診，諸検査などで，母体に異常はないものの，気にかかる妊婦がいることがある。顔色，口唇色，まばたきや身振りといった非言語コミュニケーションも漏らさず観察し，体に緊張感がある，表情が硬い，目線が合わないなどといったケースは，カルテに記載し，次回からの診療に役立て，スタッフ全員で共有できるようにしていく。

家庭環境，職場環境など，少しずつ話をしながら，助産師ならではの関わりにより，保健指導を進めていくことが必要である。若年妊婦では，経済状況，虐待の可能性などを加味した上で，産後の子育て環境への配慮が必要であるが，体力があるため，分娩そのものは順調に経過し，母乳育児などにもスムーズに移行しやすい。一方，高齢妊婦の多くは，経済的な問題は少ないものの，不妊治療，管理入院，帝王切開，麻酔分娩（無痛分娩）などの経過を辿っていることがあるため，産後の継続支援を，妊娠中から念頭に置いて対応していく必要がある。

(8) 内　　診

女性の羞恥心などへの精神的な配慮が必要であり，覆い布をかけて実施する。近年ではカーテン越しでなく，医師や助産師と対面で実施しているところもあるが，膝元を覆うなどの配慮を忘れてはならない。

内診時の陰唇の巻き込みは，疼痛を伴うため，拇指と示指で陰唇を開いてから，反対の中指と示指の2本を静かに挿入して内診する。助産師によ

る内診は，理由がない限り，37週以降が望ましい。

4 妊婦の健康に対する支援

1）妊娠によるマイナートラブル

妊娠によるマイナートラブルの多くは，特別な治療はせず，生活指導で軽快，改善されることが多いが，放置することで，ハイリスク妊娠・分娩へと進む可能性があるため，慎重な対応と対策が求められる。

マイナートラブルは，ホルモンバランスが急激に変化することから発生する。特に，週数の経過とともに子宮が増大することで周囲の臓器圧迫が引き起こされ，重くなった子宮を支えるために下半身，特に腰などへの負担が増加し，トラブルが発生するのである。

（1）妊 娠 初 期

妊娠初期の多くは，個人差はあるものの，悪阻（つわり）による悪心（嘔気）・嘔吐，胸やけなどの症状があり，頭痛，眠気などが著明に起こる場合がある。頻尿や，腹部の張り感や違和感を訴えることもある。着床間もない時期に母体を安静にさせるための防御反応ともいわれている。妊婦が食べたいもの，口当たりのよい食品を少量ずつ摂取するように指導する。

（2）妊 娠 中 期

12週以降，悪阻が軽減し，食欲が出始める時期である。胎盤が形成され，最も安定した時期といえるが，腹部増大により，便秘，腰背部痛，胎動による頻尿，尿漏れ，皮膚瘙痒感，妊娠線や正中線の出現，乳頭・乳輪や陰部の着色が増強する。

（3）妊 娠 後 期

妊娠後期では，さらに腹部が増大するために，運動不足から腰痛，尿漏れ，頻尿となり，貧血，浮腫，足のつり，帯下の増加が見られる。突然のこむら返りや熟睡ができないこと，夜間何度もトイレに行くために睡眠不足を訴えることがある。

2）生活指導の方法

妊娠各期の生活指導の基本は，食事，運動，精神安定であるが，妊婦が実施しやすい方法を，自ら考え，実行できるように支援していく。勤労妊婦が増えている中，一方的な指導は，机上の空論になってしまい，実行できないため，行動変容を促すような指導を工夫する。

運動は，マタニティヨガなどのクラスを実施している施設などもあるので，それらへの参加をすすめてもよいし，日常動作の中からできることも

あるため，気づきと動機づけができると効果的である。たとえば，歯磨き中やヘアドライヤーで髪の毛を乾かす間のスクワット運動，なるべく階段を使うことなど，日常の中で工夫できることがないか，自分自身で考えてもらうとよい。

3）虫歯と早産の関係

虫歯と早産の関連とメカニズムは，さまざまな研究により明らかとなっている。虫歯菌による炎症によってサイトカインが分泌される。サイトカインには，子宮収縮作用のあるプロスタグランディンの分泌を促す作用がある。細菌感染による絨毛膜炎からもサイトカインが増加し，子宮収縮が起きて早産になるという仕組みである。

4）冷え予防と腹緊

体の冷えにより抵抗力が低下し，帯下が増加することがある。帯下の増加は，腟内に雑菌が繁殖しやすく，破水や早産の原因になるため，体を温める工夫は重要となる。腹緊が強く，四肢が冷えている妊婦は，30％ほど早産率が高まるという研究結果が出ている。

冷えている腹部は，腹緊があり，パツンと張った印象がある。同時に，手足が冷えていて循環が悪いことがあるため，保温対策をすすめる。温かい食事，足首ウォーマー，腹帯の使用，運動により冷えの軽減を図る。

5）ツボ療法

妊娠中のマイナートラブルは，ツボ療法で軽減させることもできる。前述のように，妊娠初期・中期・後期によってその症状はさまざまであるため，症状に応じたツボ刺激と自己灸により，軽減を図っていく。100％の効果を期待するのではなく，体と向き合い，セルフケアできる能力を培う上での一手段として活用したい。

妊娠中のマイナートラブルに効果があるとされるツボとしては，下記のようなものがある。詳細は，成書[4]を参照されたい。
- 悪阻：内関（ないかん），足三里（あしさんり）
- 便秘：神門（しんもん），合谷（ごうこく），大腸愈（だいちょうゆ）
- 痔：百会（ひゃくえ）
- 骨盤位：至陰（しいん），三陰交（さんいんこう）
- 冷え：三陰交，湧泉（ゆうせん）
- 浮腫：足三里，太渓（たいけい）
- 乳汁分泌の促進：三陰交，足三里，湧泉，少沢（しょうたく）

分娩に向けての，妊娠中の体作りにおいては，食事が最も重要である。食事制限を厳しくされるあまり，妊娠中にまでダイエットをし，結果的に低体重の児が誕生することもあるため，食に対する正しい知識は必要であり，折に触れて食事指導を行っていかなければならない（第4章の8も参照）。

(1) 妊娠期に必要な栄養素

葉酸は，妊娠中に必須の栄養素であり，葉酸不足により児の脳や脊髄などの発達が進まない神経管閉鎖障害や，発達障害発症のリスクが高まる。このリスクを抑制するために，妊娠中は，葉酸摂取量は 400 μg/日，必要とされている。主に緑黄色野菜に含まれ，豆類，レバーなどにも含まれているが，加熱調理により分解されるため，食品だけでなく，栄養補助食品（サプリメント）での補給も合わせて指導していく（表3-1）。

● 日本人の食事摂取基準（2020年版）[5]における推奨量は，480 μg/日。

なお，胎児期の栄養と成人後の疾病の発症との関連性を指摘する学説，DOHaD説が，近年注目されている。詳細は，第4章の8を参照されたい。

(2) 妊娠中の必要カロリー，ケトン体

妊婦健診時の尿検査では，尿蛋白，尿糖，ケトン体などの検査を実施するが，時折，ケトン体が強陽性に反応することがある。これは飢餓状態に

表3-1 妊娠期に摂取することが望ましい栄養素・葉酸を多く含む食品の例

〔緑黄色野菜類〕

食品	含有量 (μg/100 g)	食品	含有量 (μg/100 g)
モロヘイヤ	250	ニンニク	120
ホウレンソウ	210	コマツナ	110
ブロッコリー	210	ネギ	110
アスパラガス	190	トウモロコシ	95
ヨモギ	190	カボチャ	80

〔魚介類・肉類〕

食品	含有量 (μg/100 g)	食品	含有量 (μg/100 g)
鶏レバー	1,300	ウニ	350
牛レバー	1,000	イクラ	100
豚レバー	800	ホタテ	85

〔豆類〕

食品	含有量 (μg/100 g)	食品	含有量 (μg/100 g)
エダマメ	320	アズキ	130
ソラマメ	250	納豆	120
ダイズ	230	インゲン	80

（「妊娠中に大切な食べ物と食事」〈http://www.modellierung2010.org/〉[2018.9.1] より抜粋）

なっているときに検出されるもので，体重増加を気にするあまり食事を抜いて健診に来た妊婦などでも検出される。

　食欲があり，よく食べて運動している場合の体重増加は，あまり気にする必要はないが，摂取量が少ないのに体重が増加している場合は，おおむね浮腫が著明である。

　妊娠期に必要なカロリーは，週数により増加する。妊娠初期 2,050 kcal，中期 2,250 kcal，後期 2,450 kcal を目安とするが，野菜を多く摂取し，体調を整え，運動することが，安産への近道である。

　食事指導は，生活環境に左右されるため，妊婦自身が気づきを持ち，実行に移すことが重要である。行動変容を促す指導は，基本から逸脱していることがあるかもしれないが，「正しい」指導であっても，実行されなければ，それは本当の意味で正しい指導とはいえないのである。

引用・参考文献
1）厚生労働省：“妊婦健診”を受けましょう．
　〈https://www.mhlw.go.jp/bunya/kodomo/boshi-hoken13〉
2）我部山キヨ子，大石時子編（2008）：腹部（視診・触診・聴診）胎児心拍モニタリング．助産師のためのフィジカルイグザミネーション，医学書院，p.34-36．
3）森恵美責任編集（2023）：助産師基礎教育テキスト 2023 年版，第 4 巻（妊娠期の診断のケア），日本看護協会出版会．
4）山本詩子，宮下美代子編（2013）：ベテラン助産師から学ぶ！　3 大助産業務のコツと技　保健指導・分娩介助・おっぱいケア（ペリネイタルケア 2013 年夏季増刊号），メディカ出版．p.57-59．
5）厚生労働省（2019）：日本人の食事摂取基準（2020 年版）．
　〈https://www.mhlw.go.jp/content/10904750/000586553.pdf〉
6）鈴木俊治，舛森とも子編（2015）：決定版！　場面別　超早わかり助産ケア技術（ペリネイタルケア 2015 年夏季増刊号），メディカ出版，p.42-43．
7）日本産科婦人科学会，日本産婦人科医会編集・監修（2020）：CQ306-1，CQ30-2．産婦人科診療ガイドライン―産科編 2020，p.153-156．
8）黒川寿美江（2010）：外診．村上睦子編，助産の力を伸ばそう！　臨床助産技術ベーシック＆ステップアップテキスト（ペリネイタルケア 2010 年夏季増刊号），メディカ出版．
9）バーカー，デイヴィット（福岡秀興監修，藤井留美訳）（2005）：生涯変わらない体内システムは子宮のなかで形成される．体内で成人病は始まっている―母親の正しい食生活が子どもを未来の病気から守る，ソニーマガジンズ．
10）久保田健夫（2009）：早稲田大学教育総合研究所監修，坂爪一幸編著，早稲田教育ブックレット 4，「食」と発達，そして健康を考える―母親の栄養と赤ちゃんの発達と成長後の健康，学文社，p.30-40．

② 分娩期の診断とケア

2

1 産婦と胎児の健康診査

　分娩時の健康診査は，産婦の情報を収集し，安全で快適に出産できるように助産診断を行い，適切なケアを提供することを目的とする。ここでは，医療施設での出産を前提とし，分娩各期の健康診査とケアの概要について述べる。

1）入院時の観察とケア

　分娩を前提とした産婦と胎児の診察は，（1）問診，（2）外診（視診・触診・聴診），（3）内診，（4）胎児心拍数陣痛図（CTG；cardiotocogram）をもとに行う。

（1）問 診 項 目

　2005 年に施行された個人情報の保護に関する法律（個人情報保護法）では，医療者であっても必要以上の個人情報を収集しないことや，収集した情報を保護する配慮が示された。分娩の開始という逼迫した状況の中でも，必要な情報を選択的に収集し，適切に助産録として残すことが助産師には求められている。

① **一般情報**：妊娠中から確認しておくべき項目
- ・本人の基礎情報：氏名（出生証明書記載のため，戸籍に使用されている文字で確認をとる），年齢，職業（経済的環境），住所，連絡先，パートナー（婚姻状況）および家族の情報
- ・身体的情報：身長・非妊時体重（BMI），アレルギー，一般既往歴
- ・産科的既往歴：最終月経（LMP；last menstrual period），予定日，婦人科的既往歴（子宮筋腫，子宮内膜症など），不妊治療の有無と今回の妊娠状況，妊婦健康診査での異常所見，合併症（妊娠糖尿病（GDM），妊娠高血圧症候群（HDP）），感染症情報（HBV，HCV，HIV，ATL-V，GBS，梅毒，風疹）および陽性の場合には治療状況と今回の対応方針

② **主訴情報**：入院時に必ず聴取すべき項目
- ・子宮収縮：10 分以内で収縮が始まった時刻，間欠の有無，強さ
- ・破水の有無：破水覚知時刻・タイミング，羊水の性状と量，流出の状

　参考：厚生労働省の母子健康手帳省令様式。
https://www.mhlw.go.jp/content/001080553.pdf

況（持続的か，間欠的か）

・分泌物の有無：産徴，血性分泌物の色，量，性状，覚知時刻

・排泄の状況：最終排尿時刻，尿意や頻度，現在までの排便状況，努責感

(2) 外診（視診・触診・聴診）

① **一般状態**：問診と同時に実施

　　・頭から体幹，下肢へと全身状態を確認し，分娩進行状態を総合的に把握

　　・測定：体温，脈拍数，呼吸数，血圧，尿検査，体重

　　・観察：顔色，表情，活気，言動など

② **産婦**：異常の有無と分娩進行の把握

　　子宮底長計測，子宮収縮・間欠の状態，胎児部分の触れ方と羊水量の多少，浮腫の場所と程度（触診），腹部の形状・収縮輪の有無，静脈瘤の場所と程度，血性分泌物の有無と性状，破水の有無，羊水の性状（色，量，臭気），乳房の状態（視診）

③ **胎児**：胎児の well-being の確認

　　胎児の一般情報：胎位，胎向，先進部，下降（嵌入）度，胎児状態（心拍の最良聴取位置），心拍数，徐脈の有無とタイミング

(3) 内　　診

　　内診では子宮頸管のみならず，以下の項目について観察を行う。

　　・破水の有無

　　・分泌物の有無

　　・胎児先進部がどの部位か

　　・ビショップスコア（開大度，展退度，高さ，硬度，位置）に沿った子宮頸管成熟評価

　　・胎胞形成の有無

　　・腟の伸展性，出口部の広さ・狭さ，柔軟性

・外陰部の静脈瘤・浮腫・瘢痕の有無

・会陰部の長さと伸展性

> **内診のポイント**
> ・破水が確定した場合は，以降の内診は最小限にする。
> ・妊婦健康診査の最終内診所見と比較し，それまでの子宮収縮の状態を併せて分娩進行の予測を行う。
> ・内診後は産婦をねぎらい，今後の分娩予測について産婦と家族にポジティブな表現で説明する。

(4) 胎児心拍数陣痛図 (CTG)

　入院時点での胎児状態を評価するために，まずは心拍があることを確認し，引き続き CTG による正常波形であることを確認する。

　日本産科婦人科学会周産期委員会の基準では，妊娠期と同様に，① 基線が正常範囲，② 基線微細変動が中等度，③ 一過性頻脈がある，④ 一過性徐脈がない，以上4所見が得られれば，胎児状態は良好（reassuring fetal status）と判断できる。

　モニタリングの中断は，良好であるという判断ができた場合に行う。

2) 分娩第1期の観察とケア

・分娩進行している場合には，母体のバイタルサイン（体温，脈拍数，呼吸数，血圧）測定は6〜8時間ごとに行い，全身状態を観察する。38.0℃以上の体温，140/90 mmHg 以上の血圧は，再検した上で医師に報告し，原則1時間ごとの測定とする。なお，測定は陣痛の間欠時に行う。

・CTG の装着については，胎児状態が良好であれば，間欠的聴取でもよい。ただし，① 破水，② active phase に入ったと思われるとき，③ 分娩前30分以降には必ず装着する。また，分娩進行中は6時間以上の間隔をあけずに装着し，reassuring を確認することが推奨されている。

・CTG 装着時にも，できるだけ産婦に付き添い，実際に間欠・発作時の腹壁の触診を行って，子宮収縮の強さに合わせて分娩進行についての説明や，産痛緩和へのケアを行うことで，産婦の不安軽減を図る。

・破水した場合は，羊水の色，臭気，量，子宮収縮との関連，臍帯などの脱出がないか確認し，速やかに CTG を装着する。

・血性分泌物がある場合には，量，性状の観察を行い，異常な出血との鑑別を行う。

・必要に応じて内診を行う。

・副交感神経優位な状態を目標に，精神的，身体的な緊張状態を査定し，ケアを選択する。

・体勢は，産婦が好む体位とする。潜伏期には，歩行，座位，しゃがむ（蹲踞）など，進行期には，四つん這いや側臥位が好まれる。

3

・分娩進行に伴う代謝の昂進や平滑筋の収縮によって，発汗，悪心・嘔吐などが起きるが，タイミングを計って水分や糖質の摂取をすすめ，脱水や疲労の予防に努める。
・睡眠が途切れがちになるため，間欠時にリラックスできる環境を調整する。
・正常から逸脱していると思われる所見がある場合は，予測的に速やかに医師へ報告する。

多くの施設では，分娩入院時の産婦に最初に接する職種が助産師である。入院診察で「ちょっと気になる」場合には早めに医師へ報告したい。その際に心がけたいのは，SBAR に則って情報整理を行うことである（第5章の3も参照）。

【SBAR を用いた報告例】
S：situation（産婦の状況）
　「午前7時の陣痛発来を主訴に入院してきた初産婦です」
B：background（妊娠経過や分娩状況）
　「妊娠38週3日。CTG をとり始めて20分経過しています」
A：assessment（状況評価の結論）
　「分娩第1期と判断します。胎動はありますが，基線150 bpm，微細変動が10 bpm でバリアビリティが少ないのが気になります」
R：recommendation（提言あるいは具体的な要望）
　「早めに診察をお願いします」

　なお，報告前に名乗ること，報告後の復唱を加えて，I-SBARC として周知されている。
I：identify（報告者と妊産婦を明確にする）
　「分娩室の助産師A です。午前9時に入院したB さんについて報告します」
C：confirm（指示受け内容の復唱）
　「CTG を続行し，エコーを運んでおきます」

3）分娩第2期の観察とケア

・胎児心拍数の聴取を確実に行い，胎児状態を把握する。特に，遅発性徐脈の発現を早めに察知する。
・十分な子宮収縮があれば，子宮口全開から胎児娩出まで2時間が目安となるが，時間経過だけが胎児状態の悪化につながるとは限らないため，産科医師と連携して慎重に確認する。
・胎児，母体の状況がよいと判断できる場合には，自然な分娩進行に従って分娩が終了するように支援し，産婦が安楽だと感じる姿勢をすすめる。
・先進部が station＋0以上に達すると，子宮収縮時には3～5回，10秒未満の込み上げるような自然な努責が入る。急速遂娩の必要がない限り，産婦が感じる自然な努責発作に合わせて呼気を止めずにいきむよう誘導する。分娩進行に問題がない限り，息をこらえ声門を閉じた状態で励まして努責させること（バルサルバ法）は推奨されていない。

- 急速遂娩の必要性を決定するため，胎児の状態を常に査定し，それぞれの施設で新生児（小児）科医師の立ち会いや緊急帝王切開にかかる時間を想定して関係各所と緊急時のフローを作成し，シミュレーションを行っておく。
- 緊急帝王切開の可能性を常に考慮する。母体・新生児搬送が想定される施設では搬送に伴う手順を明確にし，連絡方法や必要物品をすべてのスタッフに周知する。
- 異常なく分娩が終了し，新生児の健康状態に問題がない場合には，速やかに早期皮膚接触（後述）に移行する。

4）分娩第3期の観察とケア

- 胎盤剥離徴候を観察し，慎重に胎盤を娩出する。
- 胎盤娩出前後の出血量と流出状況を観察し，胎盤実質や卵膜などの遺残がないか速やかに確認する。
- 子宮底の収縮状況を確認する。薬剤投与のない状態での児娩出後の子宮底マッサージは，分娩後出血の予防介入としてはすすめられていない。適切な時期に子宮収縮薬の投与が行えるよう，施設の標準的なフローを産科医師と取り決めておく。

5）分娩第4期の観察とケア

- 母体のバイタルサインを持続的に測定する。特に出血量が多めの場合には，血圧，脈拍数，呼吸の数と全身状態に注意し，分娩に立ち会う医療者全員でショック・インデックス（SI；shock index，心拍数/収縮期血圧）を共有する。
- 弛緩出血：分娩30分，1時間，2時間と，定期的に出血量をチェックする。30分で50gを超える場合には産科医師にも報告し，経過に注意する。子宮や産道に凝血があると，子宮収縮が改善せず，出血が持続するため，精査前に静脈路を確保して補液と薬剤投与の指示を得ておく。
- 軟産道や外陰部の血腫：動脈の破綻によって皮下組織で凝血が起きるため，産婦は必ず疼痛（ズキズキした強い痛み）を自覚するが，硬膜外麻酔を併用した分娩後は疼痛の自覚がない。器械分娩（吸引・鉗子分娩）後の深部腟裂傷，後腟円蓋付近の裂傷などからの出血の場合，あるいはすでに産科DIC（disseminated intravascular coagulation；播種性血管内凝固症候群）が進行している場合は，腹腔内や後腹膜腔内へ出血が貯留していたら，外出血がなくてもショックに陥ることがある。ECGモニターで継続的にバイタルサインと出血量および出血総量を確認し，変化を認めた場合は，躊躇せず医師へ報告し，分娩後異常出血に向けて予測的な対応を始める。

・血栓症：深部動脈壁（特に下肢）で発生した血栓が，肺などで塞栓を起こす深刻な合併症である。初回歩行のタイミングでの発症が多いとされているが，未だに不明な点も多い。帝王切開や硬膜外麻酔併用での分娩時には弾性ストッキングやフットポンプを使用し，産後は積極的な体位変換で血栓予防に努める。

2 分娩時の異常対応とケア

　緊急時に重要なことは，① 人を集める，② 情報を共有する，③ 時系列記録を行う，の3点である。緊急時には複数の医師での対応が必要なため，助産師も処置介助のほか，関連各所に報告・連絡の上，人手を確保し，検体検査の提出，輸液・輸血の準備や実施，家族への対応などを分担して行う。

　ここでは，助産師がバイスタンダーになりやすい緊急例として，けいれん，出血，出血性ショック時の対応と助産ケアを示す。

1）けいれん
（1）早 期 発 見
・脳卒中は予測が難しいが，妊娠高血圧症候群の産婦は，断続的に血圧のモニタリングを行い，主訴に注意する。
・てんかんの場合は，音，光，疼痛がトリガーになる。分娩中の落ち着いた環境作りに配慮する。
・子癇では，多くの場合にはHELLP症候群を合併するといわれており，バイタルサイン（特に血圧）の変化，水分出納として尿量，体重増加などの変化，前駆症状（頭痛，心窩部痛，悪心・嘔吐，ぼんやりしている，易興奮性，眼窩閃発，顔がむくんだ感じ，舌の違和感など）の出現に注意する。子癇発作後の分娩はDICに進展しやすいため，厳重管理する。

（2）対　　処
・母体救命処置：ECGおよびパルスオキシメーター(サチュレーションモニター）を装着し，持続的なバイタルチェックを開始する。けいれん重積中には呼吸が停止するため，気道確保として口腔内吸引と酸素投与を行う。「産婦人科診療ガイドライン―産科編2020」では，バイトブロックの使用は求められていない。
・薬剤の準備：まずはけいれん抑制のために抗けいれん薬（ジアゼパムなど），続いて，けいれん再発予防目的で硫酸マグネシウム水和物（MgSO$_4$）の持続投与，さらに，収縮期血圧≧160 mmHg あるいは拡張期血圧≧100 mmHg の場合は降圧薬（ニカルジピンまたはヒドララジン）の使用を想定し，適切に指示受けして薬剤および輸液ポンプの

● **HELLP 症候群**
妊産褥婦が，溶血（hemolysis），肝酵素上昇（elevated liver enzymes），血小板減少（low platelet）を呈し，多臓器障害をきたす疾患。

準備を行う。

・安全確保：子癇発作の場合には，激しい間代性けいれんが起きる。静脈ルートの引きちぎりや抜針に注意し，分娩台やベッドからの転落防止に努める。

2) 出　　血

分娩時の出血には，子宮由来（弛緩出血など）と，産道由来（裂傷など）がある。速やかに出血部位を特定し，適切な処置が選択できるように介助する。

(1) 創 部 圧 迫

処置の第一選択は「圧迫止血」である。会陰裂傷，会陰切開創など，出血部位が明らかな場合，滅菌ガーゼなどを押し当てて血流を遮断し，一時的に止血してから縫合処置を行う。

(2) 腟内ガーゼタンポン

会陰切開創，裂傷の縫合時に子宮からの出血を一時的に止める場合に使う。遺残防止のため，1 m 程度の綿テープが縫いつけてある専用の滅菌ガーゼが使われる。腟内へのガーゼ挿入後にテープをガイドとして腟外に垂らしておき，処置後に抜き取って出血状態を確認する。

(3) 子宮双手圧迫

出血部位が不明で出血量が増えている場合，主に弛緩出血を想定して実施する。片手を前腟円蓋から頸管を挙上し，もう一方の手で腹壁上から子宮体部をつかむように置いて，両手で強く圧迫する。処置中は血液の性状に注意し，凝血せずサラサラした状況になってきている場合は産科DICへ進行している可能性がある。圧迫は続行しながら，産科危機的出血（第7章の6を参照）への対応に向けて人手の確保を始める。

(4) 子宮内バルーンタンポナーデ

子宮内へ専用のバルーンを挿入し，無菌液（500 mL）を注入，留置することで子宮内から圧迫止血する方法で，最長留置時間は24時間とされている。

子宮底方向にルーメンが設定されているため，ドレナージが可能であるが，ルーメンが閉塞した場合は血腫を助長するため留置後のドレーンからの出血量に注意する。

フォーリーカテーテルと併用し，輸液・輸血の管理および水分出納チェックを行う。

3）出血性ショック

「産科危機的出血への対応指針 2022」に沿って対処することが推奨されている（図7-16 参照）。前述のショック・インデックス（SI）を随時査定し，SIが1になることが予想される場合には，分娩後異常出血への対処を行うため，部署内での人員確保を始める。同時に，時系列での記録を開始する。

心拍数と収縮期血圧が同数（SI＝1）になったら，経腟1L，帝切2Lの出血量であると推測され，分娩後異常出血としての対応を始める。この段階では，医療チーム全体が手分けして以下の対応を行うが，特に筆者の施設（日本赤十字社医療センター；以下，当センター）で担当助産師が行っていることを補足する。

当センターにおける分娩後異常出血時の対応

- 高次施設への搬送考慮：当センターから搬送することはないため作成していないが，施設によって対応範囲をあらかじめ共有し，フローを設定しておくとよい。
- 輸血の考慮，輸血準備開始：輸血部（あるいは血液センター）と平時に連絡系統を打ち合わせておく。輸血実施時には輸血用ルートとともに加温器を手配する。緊急輸血の場合には同型輸血ではない場合もあるため，輸血部担当者と連絡を密にとる。交差試験の検体確認は特に厳重に行う。
- 血管確保（20ゲージ以上，横隔膜より頭側で複数）：産婦の左右に点滴台を準備し，輸液ポンプも複数準備する。
- 十分な輸液（晶質液 → 人工膠質液）：出血量が多い場合には輸液バッグを30℃以上に加温して使用する。
- 血圧・心拍数・尿量チェック：ECG モニター（心拍数，呼吸数，血圧，動脈血酸素飽和度（SpO₂値））を装着し，自動測定モードにする。子宮内精査が終了した時点でフォーリーカテーテルを留置し，時間尿量の測定が可能な尿量計付き導尿バッグを接続する。
- Hb値・血小板数チェック，凝固検査の採血：輸血用の交差試験用検体についても確認する。
- 出血原因の検索と除去：頸管裂傷セット（ジモン腟鏡，頸管把持鉗子，長鑷子（せっし）など）の展開，衛生材料の準備，出血量カウントの準備と記録。
- 酸素投与：酸素カニューレあるいはマスクを装着する。初期流量はあらかじめ施設で決定しておく。
- 子宮腔内バルーンタンポナーデ：子宮内精査が終了したら，フォーリーカテーテルの挿入を先に行う。
- トラネキサム酸の投与：医師の指示による。

胎盤娩出後の子宮収縮不全や，産道損傷による動脈性出血が持続する場合，数分の間に1Lの出血になることは珍しくない。循環血液量が失われることで出血性ショックの進行が早まるため，迅速な対処が求められる。分娩前後は，産婦の自覚症状を聴取し，バイタルサインに十分注意し「ショックの5P」出現に注目する。

　出血が持続し，バイタルサインの異常（乏尿，末梢循環不全）を認め，SI＝1.5 以上と産科危機的出血が宣言された後に助産師に求められるのは，① 出血量の測定・周知・記録，② バイタルサインの測定・周知・記録，③ 輸液・輸血の介助，である。緊急時の指示，指示受けは混乱しやすいため，産科医師，輸血部門と必ず復唱して確認する。

　以下に，具体的な対応のポイントを示す。

- ・他科を含む複数の医師への連絡，輸血部（血液センター）などへの連絡，高次施設への搬送など，施設ごとに院内外の関連各所との連絡調整に要する時間を見込んで，速やかな意思決定を支援する。
- ・出生後の正常新生児は低体温，呼吸状態に注意し，問題がなければ，パートナーや家族に抱いていてもらうなどの配慮を行う。
- ・急変は，予測ができないことも多い。妊娠中の条件にとらわれず，分娩経過をよく観察し，初期対応を早めに行うことで生命の危機を回避することが重要である。
- ・現在，日本の母体死亡は 10 万人に 4〜5 人といわれている。2 万人に 1 人とは，年間 2,000 件の分娩がある施設では，10 年に 1 件は起こりうるということである。誰しも遭遇する災害と同様，状況をシミュレーションして定期的に訓練を行う。
- ・緊急時に使用が想定される救急カート，自動体外式除細動器（automated external defibrillator；AED），医薬品や衛生材料の確認・補充・点検を行い，夜間・休日用の電話番号設定などを確認しておく。

3 安全で快適な分娩のために

　2001 年，厚生労働省は，「健やか親子 21」を提唱した。21 世紀の母子保健の取り組みとして，妊産婦にとって出産の「安全性」だけでなく「快適さ」が初めて文言として提示された。13 年の課題を評価した上で，2015 年には，「健やか親子 21（第 2 次）」が公表されている。妊娠・出産・育児期の母子保健対策の充実としては，切れ目ない支援体制の構築が課題とされている。

　一方で，WHO は 2018 年に「分娩期ケアガイドライン」を 22 年ぶりに改訂し，公表した。出産ケアの安全性だけでなく，女性の満足度や人権，長期的・包括的な健康，不要な医療介入のない生理的な出産プロセスを重視するものとなっている。

助産師が分娩期のケアを行うときに最も意識したいことは，出産体験が女性にとって満足度の高いものとなり，自己肯定感を持って育児に踏み出していく体験への支援になることである。以下，家族が形成される場の調整者としての環境作りに注目して紹介する。

1）人的環境作り

　1960年に施設分娩数が自宅分娩数を超える前まで，出産は家族の身近な出来事であったが，その場に立ち会う習慣はなかった。1970年代に施設分娩が当然となっても，入院後の家族は帰宅するか，待合室で待機するのが通例であった。1980年ごろ，ラマーズ法の普及に伴って，分娩時の呼吸法や補助動作などが一般的になったが，夫婦で出産に臨むという考え方が同時に受け入れられたわけではなかった。

　当センターでは，1980年代に夫が分娩に立ち会っていたのは，外国人か，院外でラマーズ法のクラスを夫婦で受講していた数％であった。その後，院内の出産準備クラスを受講した夫にも枠が広がってから，立ち会い率が上昇していった。

　1990年代後半からは，バースプランが導入されるとともに，立ち会いの条件であった「出産準備クラスへの参加」を必須とせず，「産婦が立ち会いを望み，本人も了解している人」と変更した。その結果，パートナーだけでない家族（実母や姉妹，上の子どもなど）の立ち会いを希望する産婦が増え，2010年以降は85％以上の産婦が家族とともに出産を迎えている。

　2020年3月以降の新型コロナウイルス感染症（COVID-19）流行下においても，同居のパートナーに限って立ち会いを継続してきた。これには，分娩室（LDR）が個室であり，場合によって陰圧変換できる設備があるという施設側の条件もあるが，こうした状況でも家族の形成を支援したいという医療者の合意があったことが大きい。

2）出産環境の調整

　多くの女性にとって，最もリラックスできる環境は自宅である。分娩のリスクに備えて施設で出産する場合でも，できるだけ自宅に近い環境で，安心できる雰囲気で過ごせるように助産師が支援しながら環境を調整したい。

（1）自由に振る舞えること

　自然な陣痛発来では夜間の入院も多く，日常生活リズムは保ちにくくなる。病院のスケジュールに関係なく，軽食や水分の摂取，気分転換，休息が自由にできる環境で過ごすことで緊張感が抑えられ，自然な分娩進行が期待できる。

（2）温浴ができること

末梢血管の拡張によるリラクゼーション効果が期待できるため，緊張の強い人，子宮収縮発作の弱い人，痛みが強い人には温浴が有効である。水中では浮力で体位変換が容易になって下半身への血流が良好に保たれることに加え，個室で体を解放することで，副交感神経優位な状況になりやすい。

ただし，分娩時には，胎児への熱ストレスを考慮して，40℃以下の低温浴がすすめられている。また，前期破水や疑わしい場合の温浴は避け，羊水流出を避けるため基本的に室内安静とし，足浴やマッサージなどで代替する。

3）カンガルーケアと早期皮膚接触（STS）

カンガルーケアは，1979年，コロンビアの首都ボゴタ市で，経済危機によって生じた低出生体重児への保育器不足と，増え続ける親の養育放棄に対する緊急措置として行われた。しかし，これが低出生体重児の死亡率の低下と，親の養育放棄減少につながったことから，他国でも導入されるようになった。

日本では，1995年にNICU入院中の児に導入され，現在では多くの医療施設で行われている。当初は低出生体重児を対象とした発育促進を目的としていたが，出生直後の正常新生児の早期皮膚接触（early skin to skin contact；STS）として応用されている。

（1）STS実施の意味

2001年，「健やか親子21（第1次）」では，「④子どもの心の安らかな発達の促進と育児不安の軽減」が課題となり，母親の育児不安の解消が，乳幼児の虐待防止につながるものとして小児科領域から期待されていた。出産後1か月での母乳率の向上が指標としてもあげられており，産科領域では，WHO/UNICEFの提唱した「母乳育児成功のための10カ条」に沿って，出生後30分を目安とした自律哺乳への取り組みを行っていたため，試行錯誤の中で出産直後から母親がわが子を抱き，肌と肌で触れ合うという母乳育児スタートを行っていた。一方で，呼吸状態の不安定な時期での実施に伴う無呼吸発作なども報告されるようになった。

2009年に作成されたガイドライン[7]では，「健康な正期産児には，ご家族に対する十分な事前説明と，器械を用いたモニタリングおよび新生児蘇生に熟練した医療者による観察など安全性を確認した上で，出生後できるだけ早期にできるだけ長く，ご家族（特に母親）と，実施することが薦められる」とされている。

医療施設で出生直後に安全なSTSを行うためには，健康な正期産児であることを確認した上で，①ていねいな事前説明，②機器を用いたモニタリ

ング，③ 新生児蘇生法（NCPR）に熟達した医療者による観察，という 3
つの条件を満たす必要がある。

(2) STS の効果

　STS は，母子のストレスを減少させ，児の体温の維持，低血糖の予防，
アシドーシスの改善，心拍数の減少，多呼吸の改善，SpO$_2$値の上昇など，
出生直後の児の生理的変動を安定させて，呼吸循環の適応を早めることが
明らかにされている。また，母乳育児の確立と母乳育児期間の延長が有意
に促進されるほか，母親の愛着行動の増加も重要な効果としてあげられて
いる。これは，早期接触が母親のオキシトシンや各種の消化管ホルモンの
分泌を上昇させることにより，母子の相互作用が促進されることとも関連
づけて説明されている。

　現在，WHO では，出産後すぐに児を母親に抱いてもらい，少なくとも
1 時間，肌と肌の触れ合いをすること，そして，児が乳頭に吸いつこうと
していることに母親が気づくように促し，必要なら介助を申し出ることを
推奨しており，母子の早期接触と本能的な哺乳行動を支援することの重要
性が認識されている。

　以下，WHO/UNICEF 認定「赤ちゃんにやさしい病院」（Baby Friendly
Hospital；BFH）である当センターでの実施例を紹介する。

当センターにおける STS 対象児の要件
・原則として正期。または，体重が母子同室の基準を満たす児
・分娩が正常経過であり，1 分後のアプガースコアが 8 点以上で一般状態が良好
・SpO$_2$値が，10 分後 90% 以上，15 分後 95% 以上
・分娩後，母親が児を抱ける状態であり，母親が STS 実施を承認していること

(3) STS 実施時のモニタリング

　STS 実施時には，下記の点に注意し，モニタリングを行う。
・出生時刻を確認し，一度に 4 つの時間が設定できるタイマーを用いて
　1 分後，5 分後，10 分後，15 分後にアラームをセットする。
・1 分後，5 分後のアプガースコアを採点し，1 分後 8 点以上で，呼吸状
　態に問題がないことを確認する。
・サチュレーションモニターのセンサーを新生児の右手につける。
　SpO$_2$値が 85% 以上あれば，肉眼的にチアノーゼを認めにくいといわ
　れている。正期産の健康な新生児の場合でも，SpO$_2$値が 95% を超え
　るのに，管前性（右手）では 10 分以上，管後性（左手・右足・左足）
　では約 1 時間以上かかることを示す報告もある。当センターでは，
　SpO$_2$値が 10 分後で 90% 以上，15 分後で 95% 以上であることを基準
　にケアを継続している。
・基準以下の場合は，呼吸状態の要観察状態として，状況によってはケ

アを一時中断し，ラジアントウォーマーやクベースに収容して観察し，新生児科医師へ診察依頼を行っている。

・出生後約15分程度で体温測定し，37℃以上であることを確認する。37℃未満の場合は，空気の対流に注意し，室温を上げて要観察とする。同時に，出生までの経過（前期破水，羊水混濁など）を振り返り，児への感染による低体温を起こすリスクがないか再評価する。

・児の体色，体温，呼吸状態の観察は，母親や家族の前で解説しながら行う。

・直接介助の助産師は，分娩記録などを分娩室内の電子カルテで行い，原則的に部屋を離れない。短時間であっても，離れる場合には母親の手元へナースコールを置き，何かあればすぐ知らせるよう伝える。

・約1時間半程度で，専用のワゴンに載せた体重計一式を分娩室内に運び，母親に解説しながら，児の身体計測や着衣，点眼などを行う。

(4) STS 実施の留意点

STS 実施の際には，下記の点に注意する。

・国内の産科医療施設では，STS 実施中の事故例が報告されている。主に，実施中の児の無呼吸発作，低体温である。無呼吸発作は，ほとんどの場合，分娩室のスタッフがほかの業務のために母親と新生児から目を離したときに起きている。

・助産師は，母児が分娩室を退室するまで同室して母子の環境調整と観察を継続的に行う。きめ細かな観察を行うことで，新生児の自然な哺乳行動開始時期を把握し，タイムリーな支援が可能となる。そのためには，助産師がチームで話し合い，担当助産師が産後にケアを優先できるように分娩関連の業務整理をし，間接介助助産師がケアを補完する体制の整備なども有効である。

・出生直後からの低体温に注意する。分娩前から分娩室・帝王切開用手術室は 30℃以上に保つ。

・出生後5分と，45〜60分後に事故の発生率が高いため，児の呼吸状態をよく観察する。控えめに，かつ，絶えず見守る。

・NCPR（第7章の1を参照）の正常新生児のケア手順に準じて，羊水は十分に拭き取り，母親と皮膚をぴったり合わせ，乾いたタオルで新生児の背を覆う。児は母親の胸でうつ伏せになるため，頭にタオルがかぶらないよう注意する。

・児を母親の胸に置いたら，分娩台の背を 30°以上に上げる。母親が児の骨盤（殿部）を支えるようにすると，健康な新生児は探索行動で自分の頭を持ち上げて移動するようになる。

・母親が児の顔色を確認し，動きに対応できるように，室内の照明をまぶしすぎない程度に明るくする。

・出産後の母親は，しばらくすると疲労などで児を支えきれないと感じることがある。また，活発に動く児や，出生体重が大きい場合，母親が不慣れだったり，不安が強かったりする場合には，児の動きに対応できにくいため，児の転落予防に留意する。

・羊水混濁，分娩遷延，分娩第2期遷延など，呼吸の安定までにリスクが想定される場合には，特に呼吸状態に注意が必要である。

・母親を1人にせず，安心して新生児に没頭できるような，静かで温かい環境作りに配慮する。

・出産を十分にねぎらい，母親が分娩の過程を振り返って疑問が残らないよう，自分の思いを言語化できているかに留意する。

引用・参考文献
1) 福井トシ子編（2023）：新版助産師業務要覧第3版2023年版，Ⅱ巻（実践編），日本看護協会出版会，p.94-105.
2) 日本助産学会（2020）：エビデンスに基づく助産ガイドライン―妊娠期・分娩期・産褥期2020.
3) 我部山キヨ子，大石時子編（2020）：助産師のためのフィジカルイグザミネーション，医学書院.
4) 日本母体救命システム普及協議会，京都産婦人科救急診療研究会編著（2020）：J-CIMELS公認講習会ベーシックコーステキスト産婦人科必修母体急変時の初期対応，第3版，メディカ出版.
5) 厚生労働省：医療安全対策.
〈https://www.mhlw.go.jp/stf/seisakunitsuite/bunya/kenkou_iryou/iryou/i-anzen/index.html〉
6) 日本産科婦人科学会，日本産婦人科医会，日本周産期・新生児医学会，日本麻酔科学会，日本輸血・細胞治療学会，日本インターベンショナルラジオロジー学会（2022）：産科危機的出血への対応指針2022.
〈https://www.jsog.or.jp/activity/pdf/shusanki_taioushishin2022.pdf〉
7) Mindsガイドラインライブラリ：根拠と総意に基づくカンガルーケア・ガイドライン（完全版），トピック3：正期産児に出生直後に行う「カンガルーケア」.
〈https://minds.jcqhc.or.jp/n/med/4/med0068/G0000190/0011〉
8) WHO/UNICEF（2018）：Ten Steps to Successful Breastfeeding.

3 産褥期の診断とケア

1 褥婦の診断とケア

産褥期とは，分娩が終了し，妊娠・分娩に伴う母体の生理的変化が非妊時の状態に回復するまでの状態をいい，その期間は6～8週間である。産褥期に起こる変化には，内外性器の解剖学的，機能的な復古などの退行性変化と，乳汁分泌などの進行性変化がある。

分娩を終了し，体が回復していくと同時に，褥婦は母親として育児の中心的役割を担うことになる。これらの変化に対して助産師は，専門的な立場から，褥婦の健康診査のみならず，情緒的な支援や具体的な育児支援を行う。新しい家族としてのスタートが順調であるよう，親子関係がスムーズに形成できるよう，特に産褥早期の支援は重要である。

1）褥婦の健康診査

褥婦の生理的変化は，分娩直後から産褥1日目までは迅速に進み，その後1週間くらいは徐々に回復していく。一般的な入院の4～5日間のケアは，助産師に任されていることが多いため，正確な助産診断を行い，異常の早期発見に努める。

(1) 全身状態の観察

妊娠中に増加した循環血液量が非妊時の状態に戻るのには，3週間程度を要する。また，腎血流量や糸球体濾過量の亢進も，しだいに正常化する。

観察のポイント
① バイタルサインの測定：分娩後は体温が一過性に上昇することがあるが，37.5℃程度であり，24時間以内には平熱に戻る。体温・脈拍数・血圧は，産褥1日目までは1日3回，その後は異常がなくても1日1回は測定する。異常が疑われる場合は，臨時測定する。37.5℃以上ある場合は，感染徴候として随時再検し，熱型に注意する。
② 顔色，手指や両下肢の浮腫，疲労感の有無，程度を確認する。
③ 静脈瘤の有無，程度を確認する。
④ 排泄状態：排尿回数・尿量・尿意・排尿時痛や残尿感の有無，排便回数や性状を確認する。
⑤ 体重測定：分娩前と退院時とを比較する。毎日測定する必要はない。

表 3-2　産褥期の子宮底の高さと悪露の経時的変化

産褥日数	子宮底の高さ	悪露の性状
分娩直後	臍下 2〜3 横指	赤色〜暗赤色 血液臭
分娩後 12 時間	臍高〜臍上 1〜2 横指 少し右方に傾く	
1〜2 日	臍下 1〜2 横指	
3 日	臍下 2〜3 横指	褐色（赤褐色・褐色） 軽い臭気
4 日	臍と恥骨結合の中央	
5 日	恥骨結合上縁 3 横指	
6 日		
7〜9 日	恥骨結合上わずかに触れる	
10 日以降〜3 週間	腹壁上より触知できない	黄色・無臭
4〜6 週間	腹壁上より触知できない	白色・無臭

（文献[1-3]により作成）

（2）子宮収縮状態の観察

　正常経過の子宮底は，産褥 1〜2 日目は臍下 1〜2 横指であるが，5 日目には臍下〜恥骨上縁の中央にまで収縮する。触診で子宮は硬く触れるが，産褥 10 日目以降は腹壁上から触れなくなる。

観察のポイント
① 触診によって子宮収縮状態を診断する。退行性変化が順調であるかの判断のため，分娩当日は悪露交換（産褥パッドの交換）時や初回歩行時など，たびたび触診し，その後は毎日のバイタルサイン測定時に確実に行う。
② 子宮底の位置，高さ，硬度を触診し，悪露の性状とともに経時的変化を観察する（表 3-2）。
③ 後陣痛の有無，子宮底の圧痛，異常な腹痛がないか，確認する。
④ 膀胱充満など，子宮収縮を妨げる要因はないか，チェックする。

（3）悪露の観察

　産褥 1〜2 日目は子宮口が 2 指程度，開大しており，悪露は血液成分が多く含まれた赤色である。約 1 週間で子宮口は 1 指程度になり，悪露はヘモグロビンが変性した褐色に減少していく。

観察のポイント
① 子宮底の触診とともに産褥パッド上の悪露を観察する。
② 色，量，性状，臭気の有無を観察する。分娩当日は産褥パッドの重さを測定して，悪露の量が正常か判断する。
③ 子宮収縮状態が不良な場合，つまり子宮体部の硬度が十分でない，柔らかく触れる場合は，悪露が少量であっても，血塊が子宮口を塞いでいることがあるため，子宮底の輪状マッサージを行い，悪露の流出状態を観察する。

（4）外陰部・創部の観察

　外陰部・創部の治癒状態は，産後 ADL（日常生活動作）の拡大，育児行動にも影響する。軟産道，周囲組織の神経障害の有無を観察し，異常の早

期発見に努める。

(5) 精神・心理面の観察

　分娩後数日〜2週間程度の期間，褥婦が軽い抑うつ状態になることを，マタニティブルーズといい，全出産の2〜5割に見られる。適切な支援で時間経過とともに改善していくが，産後うつ病に移行することがあるので（後述），下記のような点に注意しながら対応する。

・妊娠期からリスク因子を把握しておくこと

・母子愛着形成の様子

・表情，言動

・不安，イライラ，集中力の低下，気分の落ち込み，抑うつ症状の有無と程度

・頭痛，不眠，食欲不振の有無と程度

(6) 乳房状態，授乳の観察

　胎盤娩出後，プロゲステロン，エストロゲン，hPL（ヒト胎盤性ラクトーゲン）の母体血中濃度が低下することで，乳汁生成が開始する。

2) 褥婦のケア

　入院中の診察や検査，保健指導など動静に関するスケジュールは，産褥期用のクリニカルパス（産褥パス）を使用するとよい。褥婦にも渡し，スケジュールを共有しておく。

●1　うっ積
乳汁産生に向け乳房内への血流が増加する一方で，間質に静脈血やリンパ液の停滞が生じ，乳房にうっ血，浮腫をきたした状態。

●2　うっ滞
乳汁分泌に見合った乳汁排出がなく，乳汁が実質の乳管内に残り，実質体積が増加した状態。

●3　産褥パスの例として，日本看護協会助産師職能委員会作成の「マタニティ・パス（分娩期・産褥期）」を参照。
https://www.nurse.or.jp/nursing/josan/innaijosan/pdf/toshin22.pdf

(1) 悪露交換

- 分娩室あるいは陣痛分娩室（LDR）から産褥室へ移床後は，初回歩行までは適宜，悪露交換（産褥パッドの交換）を行う。
- その際，子宮収縮状態を見ながら，流血や凝血塊の有無を確認する。
- 悪露の量を計測して，正常範囲内か確認する。
- 褥婦に，外陰部の清潔方法と悪露の変化について説明する。

(2) 初回歩行

- 分娩様式（正常分娩か否か，硬膜外麻酔（無痛）分娩か否かなど），産道損傷状態，出血量，分娩所要時間などからアセスメントし，歩行可能かを診断する。
- 歩行前に血圧を測定し，気分不快の有無，尿意の有無を確認する。
- ベッド上座位になり，気分不快やめまいなどがなければ立ち上がらせる。
- トイレ歩行に付き添い，外陰部の清潔・洗浄方法について説明する。
- 産褥期の排尿に関する知識と，子宮収縮促進のための適切な排尿促進を指導する。
- 血栓症の発症に注意する（詳細は，後述）。

(3) 産褥期の不快症状へのケア

① 縫合部痛

- 異常所見のない創部痛で，日常生活動作（ADL）に影響がある場合は，鎮痛薬の内服を検討する。
- 円座などを利用し，創部への圧迫を避ける。

② 痔核

- 強い痔核の痛みには，圧迫を避け，軟膏を塗布し，粘膜保護，症状緩和に努める。
- 肛門部の清潔に心がける。
- 便秘にならないよう，緩下薬の内服や食事の工夫をする。

③ 産褥排尿障害（PUR）

- 産褥排尿障害は，分娩第2期遷延，会陰切開，硬膜外鎮痛，器械（鉗子・吸引）分娩などがリスク因子となる[4]。
- 分娩後は，尿意の感覚が鈍い場合や排尿困難が生じることがあるが，数日で回復していくことを説明しておく。
- 尿意がない，尿失禁などの排尿障害には，まず3〜4時間ごとの定期的な排尿と水分摂取を促す。また，産褥体操にキーゲル体操，骨盤底筋の体操を加えるよう，指導する。
- 尿閉や残尿が多い場合には，導尿を行う。退院が近いのであれば自己導尿を指導する。自己導尿は褥婦にとって苦痛を伴うため，必ず回復

表 3-3　子宮復古不全の原因

子宮自体の 異常によるもの	子宮の収縮機能の 異常によるもの	褥婦の生活 によるもの	分娩経過によるもの
・胎盤・卵膜遺残 ・子宮内感染 ・子宮筋腫や子宮の 　形態異常	・多胎妊娠・巨大児 ・長期間の子宮収縮 　抑制薬使用 ・微弱陣痛	・膀胱・直腸の充満 ・疲労 ・過度の安静	・帝王切開 ・出血多量 ・早産 ・遷延分娩

（文献[1,3]）により作成）

していくことを伝え，精神的なケアに努める。

・長期化する場合は，副交感神経刺激薬の内服治療や，泌尿器科との連携などを検討する。

(4) 正常逸脱時の助産ケア

① **子宮復古不全**：腹部触診で子宮が柔らかく触れ，血性悪露が長く続き，量も多い。子宮内感染を疑う場合は，白血球増加や血清 CRP の上昇の有無を検査し，悪露や分泌物の細菌培養の結果で診断する（表 3-3）。

・子宮収縮状態・硬度・圧痛の有無，悪露の量・臭気・凝血の有無を観察する。

・子宮収縮が阻害される原因を特定し，除去する。

・早期離床，定期的な排尿・排便を促す。

・感染防止に努める。

・直接授乳を積極的に行い，適度な産褥体操を促す。

・医師の指示で子宮収縮薬の投与を検討する。

② **産褥熱**：分娩後 24 時間以降から 10 日以内に 38℃ 以上の発熱が 2 日以上続く場合は，産褥熱を疑い，血液検査で診断する。腎盂腎炎や乳腺炎などとは区別する。

・バイタルサイン，熱型を観察する。

・悪露の性状，子宮底の圧痛の有無，創部の感染の有無を観察する。

・栄養，休息を促す。

・外陰部の清潔など，感染防止に努める。

・医師の指示で抗菌薬（抗生物質）を投与する。

③ **尿路感染症**

・バイタルサインを観察する。

・尿意，排尿痛，残尿感，腰背部痛の有無を観察し，膀胱炎か腎盂腎炎か，尿細菌検査の結果も含めて判断する。

・外陰部の清潔保持，感染防止に努める。

・早期離床，早期歩行を促す。

・水分補給し，利尿を促す。

・医師の指示で抗菌薬を投与する。

④ **深部静脈血栓症（DVT）**：妊娠中から産褥期にかけて DVT が発症しや

すい要因として，Virchow の 3 徴，すなわち，血液凝固能の亢進，血流の停滞，静脈壁の損傷がある。リスク因子として，高齢，肥満，妊娠高血圧症候群（HDP），また，長期安静後や，初回歩行が遅れた場合，帝王切開後は，血栓形成を起こすハイリスク状態にあるので，特に注意する。DVT の遊離血栓が主な原因となっている肺血栓塞栓症（PTE）は，発症すると重篤であるため，予防と対策が重要である。

・妊娠期からリスク因子を評価しておく。

・静脈の怒張，下肢の浮腫，腫脹の左右差の有無を観察する。

・疼痛，腓腹部痛，熱感，Homans 徴候[1]から DVT を疑う。

・早期離床，弾性ストッキング装着，水分補給，抗凝固療法で予防する。

・帝王切開術中から間欠的空気圧迫装置を装着し，人工的に下肢圧迫を繰り返し，血流停滞を防ぐ。

・PTE では，初期は呼吸苦，胸痛，チアノーゼを呈する。早期診断，緊急対応が必要である。

⑤ **乳腺炎**[2]：乳管が閉塞し，乳汁がうっ滞した結果，うっ滞性乳腺炎を引き起こす。細菌感染には至っていない非感染性乳腺炎から，改善せず症状が進むと膿瘍を形成することがある。起炎菌としては，黄色ブドウ球菌が最も多い。発熱・悪寒，局所の硬結，圧痛，熱感などを伴う。

・体温，乳房の緊満状態，発赤，腫脹，疼痛，リンパ腺の腫脹などの程度を観察する。

・硬結の有無，大きさ，硬度を観察する。

・乳汁がうっ滞している場合は，乳腺開口を促し，排乳する。

・急性の乳腺炎で疼痛が強い場合は，炎症が治まるまで，乳房の実質を揉むような乳房のケアは控える。

・疼痛や熱感が強い場合は，局所を冷湿布する。

・医師の指示で抗菌薬の投与を検討する。

⑥ **マタニティブルーズ**

・不眠，抑うつ気分，不安の程度を観察する。

・体の休息，疲労回復を図る。

・必要時，睡眠薬投与を検討する。

・感情を表出させ，母親の思いを傾聴し，休息できるよう，環境整備を行う。

産後うつ病

産後の精神科疾患の中でも，発症率が高い。また，産後 2〜5 週間ごろの発症で，退院後であるため，不調を自覚しても受診行動につながりにくい。周囲からは「育児不安が強い母親」「マタニティブルーズ」程度にとらえられ，うつ病が見逃されることがある。

1 か月健診までの家庭訪問や，母乳外来を受診してもらう，地域連携など，リスク因子を持つ母親への切れ目ない積極的な支援が必要である。

日本産科婦人科学会の「妊産婦メンタルヘルスに関する合同会議 2015 報告書」

[1] **Homans 徴候**
足首を背屈したときに下腿三頭筋に痛みを生じること。

[2] 2018 年度の診療報酬改定で「乳腺炎重症化予防ケア・指導料」が新設された。標準的なケアについては，「乳腺炎ケアガイドライン 2020」（日本助産師会）を参照されたい。

では，「エジンバラ産後うつ病質問票」（EPDS：表4-15参照）や"Whooley depression screen"いずれかの尺度で「陽性」と判断された場合は，母親の状態をアセスメントし，精神科医師への紹介の必要性を検討することを推奨している（詳細は，第4章の6を参照）。

(5) バースレビュー

バースレビューとは，産婦が自身の分娩体験を語り，助産師と振り返りをすることである。話を遮らないように傾聴を基本とする。

① 産褥2～3日を目安に，分娩経過の振り返りを行う。
② 主に分娩介助者が行うとよいが，産婦の希望を聞き，誰がいつ行うかを決める。
③ 分娩経過の情報提供を行い，産婦の疑問や不安に応える。
④ 妊娠中に記載したバースプランを活用してもよい。
⑤ 出産体験を肯定的に受け止められるよう，母性意識の向上，児への愛着がさらに促されるよう，関わる。

3) 母乳育児支援

出産直後から，母親の母乳育児への意欲や，乳房の状態に合わせた個別対応を行うことが重要である。母子をできるだけ離さないケアを行う。なお，母児同室開始当初は，頻回に訪室し，児の状態観察とともに，授乳介助をていねいに行う。産褥入院中は，母乳育児，授乳が負担にならないよう，まず疲労回復を促し，十分な休息をとりながら進めていくことが重要である。

● 2019年9月，日本周産期・新生児医学会により「母子同室実施の留意点」が公開された。詳細は，同学会ホームページを参照のこと。
https://www.jspnm.com/

(1) 授乳指導の内容

母子の状態に応じて，以下の項目を，適切な時期に説明・指導する。

① 産後の母乳分泌の機序と母乳栄養の利点
② 児の哺乳意欲の観察と授乳のタイミング
③ 児の抱き方，乳頭の含ませ方，外し方
④ 乳頭亀裂の予防方法と清潔保持
⑤ げっぷ（排気）のさせ方
⑥ 母児同室の方法と注意点
⑦ 乳房の日々の変化，乳房緊満と分泌量について
⑧ 乳管開通方法
⑨ 母乳不足の見分け方と対処
⑩ 乳房トラブル（乳汁うっ滞，硬結など）とその対処法
⑪ 搾乳の必要性とその方法
⑫ 必要時調乳指導

（2）分娩当日から退院までの具体的支援

① 指導方法

- 母親の授乳経験，育児経験や母乳育児への意欲を考慮し，指導する。
- 乳頭・乳房の状態をアセスメントし，児の抱き方や授乳姿勢を選択する。
- 児が欲しがるときに欲しがるだけ授乳する自律授乳を行い，授乳間隔を決めない。

② 産褥日数別乳房ケア[5]

- 分娩当日：分娩後，できるだけ早期に直接授乳を試みる。母子の状態がよければ分娩室で母子接触のときに試みるとよい。
- 産褥0・1日目：1日8回以上の頻回授乳，母児同室をすすめる。乳頭・乳輪部が硬く，伸展不十分な場合は，ここをやさしく揉むようにして，乳管開通を促す。乳頭・乳房の型に合った児の抱き方，乳頭の含ませ方を指導する。含ませ方が浅いと乳頭亀裂や傷の原因となるため，乳輪部が隠れるくらいまで深く含ませられるよう指導する。
- 産褥2・3日目：乳房のうっ積が起こりやすいので，頻回に直接授乳を行い，乳管開通を促す。血液循環を促進するため，腕や肩のマッサージや温罨法を行うとよい。
- 産褥4・5日目：乳汁分泌量が増え，乳汁うっ滞からうつ乳が起こりやすいので，間隔を長時間あけずに授乳する。退院に向けて「母乳不足の見分け方と対処」「乳房トラブル（乳汁うっ滞，硬結など）とその対処法」「搾乳の必要性とその方法」，必要時「調乳方法」について指導する。

（3）授乳介助の方法

① 母親の背中にクッションなどを置き，楽な姿勢にする。

② 児の頭と首を支え，片方の手で乳房全体を持ち上げるようにして児の舌に乳頭を乗せるように口深く吸着させる。

③ 吸着しているときの児の口唇が内側に巻き込まれていないことを確認する。

④ 左右乳頭を交互に吸着させ，両方授乳する。

⑤ 抱き方による授乳方法

- 横抱き：児が上手に吸着できる場合，一般的で楽な姿勢。
- 縦抱き：乳房や乳頭が小さめで，深く吸着させるのが難しい場合に適している。児を母親の太腿に座らせ，児の口と乳頭の高さが合うよう，クッションなどで調整する。
- フットボール抱き：乳房が下垂して大きい場合や，帝王切開術後で腹部に傷がある場合に適している。クッションなどを使って児を脇に抱え込むように置き，口と乳頭の高さを合わせる。

・添え乳：疲労や疼痛がある場合，休息しながら授乳できる方法。授乳する側に対面するように児を寝かせて，口と乳頭の位置が合うように向きを調整する。ベッドからの児の転落防止にベッド柵を取りつけ，さらに，柵カバーを付ける。添え乳授乳の間は，必ずそばに付き添い，介助する。

(4) 乳房トラブル時のケア

① 乳房うっ積

・頻回授乳し，乳管開通を促す。
・熱感や発赤を伴い，疼痛が強い場合は，一時的に冷罨法を行う。
・うつ乳とは違うため，乳房実質を揉んだり搾乳を行ったりすると，乳房の痛みが増す上，乳頭や乳輪を痛めてしまうので，注意する。
・熱感や発赤を伴わない場合は，乳房全体の循環を促す。

② 乳房うっ滞

・児の授乳姿勢を工夫し，飲み取ってもらう。適度に排乳する。
・うっ滞が限局あるいは硬結になりそうな場合は，その部分を軽く圧迫しながら直接授乳を試みる。
・熱感や疼痛を伴う場合は，一時的に冷罨法を行う。冷罨法は，冷やしすぎず，疼痛が和らぐ心地よい程度にする。

③ 乳頭亀裂，水疱など，乳頭のトラブル

・児の吸着が浅くなっていないか観察し，深く含ませる抱き方，吸わせ方を指導する。
・乳頭・乳輪部のマッサージを行い，伸展性，柔軟性をよくしておくと，予防につながる。
・亀裂が浅く，疼痛が強くなければ授乳は続けるが，疼痛が強い場合は，一時直接授乳を中止する。直接授乳再開までは，乳汁がうっ滞しないよう，必要時搾乳を行う。
・亀裂の状態により，ハイドロジェルやドレッシング材の使用，乳頭保湿の馬油やラノリン（羊毛脂）などで乳頭を保護する。

④ 乳汁分泌不足

・温罨法など，乳房の血液循環を促し，分泌を促進する。
・児の欲求に合わせて，頻回に直接授乳を行う。
・効果的な抱き方，吸わせ方など，授乳介助する。
・児の生理的体重減少率，排泄状態と乳房状態，母親の意向などを判断し，人工乳（ミルク）補充を検討する。
・母親の不安やストレスを除去する。

(5) 直接授乳ができない褥婦のケア

児が NICU などに入院して母子分離の場合や，児の疾患，母親の疾患で

治療内容や病状により母乳禁止の場合などには，下記のように対応する。

- ・母乳を止めなければならない場合は，乳汁分泌抑制薬を投与する。乳房緊満が強い場合は，乳帯で乳房全体を圧迫し，熱感や疼痛が強ければ，冷罨法を行う。硬結がある場合は軽く搾乳し，痛みの軽減を図る。
- ・母乳分泌を維持する場合は，定期的な搾乳を行う。搾乳方法や冷凍母乳の方法について指導する。
- ・母乳を与えられなくても，児へのタッチや抱っこ，話しかけることなど，児と触れ合う時間を十分に作るよう促す。
- ・直接母乳を与えられない，充実感が得られない心理状態を理解し，精神的なサポートを行う。

(6) 母親が HTLV-1 抗体陽性の場合

　HTLV-1 は，成人 T 細胞白血病（ATL）の原因ウイルスである。主たる感染経路は，母乳を介した母子感染で，感染すると，生涯ウイルスを持ち続けるキャリアとなる。母乳を制限しなかった場合の母子感染率は 15～20％とされている。完全人工栄養児であっても一部の児（3～6％）が感染しているが原因はわかっていない。HTLV-1 キャリアのすべてが ATL や HAM（HTLV-1 関連脊髄症）を発症するわけではない。ATL では，40 歳を過ぎたころから毎年キャリア 1,000 人に 1 人くらいの発病，生涯発病率約 5％で，HAM は生涯発病率約 0.3％である。

　2010 年度から，妊婦に対する HTLV-1 抗体検査は公費負担となり，母子感染対策が行われるようになった。詳細は，厚生労働省の HTLV-1 に関する情報を参照されたい（図 3-3）[6]。

HTLV-1 の母子感染対策[6]
- ・スクリーニング検査は，妊娠初期～中期（妊娠 30 週ごろまで）に実施する。
- ・スクリーニング検査が陰性の場合，妊婦は非感染者と判定される。
- ・スクリーニング検査が陽性であっても，その結果のみでキャリアと判定してはならない。必ずラインブロット（LIA）法による確認検査を行う（保険適用）。
- ・LIA 法で判定保留となった場合は，核酸検出（PCR）法を行う（2018 年 4 月保険収載）。
- ・スクリーニング検査は，前回妊娠時に陰性でも，その後，水平感染などで陽性化する可能性があるため，改めて必要である。
- ・2020 年の日本産婦人科医会での調査では妊婦の抗体陽性率は 0.11％であった。
- ・判定保留者の PCR 陽性率は，約 24％と推定される。
- ・栄養方法の選択に際しては，母子感染予防の観点に加えて，妊娠・出産・育児の観点からも各栄養方法のメリットとデメリットを十分に説明し，母親が自らの意志で選択できるように共有意思決定支援を行う。
- ・母子感染を予防するためには，完全人工栄養が最も確実な方法であり，最もエビデンスが確立した方法として推奨されている。
- ・母乳による感染のリスクを十分に説明してもなお母親が母乳を与えることを強く望む場合には，短期母乳栄養（生後 90 日未満）や凍結解凍母乳栄養という選択肢もあるが，いずれも母子感染予防効果のエビデンスが確立されていないことを十分に説明する。
- ・短期母乳栄養を選択しても，時に授乳が中止できず母乳栄養期間が長期化する

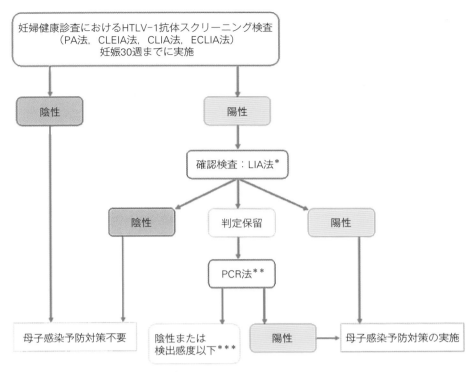

*：2017 年，**：2018 年保険適用。

***：現時点では PCR 法で陰性または検出感度以下の場合に母子感染が成立しないというエビデンスは確立していない。

図 3-3　妊婦健診における HTLV-1 抗体検査の流れ[6]

> 可能性があることを，あらかじめ説明する。
> ・経管栄養を必要とする早産低出生体重児に対しては，壊死性腸炎や感染症のリスクに鑑みて，成熟した哺乳機能が確立するまで新鮮な凍結解凍母乳栄養あるいは低温殺菌されたドナーミルクの利用も考慮する。
> ・乳汁栄養法の選択は，分娩前に決定しておくことが望ましい。変更があった場合も含めて診療録に記載し，医療スタッフは情報を共有しておく。
> ・各栄養方法の特徴は，表 3-4 のとおり。

4）産褥体操の指導

(1) 目　　　的

産褥体操は，下記のような目的で実施する。

・循環促進

・退行性変化・進行性変化の促進

・疲労回復

・骨盤底筋群の回復と強化

・リラックス

表 3-4　各栄養方法の特徴

栄養方法	母子感染予防効果	備考
完全人工栄養	母乳を介した母子感染を予防するためには最も確実な方法。	・母子感染の 95％以上を予防できる。 ・母乳の利点を得ることができない。 ・産後うつや愛着障害のリスクが上昇する可能性がある。
短期母乳栄養（90 日未満）	完全人工栄養と比較して明らかな差がない。	・母乳による利点をある程度は得ることができる。 ・母乳栄養期間が長期化する可能性がある。 ・完全人工栄養への移行に向けた準備と支援が必須。 ・産後うつや愛着障害の予防効果は不明。
短期母乳栄養（6 か月以下）	完全人工栄養と比較して母子感染のリスクが約 3 倍高い。	母子感染予防対策としては推奨されない。
凍結解凍母乳栄養	蓄積された症例数が少なく，エビデンスとしては不十分。	・時間と手間がかかる。 ・NICU に入院するハイリスク新生児に対して考慮する。 ・産後うつや愛着障害の予防効果は不明。
混合栄養	不明	理論的には腸管粘膜の障害により母子感染リスクが上昇する可能性が懸念される。
ドナーミルク	データは存在しないが，完全人工栄養と同等の効果が期待される。	・ドナーは HTLV-1 のスクリーニング陰性が確認されている。 ・産後うつや愛着障害の予防効果は不明。

（文献[6]より一部改変）

（2）進　め　方

・正常経腟分娩後 8〜12 時間経過したら，産婦の疲労回復や全身の復古状態などをアセスメントし，開始する。

・軽い運動から徐々に開始し，産褥日数の経過とともに種類や強度を増していく。

・個々の褥婦に合わせたプログラムにする。

・入院中に自主的にできるよう指導し，退院後も継続してもらう。

・体操を行うときは，腹帯やガードル，骨盤ベルトは外す。

（3）体操の種類と強度

褥婦の状態に合わせ，体操の種類と強度を調整する（表 3-5）。

5）退院時の指導

（1）指　導　内　容

退院後の生活について，母子ともに心身の健康管理ができ，新しい家族を迎えた日常生活にスムーズに適応できるよう，また，母親が自信を持って育児に臨めるよう，下記のような内容を具体的に指導する。

① 産褥期の母体の変化（産褥の生理，身体的，精神的変化）について

② 産褥期に起こりやすい異常の症状およびその対処方法について

③ マタニティブルーズ，産後の抑うつ状態について

④ 体の清潔保持の必要性，その方法について

⑤ 産褥経過に応じた日常生活の過ごし方（行動範囲，家事，性生活，外出，就労など）について

表 3-5　産褥体操の種類と組み合わせ（例）

種類＼日数	0～1日目	2日目	3～4日目	5～6日目	10日目	1か月
胸式呼吸（3時間ごとを目安に，5回ずつ）	←───────────────────────────────→					
腹式呼吸（3時間ごとを目安に，5回ずつ）	←───────────────────────────────→					
足先の運動（一度に10回ずつを1日2～3セット）		←─────────────────────────→				
足首の運動（一度に10回ずつを1日2～3セット）		←─────────────────────────→				
腕の運動（一度に10回ずつを1日2～3セット）		←─────────────────────────→				
頭を上げる運動（手を替えて各5回，合わせて10回ずつを1日2～3セット）		←─────────────────────────→				
腹筋を引き締める運動（一度に5回ずつを1日に2～3セット）			←───────────────────→			
足を交差させる運動（足を替えて各5回，合わせて10回ずつを1日に2～3セット）			←───────────────────→			
骨盤をねじる運動（左右へ5回ずつを1日2～3セット）				←───────────────→		
足を上げる運動（左右各5回，合わせて10回ずつを1日に2～3セット）				←───────────────→		
腹筋運動（一度に10回ずつを1日に2～3セット）					←──────────→	
前かがみの運動（一度に10回ずつを1日に2～3セット）						←───→
つま先立ちの運動（一度に10回ずつを1日に2～3セット）						←───→

⑥ 授乳期の栄養，妊娠高血圧症候群（HDP），貧血の場合の栄養について

⑦ 母乳育児のための自己管理について（個別指導）
　　・退院後に起こりやすいトラブル，その予防と早期対策について説明する。
　　・必要時，残乳処理と搾乳について説明し，実施できるように指導する。
　　・母乳不足の見分け方，母乳が足りているサインについて説明する。

⑧ 生後1か月くらいまでの児の特徴と，起こりやすいトラブル（溢乳，嘔吐，眼脂，便秘，皮膚トラブル，臍のトラブル，授乳，泣き止まないなど）とその対処法について

⑨ 黄疸について（胆道閉鎖症早期発見のための便色カードの活用含む：文献[4]を参照）

⑩ 家族計画の意味と受胎調節について

⑪ 母子保健に関する諸制度・手続きについて

⑫ 地域の育児支援に関する情報と利用について

3

　産褥入院は4〜5日間と短く，産後の体力回復や育児技術習得には十分な時間とはいえない。退院後も引き続き心身の回復と育児支援が必要である。家族の支援状況，自身の体力，育児行動を考慮して，自分に合った育児支援を選択できるよう情報提供する。

　退院後，育児サポートが不十分，育児不安や授乳困難，愛着形成に不安がある，母親の心身の回復遅延など，産褥入院期間では解決に至らない場合があるため，産後ケア事業や，母乳外来，助産師の相談外来の利用を積極的にすすめる。

　産後ケア事業とは，出産後1年を経過しない女性および乳児に対して，心身のケアや育児のサポートなどを行い，産後も安心して子育てができる支援体制を確保するもので，母子保健法に市町村の努力義務として位置づけられている（詳細は，Ⅰ巻の第5章の4，Ⅲ巻の第2章の1を参照）。

　実施類型としては，①短期入所型（ショートステイ），②通所型（デイサービス型），③居宅訪問型（アウトリーチ型）がある。ただし，ショートステイの助成を受ける場合は，妊娠28週から利用希望の2週間前までに，あらかじめ居住地の保健所などに利用希望の申請をしておく必要がある。そのため，病院などにおいても，妊娠期に必ず情報提供し，利用することが決まっていなくても事前に申請しておくことをすすめる。また，利用したいときにタイムリーに入所できる利点を伝える。

(2) 実施上の注意（集団指導の場合）

　指導に際しては，下記のような事項に注意する。

・事前の情報収集は必須である。

・指導中の褥婦の表情，反応，疲労状態に注意する。

・視聴覚教材を利用し，退屈させないよう，工夫する。

・小集団として産婦の交流の場，情報交換の場となるよう，工夫する。

・指導時間は，30分程度が望ましい。

(3) 家族計画指導の内容

　家族計画とは，さまざまな家庭の事情を考慮し，子どもの有無や数，間隔に関して計画を立てることである。そのため，夫婦で家族計画について話す機会を持つことが重要となる。

　産後は，家族計画指導を行う絶好の機会であるので，産後の性意識も含め，改めて夫婦の性生活に沿った避妊法を選択できるよう，視聴覚教材を使い，下記のような事柄について具体的に説明する。

・家族計画の意義

・産後の性機能の回復，避妊の必要性

・性生活の再開の時期と初回性交時の留意点

・避妊法の実際（方法，利点・欠点，コストなど）：男性用・女性用コンドーム，経口避妊薬，IUD（子宮内避妊器具），不妊手術など

・夫婦に合った避妊法の選択

出生後から 4 週目までの児を新生児と呼び，特に早期新生児期の 1 週間は，母体外生活への適応期間であるため，経日的に起こっている適応過程が順調であるか否か，スクリーニングする。出生体重や在胎週数，分娩転機からもリスク評価する（図 3-4，表 3-6）。

新生児のケアは，① 生理的に逸脱しないよう予防的対応を行うこと，② 新生児の能力・個性を観察すること，③ 家族に焦点を当てたケアであることがポイントである。自らの状態を表現する手段を持たない新生児に対しては，慎重な観察とケアが必要である。

1）新生児の観察

あらかじめ児に関する情報（母体の妊娠・分娩経過なども重要な情報である）はチェックしておく。母体外環境にスムーズに適応しているか判断するためには，経時的・系統的に児を観察していくことが必要である。新生児の看護目標の例としては，「母体外生活に順調に適応できる」「直接授乳が確立に向かう」「ビリルビン代謝が正常範囲である」などがある。下記のような点に注意する。

・出生後 24 時間以内の経時的な診察は，出生直後分娩室において，出生後 2 時間，その後 8 時間ごとなどとルーティン化する。

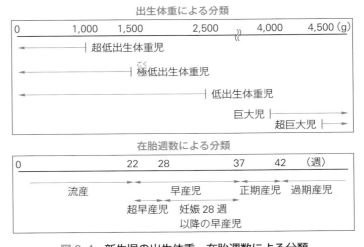

図 3-4　新生児の出生体重，在胎週数による分類

表 3-6　出生体重と在胎週数を組み合わせた分類

分類	定義
light-for-dates（LFD）	在胎週数の標準値に比べて出生体重の軽い児
small-for-dates（SFD）	在胎週数の標準値に比べて出生体重が軽く，身長も低い児
appropriate-for-dates（AFD）	在胎週数に見合った出生体重の児
heavy-for-dates（HFD）	在胎週数の標準値に比べて出生体重の重い児

57

・小児科もしくは新生児科医師の診察を受けることが望ましい。

・全身状態を観察する。

・観察時は，保温に留意する。

観察順序（例）
頭部 → 眼 → 鼻 → 口 → 耳 → 頸部 → 肩甲 → 上肢 → 手指 → 胸部 → 腹部 →
股関節 → 下肢 → 足趾 → 陰部 → 背部 → 腰部 → 脊柱 → 肛門

・診察は，十分に保温されたインファントウォーマーの上，あるいはそれに準じる場所で行う。

（1）出生当日

① バイタルサイン（呼吸，心拍，体温）の測定は，出生直後，1時間後，2時間後，4時間後，6時間後，と経時的に行う。

② 新生児を裸にして全身状態を観察する。

観察のポイント
・呼吸状態は正常か
・循環障害はないか
・異常な神経症状はないか（児の姿勢，顔つき，泣き方など）
・頭部の状態
・胸部，腹部の状態
・性器の状態
・背部の状態
・四肢の状態
・皮膚の状態
・外表奇形はないか
・原始反射はあるか

③ 身体計測を行う（体重，身長，頭囲，胸囲）。

④ 24時間以内に初回の排便，排尿を確認する。

⑤ 順調に母体外生活適応が経過していることを確認する。

⑥ 臍処置，抗菌薬の点眼を行う。

⑦ 母子の状態が安定していれば，出生直後より母児同室をすすめる。出生当日の同室中は頻回に訪室し，児の観察・授乳介助を行う。

（2）出生後1〜4日目

① バイタルサイン測定は，児の状態に合わせて6〜8時間ごとに行う。

② 観察項目に沿って全身状態を観察する。

観察のポイント
・バイタルサインは正常に経過しているか
・活気はあるか
・皮膚のトラブルはないか
・経口哺乳はできているか
・黄疸は生理的範囲内か
・体重減少率は生理的範囲内か
・臍のトラブルはないか

③ 体重測定は毎日行う。

④ 排便1回以上，排尿数回（2～10回）あるかを確認する。便の性状，変化，尿の色や量を観察する。

⑤ 経皮ビリルビン濃度測定。児の前額・胸骨部に測定器を当てて数値を得，その平均を算出する。

⑥ 清潔ケアを行う（沐浴あるいは清拭）。

⑦ 生後1日目にビタミン K_2 シロップを投与する。

⑧ 母乳栄養確立に向けて授乳介助を行う。

(3) 出生後5日目～退院まで

① 観察項目に沿って全身状態を観察する。

観察のポイント
- バイタルサインは正常に経過しているか
- 全身状態，活気，皮膚の状態
- 排便，排尿回数と性状
- 児の栄養状態，母乳は足りているか
- 体重の推移，増加傾向か
- 黄疸は生理的範囲内か
- 母親が自信を持って育児行動をしているか
- 臍の状態，臍脱しているか

② 退院までにビタミン K_2 シロップを投与する。

③ 先天代謝異常検査を行う。

④ 退院診察を新生児科医師（小児科医師）が行う。

⑤ 両親への沐浴指導，退院後の児の生活についての指導を行う。

⑥ 退院日は体重，身長，胸囲，頭囲測定を行う。

2) 新生児のフィジカルイグザミネーション

(1) バイタルサインのチェック（表3-7）

① 体温

新生児の体温測定では，出生後，まず直腸で検温する。通常の検温では，頸部や腋窩など，皮膚が密接できる場所で測定する。児の手足の冷感や爪床色，チアノーゼなど，全身状態も観察する。37.5℃以上，36.5℃未満は再検する。

② 心拍

新生児用聴診器を使用して，心拍数，リズム，心雑音の有無を聴取する。聴取部位は心拍動の見える心尖部あるいは胸骨左縁2～4肋骨間。心音聴取部位のずれや，馬が走る足音のようなリズム（奔馬調律；gallop rhythm），不整脈，80回/分以下の徐脈，遠くの方で聞こえる弱々しい音などの異常所見が続いている場合は，心電図モニターを付けて経過観察する。

表3-7 「何となく元気がない（not doing well）赤ちゃん」のサイン

活動性	いつもと比べて動きが少ない，眠りがち，筋緊張が弱い，泣き声が弱い，すぐ泣き止む，刺激に敏感に反応する
皮膚の状態	皮膚の色が優れない，赤みが少ない，蒼白，チアノーゼ，浮腫
体温	体温が低い，不安定，四肢末端が冷たい
授乳	哺乳力が弱い，乳頭への吸いつきが弱い
消化器症状	腹部膨満，嘔吐
呼吸	不整，無呼吸，多呼吸

③ 呼吸

呼吸状態の観察では，児の胸腹部を露出し，胸腹部の挙上と下降を1回として，1分間の呼吸数を数える，あるいは，聴診器を使用して呼吸音を聴取する。聴診は肺へのエア入りや雑音はないかなど，両肺全体を聴診する。呼吸障害は，呻吟，鼻翼呼吸，多呼吸，陥没呼吸，シーソー呼吸，無呼吸などといった形で観察される。正常の呼吸数は40～50回/分前後で，60回/分を超えると多呼吸である。ただし，体温の上昇や啼泣に伴う呼吸数増加もあるので，区別する。

（2）全身状態の観察・診察法

① 姿勢

児を仰臥位にして全身の姿勢を見る。児は四肢を屈曲した姿位（上下肢は「WMの形」）であるかを確認する。四肢が緊張なくだらりとしていたり，逆に，硬く緊張していたりする，四肢を突っ張るなどの場合には，他の神経学的所見のチェックも行う。

② 頭部

両手で児頭を覆うように頭部全体を触診し，次に片方の手で児の頭頸部を支え，上体を起こし，大小泉門の大きさ，膨隆の有無，骨縫合の離開や骨重の部位と程度，産瘤・頭血腫の有無などを観察する。特に，鉗子分娩や吸引分娩が行われた際には，鉗子痕や帽状腱膜下出血など，分娩時損傷の有無についてのチェックも行う。

③ 顔つきの観察

児が開眼しているときに，左右の眼球全体の様子を確認し，眼の位置，両眼の間隔，鼻の形態，口唇，口蓋裂の有無に注意しながら，口の中，舌を観察する。両耳の形態を観察し，次いで，耳介の位置を確認する。顔全体が左右対称であるかなどのバランスを見て，「何となくおかしい顔つき」（odd looking face）でないかチェックする。

④ 頸部

両手で頸部を触診し，皮膚のたるみや頸の長さ，太さを見る。左右の胸鎖乳突筋を触診し，腫瘤がないかを見る。鎖骨骨折は鎖骨全体を指で触れながら，段差が生じていないか，軽く押したときに「ズブズブした感じ」

（握雪感）がないかを見る。

⑤ 胸部・腹部

　児を仰臥位にして，呼吸運動とともに胸郭の動きや胸郭の高さ，腹部膨満の有無・程度を観察する。次に，片方の手で児の両足を軽く持ち上げながら，もう片方の手で児の腹部全体をゆっくりと触診していく。肝臓は右の季肋下2〜3cmに辺縁が鋭くコリっとした感じで触れる。臍上部から右上腹部に向かって軽く圧迫しながら触診していくとわかりやすい。その他，腎臓や膀胱以外で腫瘤が触れないかチェックする。

⑥ 性器・肛門

　全体を視診し，女児では大陰唇を軽く広げて観察する。男児では陰嚢に左右の睾丸が降りているか，触診する。鎖肛の有無をチェックするため，一度は肛門計での体温測定を行う。

⑦ 背部・腰部・脊柱

　児をうつ伏せにして背部から腰部の視診を行い，次に，脊柱に沿って触診し，側湾の有無や二分脊椎の有無などの異常がないかを見る。

⑧ 股関節・四肢

　児を仰向けに寝かせて両膝から下肢を持ち，力を入れずに股関節を開排して，制限がないか，クリック音の有無，両足の長さをチェックする。手足の動かし方が左右対称であるか，振戦やけいれんはないかを観察する。手指，足趾は1本1本開きながら，数や形を観察する。

(3) 成熟度のフィジカルイグザミネーション

　全身の状態をよく観察した上で成熟度評価を行い，在胎週数に疑問がある場合や胎児発育遅延（fetal growth restriction；FGR）の場合は，Ballard（バラード）法，Dubowitz（デュボヴィッツ）法などにより，細かい在胎週数の再評価を行う。正期産においては，全例にDubowitz法などを使って成熟度を評価する必要はない。新生児の成熟度評価を行う場合は，児の負担を考え，最初に外表所見（皮膚，耳介，乳房，性器，足底の最低5項目）から推定する方法で評価しておき，状態の安定した生後24〜48時間で再評価を行う。

① 皮膚

　児を裸にして皮膚に直接触れ，色，性状，透明度，浮腫を見る。

② 耳介

　耳の形を観察し，軟骨を触診して硬さを見る。成熟児の耳は耳介が硬く，辺縁まで軟骨があり，耳介を曲げてもすぐにもとの形に戻る。

③ 乳房

　乳頭，乳輪部が形成されているか，乳腺組織が両乳房に0.5〜1cm以上触れるかを見る。

④ 性器

　男児では，陰嚢に睾丸があるか，触診する。女児では，大陰唇が陰核と

3

小陰唇を覆っているかを見る。

⑤ 足底

　しわの深さや範囲，踵以外にはっきりとした深いしわがあるかを見る。40週以降の新生児では，足底全体にはっきりとしたしわが認められる。

(4) 身体計測

　体重，身長，頭囲測定を行い，計測値を胎児発育曲線に記入し，児の発育評価を行う。評価に際しては，体重は出生直後に，身長と頭囲は出生当日に計測した値を用いる。在胎週数の評価やハイリスク児のスクリーニングを行うことができるほか，胎内環境についても，ある程度，推測することができる。なお，これらは在胎週数が正確であることが前提なので，在胎週数が曖昧な場合は，成熟度評価も合わせて評価することが必要である。

① 体重測定

　体重は，児が退院するまでの間，毎日，できるだけ同じ条件の時間帯に測定する。体重は，正期産児の場合でも，生後数日間で3～10％前後の生理的体重減少が起こるが，時に12％以上になる場合もある。体重減少率は10％以下が望ましいが，10％を超えたから直ちに異常と見なすのではなく，児の全身状態，栄養状態，母乳分泌量，また，身長・頭囲など，それぞれの関係性を見てアセスメントする。

② 身長測定

　身長の計測は，出生時と退院時（生後4～5日）に行うとよいが，出生時は必ずしも直後でなくてもよい。頭頂から足底までの長さを身長計，あるいはメジャーを用いて測定する。測定は，頭部と足底部を固定して行うため，2人で行うことが望ましい。

③ 頭囲測定

　頭囲測定は，正常新生児であれば出生時と退院時に行う。出生時の頭囲が異常と見なされた場合は，毎日行う。メジャーを使用し，児の眉間と後頭結節を結ぶ周囲径を計測する。

(5) 黄疸の判別

　黄疸とは，血清総ビリルビンが血液中に増加し，全身の皮膚や粘膜に過剰に沈着した状態である。核黄疸を防ぐため，基準値を超える場合は，予防的に光線療法などの治療を行う。

　総ビリルビンが6.0 mg/dLくらいから可視的に認識される。ビリルビン増加による皮膚の黄染は，眼球結膜，額 → 体幹 → 四肢 → 手掌，足底の順に広がる。日常の診察では，経皮ビリルビン測定でスクリーニングし，血液検査で治療開始を決める。生後24時間以内では総ビリルビン10.0 mg/dLが光線療法の目安である。

　黄疸が増強しやすいリスク因子（早産児，低出生体重児，血液型不適合，

胎児機能不全（non-reassuring fetal status；NRFS），アシドーシス，呼吸障害，低体温，低血糖，感染症など）の有無を把握し，早期治療開始を考慮する。

(6) 運動・神経機能の診察

① 視診により，顔貌および全身状態を観察し，異常運動や体位異常，けいれんの有無を観察する。

② 異常な運動や体位が認められる場合には，筋緊張の低下もしくは亢進があるかどうかをチェックする。

③ 大泉門の大きさや，張り，膨隆の有無も合わせてチェックする。

④ モロー反射，吸啜反射，把握反射，非対称性緊張性頸反射，陽性支持反射，探索反射などの原始反射の有無をチェックする。

3) ビタミンK$_2$シロップの投与

ビタミンK欠乏性出血，新生児メレナ，消化管出血の予防のため，確実に投与する。

① 1回目は，生後1日目にビタミンK$_2$シロップ1mL（2mg）を経口投与する。ビタミンK$_2$シロップは高浸透圧のため，滅菌水あるいは糖水で10倍に薄めて投与するとよい。

② 2回目は，生後約1週間あるいは退院時のいずれか早い時期に，1回目と同様，経口投与する。

③ その後は，生後3か月まで週1回，経口投与する。[1]

●1　日本小児科学会他による提言[7]を参照。

4) マス・スクリーニング検査

(1) 新生児マス・スクリーニング

新生児マス・スクリーニングは，先天代謝異常などの疾患を早期発見・早期治療することで，新生児の健康的な成長を期待する検査である（第6章の2も参照）。

タンデムマス・スクリーニング

2011年3月に厚生労働省雇用均等・児童家庭局母子保健課長から質量分析器（タンデムマス）による新しい新生児マス・スクリーニング検査を早期に実施することが適当である旨が，各都道府県，指定都市に通知された。通知によると，タンデムマス法を用いた新生児マス・スクリーニング検査によって，アミノ酸代謝異常，有機酸代謝異常および脂肪酸代謝異常，糖質代謝異常，内分泌疾患など，20種類程度の疾患の検査を追加できる。また，早期治療により，心身障害の予防または軽減が期待できることなどが報告されている。検査費用はこれまで同様，公費負担で，採血は医療機関で行い，検査は専門検査機関で行われる。

2014年4月に厚生労働省雇用均等・家庭局母子保健課長より，「すべての都道府県および指定都市においてタンデムマス法を用いた検査が導入される見込みである」旨の通知があり，全国で実施されることとなった。それを機に，NPO法人タンデムマス・スクリーニング普及協会が窓口として活動している。

●2　タンデムマス・スクリーニング普及協会
https://tandem-ms.or.jp
タンデムマス・スクリーニング情報
https://www.med.u-fukui.ac.jp/SHOUNI/MSMSscreening/MSMSscreening.html

児の採血検査に当たっては，目的・方法・結果について親に説明し，署名された検査依頼書を提出してもらう。採血時期や方法はこれまでと同様である。要点を以下に示す。
① 濾紙の〇印に十分に染み通るまで血液を吸収させる。
② 血液を完全に自然乾燥させてからスクリーニング検査機関に送付する。
③ 濾紙は，長期保管せず24時間以内に送付する。
④ 検査日は哺乳量に関係なく，日齢4〜6で採血する。
⑤ 児の体重が2,000g未満の場合は，1回目の採血結果に関係なく，体重2,500g以上，生後1か月または退院時に2回目の採血が必要である。
⑥ カットオフ値で再検査を要する。
＊再検査を通告された親には，「先天代謝異常」に関する間違った認識，診断がついていない状態への不安に対し，スクリーニングの意味や正しい情報を伝え，アドバイスも含め，対応する。

（2）新生児聴覚スクリーニング検査

　先天性難聴の出現頻度は1,000人に1〜2人とされており，他の先天性疾患に比べ頻度が高い。厚生労働省は，新生児の先天性聴覚障害の早期発見・早期療育を図ることを目的として，実施に向けて取り組んでいる。多くの医療機関で体制が整備され，保護者に受診推奨を行っている（図3-5）[8]。

　検査の一つは自動聴性脳幹反応（AABR）で，生後2〜4日の児が睡眠時に初回検査を実施する。判定基準は「パス（反応あり）」か「要再検（refer；反応なし）」である。

　親への説明では，あくまでもスクリーニング検査であり，難聴の有無を判定するものではないことを理解してもらう。

・検査結果が「パス（反応あり）」の場合は，検査時点で聴覚に異常なしと見なす。しかし，今後の成長過程で後天的な聴覚障害が生じることもあるので，月齢別聴覚発達の目安について説明する。

・検査結果が「要再検（refer；反応なし）」の場合は，再検，精密検査の必要性について説明する。

引用・参考文献
1）江藤宏美責任編集（2023）：助産師基礎教育テキスト2023年版，第6巻（産褥期のケア／新生児期・乳幼児期のケア），日本看護協会出版会．
2）我部山キヨ子，藤井知行編集（2021）：助産学講座7　助産診断・技術学II［2］分娩期・産褥期，医学書院．
3）吉沢豊予子，鈴木幸子編著（2019）：新訂第5版マタニティアセスメントガイド，真興交易医書出版部．
4）Li, Q., Zhu, S., Xiao, X.(2020)：The risk factors of postpartum urinary retention after vaginal delivery：A systematic review. *International Journal of Nursing Sciences*, 7(4)：484-492
5）「授乳・離乳の支援ガイド」改定に関する研究会（2019）：授乳・離乳の支援ガイド（2019年改定版）．
6）内丸薫（研究代表者）（2022）：厚生労働科学研究費補助金（健やか次世代育成総合研究事業）HTLV-1母子感染対策および支援体制の課題の検討と対策に関する研究「厚生労働科学研究班によるHTLV-1母子感染予防対策マニュアル（第2版）」．
〈https://www.mhlw.go.jp/bunya/kodomo/boshi-hoken16/dl/06.pdf〉

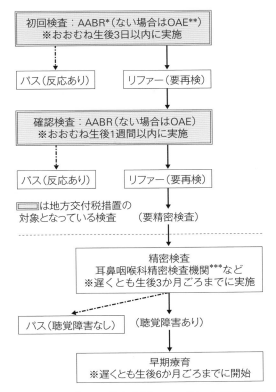

未熟児など特別な配慮が必要な児への検査時期については，上記にかかわらず，医師により適切に判断されることが望ましい。

- ＊：AABR（automated auditory brainstem response；自動聴性脳幹反応）：新生児聴覚スクリーニング用の聴性脳幹反応検査。自動判定機能をもたせるもので，判定基準は35 dB に設定される。

  ABR（auditory brainstem response；聴性脳幹反応）：睡眠下に刺激音を聞かせて頭皮上から得られる聴性電位変動で，聴覚脳幹機能を評価する検査。
- ＊＊：OAE（otoacoustic emissions；耳音響放射）：内耳から外耳道へ放射される微弱な音信号を集音して得られる反応で，内耳有毛細胞機能を評価する検査。
- ＊＊＊：日本耳鼻咽喉科頭頸部外科学会が定める「新生児聴覚スクリーニング後の精密聴力検査機関リスト」を参照すること。

  〈https://www.jibika.or.jp/archive/citizens/nanchou.html〉

図 3-5　新生児聴覚検査の流れ（文献[8]により作成）

7) 日本小児科学会，日本産科婦人科学会，日本周産期・新生児医学会，日本産婦人科・新生児血液学会，日本新生児成育医学会，日本小児科医会，日本小児保健協会，日本小児期外科系関連学会協議会，日本産婦人科医会，日本看護協会，日本助産師会，日本助産学会，日本外来小児科学会，日本小児外科学会，日本胆道閉鎖症研究会，日本母乳哺育学会（2021）：新生児と乳児のビタミン K 欠乏性出血症発症予防に関する提言．
〈http://www.jpeds.or.jp/modules/guidelines/index.php?content_id=134〉
8) 厚生労働省子ども家庭局母子保健課長（2022）：「新生児聴覚検査の実施について」の一部改正について．令和 4 年 7 月 21 日　子母発 0721 第 1 号．
〈https://www.mhlw.go.jp/content/001043816.pdf〉
9) 中田雅彦，与田仁志編著（2017）：第 3 章　産褥期，第 4 章　新生児．図解でよくわかるお母さんと赤ちゃんの生理とフィジカルアセスメント（ペリネイタルケア 2017 年新春増刊），メディカ出版，p.114-159，162-255．

3

10) 仁志田博司編（2018）：新生児学入門，第 5 版，医学書院.

11) 我部山キヨ子，大石時子編集（2021）：アセスメント力を磨く助産師のためのフィジカルイグザミネーション，第 2 版，医学書院，p.115-130.

12) 井本寛子（2011）：産褥期に起こりやすい疾患（トラブル）に対応できる．ペリネイタルケア，30（5）：16-20.

13) ペリネイタルケア編集委員会編著（2017）：乳房ケア・母乳育児支援のすべて（ペリネイタルケア 2017 年夏季増刊），メディカ出版.

14) 遠藤俊子責任編集（2023）：第 4 章　産褥期の異常とそのケア．助産師基礎教育テキスト 2023 年版，第 7 巻（ハイリスク妊産褥婦・新生児へのケア），日本看護協会出版会，p.205-234.

15) 村上睦子編著（2010）：臨床助産技術ベーシック＆ステップアップテキスト（ペリネイタルケア 2010 年夏季増刊号），メディカ出版，p.176-187.

16) 齊藤滋（2012）：HTLV-1 母子感染対策のために助産師が知っておきたい知識．ペリネイタルケア，31（1）：65-71.

17) 石井邦子，廣間武彦編集（2021）：助産学講座 8　助産診断・技術学Ⅱ［3］新生児期・乳幼児期，医学書院.

18) 日本産婦人科学会（2016）：妊産婦メンタルヘルスに関する合同会議 2015 報告書．日本産婦人科学会誌，68（1）.

19) 日本産婦人科医会編集（2021）：妊産婦メンタルヘルスケアマニュアル〜産後ケアへの切れ目のない支援に向けて〜，中外医学社.

20) 松井陽（研究代表者）（2012）：平成 23 年度厚生労働科学研究費補助金育成疾患克服等次世代育成基盤研究事業　小児慢性特定疾患の登録・管理・解析・情報提供に関する研究「胆道閉鎖症早期発見のための便色カード活用マニュアル」.
〈https://www.mhlw.go.jp/seisakunitsuite/bunya/kodomo/kodomo_kosodate/boshi-hoken/dl/kenkou-04-06.pdf〉

地域母子保健におけるケア

1 家族ケア

1) 家族ケアに焦点を当てる必要性

　妊婦が母親となっていくために学習が必要であるのと同様に，妊婦の
パートナー（夫）もまた，父親となっていくためには学習が必要である。
さらに，上の子どもや祖父母にとっても，新生児の誕生とともに家族とな
るのではなく，それぞれが自己の役割を認識し，具体的な役割を担うこと
によって家族が形成されていく。

　助産師の職務行動の現状を調査した篠原[1]は，「女性・家族への支援計
画・実施・評価」の割合が低いことを示し，助産師が女性とその家族に寄
り添い，エンパワーメントへのアプローチを行うという側面の行動が不十
分であるという側面がうかがえると述べた。また，磯山ら[2]も「助産師の
ための周産期の家族役割獲得の理解と認識を向上させる研修プログラム」
を開発し報告しているように，助産師にとって家族という視点で対象をと
らえることは重要である。

　助産師は，新しい命の誕生に寄り添い，すでに形成されている家族を対
象にした支援だけでなく，妊婦やそのパートナーが家族となる過程を意識
しながら，意図的に関わることによって，家族の誕生を支援することがで
きる。

家族の定義

　家族とは，「夫婦・親子・きょうだいなど少数の近親者を主要な構成員
とし，成員相互の深い感情的かかわりあいで結ばれた，幸福（well-being）
追求の集団である」[3]と定義づけることができる。家族の要素には，婚姻状
況，血縁関係の有無，居住状態などがある。しかし，現在では婚姻よりも
先行する妊娠，生殖補助医療を用いた妊娠，単身赴任に伴う家族の別居，
子どもを抱えた再婚による新たな家族の形成など，家族の形態は多様化し
てきている。

　助産師には，家族ケアにおける基本的な知識を踏まえ，それぞれの家族
や家族の形態に合わせた個別的なケアを展開する責務がある。

表 3-8　ヒルと森岡の段階説[4]

ヒル	森岡
Ⅰ　子どものない新婚期	Ⅰ　子どものない新婚期
Ⅱ　第 1 子出生〜3 歳未満（若い親の時期）	Ⅱ　第 1 子出生〜小学校入学（育児期）
Ⅲ　第 1 子 3 歳〜6 歳未満（前学齢期）	Ⅲ　第 1 子小学校入学〜卒業（第 1 教育期）
Ⅳ　第 1 子 6 歳〜12 歳（学齢期）	Ⅳ　第 1 子中学校入学〜高校卒業（第 2 教育期）
Ⅴ　第 1 子 13 歳〜19 歳（思春期の子をもつ時期）	Ⅴ　第 1 子高校卒業〜末子 20 歳未満（第 1 排出期）
Ⅵ　第 1 子 20 歳〜離家（成人の子をもつ時期）	Ⅵ　末子 20 歳〜子ども全部結婚独立（第 2 排出期）
Ⅶ　第 1 子離家〜末子離家（子どもの独立期）	Ⅶ　子ども全部結婚独立〜夫 65 歳未満（向老期）
Ⅷ　末子離家〜夫退職（脱親役割期）	Ⅷ　夫 65 歳〜死亡（退隠期）
Ⅸ　夫退職〜死亡（老いゆく家族）	

2）家族発達理論という視点

　家族ケアを考えるとき，家族発達理論という視点が，家族ケアのためのアセスメントに有効な知識を提供する。家族発達理論は，家族を発達していく集団としてとらえる。家族には，家族周期という生活周期が存在し，核家族の場合，結婚によって 1 つの家族が誕生し，新婚期，子どもの誕生，育児期を経て，子どもがその家族から独立し，再び夫婦だけの生活に戻り，配偶者の死，本人の死によりその家族が消滅する。家族は時間的経過の中で連続的な発達段階を辿り，各発達段階に応じた固有の発達課題を持ち，また，家族構成員はそれぞれの段階でその課題の達成に努力する必要があり，ある段階から次の段階への移行においては，組織の再調整が必要というのが，家族発達理論の基本的な考え方である。

　家族周期の段階には，ヒルの 9 段階説や，森岡による 8 段階説などがある（表 3-8）[4]。

　家族組織が変わるときには，新たな発達課題への取り組みが必要であり，その家族にとっては危機的な時期ととらえることができる。すなわち，家族周期における移行期の家族，ことに新しい家族を迎える周産期にある家族は，まさに新たな発達課題に取り組んでおり，移行が円滑に進むための支援を必要としている。また，家族を迎えることが想定外であったり，周産期にハイリスクな状態や異常が存在したりする場合，その家族は健康問題への対応と発達課題への対応の両者に取り組むことになる。

　ここでは，助産師の業務として，家族ケアの視点から，遭遇する機会が比較的多い時期の発達課題を取り上げる（表 3-9）[5]。

（1）婚前期・新婚期の発達課題

● **定位家族**
自分が生まれ育てられた家族。原家族ともいう。これに対して，子どもを産み育てる家族は「生殖家族」という。

　この時期の男女は，自分が生まれ育った家族（定位家族）から自己を分化させ，多くの場合は職業を持ち，経済的に自立する。この段階での自立には，精神的にも物理的にも，行為的にも独立することが求められる。

　これは，見方を変えれば，自分の両親に対する依存を手放すことである。パートナーを選択すること，パートナーとの新しい生活様式を作り上げる

表 3-9　家族周期段階別に見た基本的発達課題

	基本的発達課題 （目標）	目標達成手段（経済）	役割の配分・遂行	対社会との関係	備考
婚前期	・婚前の2者関係の確立 ・身体的・心理的・社会的成熟の達成	・経済的自立の準備 ・新居の設定（親との同居・別居）	・正しい性役割の取得 ・結婚後の妻の就業についての意見調整	相互の親族や知人の是認の確保	・性衝動のコントロール ・デート文化の確立
新婚期	・新しい家族と夫婦関係の形成 ・家族生活に対する長期的基本計画 ・出産計画	・安定した家計の設計 ・耐久消費財の整備 ・長期的家計計画（教育・住宅・老後） ・居住様式の確立 ・出産・育児費の準備	・性生活への適応 ・夫婦間の役割分担の形成 ・夫婦の生活時間の調整 ・生活習慣の調整 ・リーダーシップ・パターンの形成	・親や親戚との交際 ・近隣との交際 ・居住地の地域社会の理解 ・地域の諸団体活動への参加	社会的諸手続き（婚姻届，住民登録）の完了
養育期	・乳幼児の健全な保育 ・第2子以下の出産計画 ・子の教育方針の調整	・子の成長に伴う家計の設計 ・教育費・住宅費を中心とした長期家計計画の再検討	・父・母役割の取得 ・夫婦の役割分担の再検討 ・リーダーシップ・パターンの再検討	・近隣の子どもの遊戯集団の形成 ・保育所との関係 ・親族との関係の調整（祖父母と孫）	妻の妊娠時への夫の配慮
教育期	・子の能力・適性による就学 ・妻の再就職と社会活動への参加 ・子の進路の決定 ・家族統合の維持	・教育費の計画 ・住宅の拡大・建設費の計画 ・老親扶養の設計 ・余暇活動費の設計 ・子の勉強部屋の確保	・子の成長による親役割の再検討 ・子の家族役割への参加 ・夫婦関係の再調整 ・余暇活動の設計 ・家族の生活時間の調整 ・妻の就業による役割分担の調整	・老親扶養をめぐっての親族関係の調整 ・PTA活動への参加 ・婦人会，地域社会活動への参加 ・婦人学級・成人学級など学習活動への参加 ・夫の職業活動の充実	家族成員の生活領域の拡散への対処
排出期	・子の就職・経済的自立への配慮 ・子の情緒的自立への指導 ・子の配偶者選択・結婚への援助	・子の結婚資金の準備 ・老後の生活のための家計計画 ・子の離家後の住宅利用の検討	・子の独立を支持するための役割 ・子の離家後の夫婦関係の再調整 ・子の離家後の生活習慣の再調整	・地域社会活動への参加 ・奉仕活動への参加 ・趣味・文化活動への参加	妻の更年期への対処
老年期	・安定した老後のための生活設計 ・老後の生きがい・楽しみの設計	・定年退職後の再就職 ・老夫婦向きの住宅の改善 ・健康維持への配慮 ・安定した家計の維持 ・遺産分配の計画	・祖父母としての役割の取得 ・やすらぎのある夫婦関係の樹立 ・夫婦としての再確認 ・健康維持のための生活習慣	・子の家族との関係の調整 ・地域社会活動・奉仕活動・趣味・文化活動参加の維持 ・子の家族との協力関係の促進 ・老人クラブ・老人大学への参加 ・地域活動への参加（生活経験を社会的に生かすこと）	・健康維持 ・内閉的生活の傾向への対処
孤老期	1人暮らしの生活設計	・1人暮らしの家計の設計 ・1人暮らしの住宅利用 ・遺産分配の計画	・子による役割の補充 ・社会機関による役割の補充	・社会福祉サービスの受容 ・老人クラブ・老人大学への参加 ・新しい仲間作り，友人関係の活用	孤立はしても孤独にならないこと

（文献[5]，p.12-13により作成）

3

こと，その作業を通して互いに理解し合い，新しい家族としての絆を作り上げていくことが課題となる。カップルは，それまで自分が経験してきた定位家族の生活様式にとらわれないよう，互いに調整し合いながら，自分たちのやり方を夫婦の生活習慣として作り上げる。

　2人だけの生活にとどまらず，親や親族，近隣と交流しながら，夫婦として，社会との関係を形成する。また，性生活への適応を示し，家族計画

や出産計画を立てる。

　結婚は，カップルが社会的な承認を得る手続きともいえるが，現代では結婚式を挙げないカップルや，婚姻届を出さない事実婚を選択するカップルも存在する。また，カップルがすでに同居生活を開始していても，その関係の社会的承認に価値を置かなければ，それは単なる同棲にとどまる。社会的な契約関係を結び，容易にそれを破棄することができない状況に置かれる結婚とは区別される。非婚化や晩婚化が進んでいる近年では，カップルの出会いやその後の恋愛の様態も一様ではなくなってきており，妊娠が家族形成のきっかけとなる場合もある。

　しかしながら，婚外子比率の低さが示すように，婚外子の誕生に寛容ではない日本の場合，「家族形成のためのメイン・ルートは，まず恋愛をし，次に結婚し，その次に出産することとなっているよう」[6]である。この社会的な暗黙の規範が存在する中で「妊娠」という出来事は，親という役割を引き受けていく覚悟や家族形成のニーズが薄いカップルにおいても，社会的な承認の必要性を迫り，婚姻届の提出すなわち結婚という手続きに至る場合がある。渡辺[7]は，妊娠先行型結婚が，妊娠という出来事に依存した結婚であること，結婚することの意味が〈子どものため〉に収斂（しゅうれん）していることを提言している。このようなカップルの場合，婚前期・新婚期における発達課題の達成状況が，その後に続く，育児期における発達課題への取り組みに影響をもたらす。

(2) 養育期・教育期の発達課題

　実際に子どもの誕生を迎えるこの時期には，子どもに健全な保育を行うことによって，子どもの成長や発達を保証する。親という新たな役割を自覚し，母親役割や父親役割を取得し，具体的な養育行動が実践できなければならない。夫婦という2者の関係は，子どもを含めた3者の関係になり，家族関係は広がっていく。家族システムとしてとらえた場合，子どもを迎えた家族の中には，家族全体のシステムに夫婦というサブシステムと，母親と子ども，父親と子どもというサブシステムが含まれることになる。サブシステムを含めた家族システムがうまく機能するためには，さまざまな再調整が必要になる。

　子どもが誕生した生活には，それまでの夫婦のみの生活と比較して，これまでとは異なる家事・育児行動が必要になったり，また，家事・育児行動の増大が生じたりする。これらの具体的な家事・育児行動の分担や，夫婦の役割分担も再検討しなければならない。

　さらに，親族，ことに両親との関係においては，孫と祖父母との関係を調整することが必要となる。第2子以降の誕生の場合は，上の子どもに加え，新たな家族を迎え入れた家族関係の中で，きょうだい間のサブシステムも形成していくことが必要である。

(3) 排出期・老年期の発達課題

　子どもの自立に伴う独立によって，子どもが定位家族から離れていくという意味で，排出期と呼ばれるこの時期は，子どもの自立への配慮や指導，援助をできることが重要である。

　しかし，その前提には，祖父母となる者たちが，子どもの巣立ちを受容できていることが必要である。少子社会となった現代では，きょうだいの人数が少なく，程度の差はあっても親と子が共依存（codependency）的な関係にあり，新たな家族形成の妨げになっている場合がある。

　きょうだいが少なく，親戚の数も限られている中で，子どもが生まれることは，親族にとって大きなイベントになり，高い関心を集める出来事となる。しかし，新米の母親や父親に比べれば，はるかに知識や経験も豊富で，新生児の世話技術にも優れた祖父母は，温かな関心は向けても，新米の親たちから親役割を取り上げてしまってはならない。さらに，多くの研究成果の蓄積により，祖父母たちにとって「正しい」とされていた方法が現代では否定されるなど，育児方法も変化し，新たな育児用品も開発されている。助産師は，祖父母たちにも注目し，子どもが親になっていくことを支援する役割を果たすという，排出期・老年期にある祖父母たちの発達課題の達成を支援する。

● **共依存**
アルコール依存症の臨床から発生した用語で，自分を大切にするより，他者の問題にばかり対応して，自分を犠牲にして他者の世話を焼き，影響を及ぼすことで自分の存在価値を得ようということを指し，共依存関係を構築しやすいという報告もある。自己評価が低いために，相手から頼りにされなかったり，あてにされなかったりすると，不安になってしまう。

3）家族ケアのための情報収集とアセスメント

　妊婦とそのパートナーが初めての子どもを迎えるとき，カップルは親への移行を経験することになる。子どもの誕生によってカップルの生活には，「育児」という新たな生活スタイルが加わる。また，カップルにすでに子どもがいた場合は，新生児を新たな家族メンバーに迎え，新しい家族として再構成することが必要となる。同様に，新生児の誕生は，祖父母やそのほかの家族メンバーにとっても，それまでの自分の役割や家族との結びつきを見直すことを求める出来事になる。

　家族ケアのための情報収集とアセスメントでは，家族構成員の個々人に関する情報収集とアセスメントのほかに，家族をシステムとしてとらえ，そのカップルの関係や家族機能に関する情報収集とアセスメントも必要である。また，家族発達理論における発達課題の達成を支援するためのアセスメントの視点も重要である（図 3-6）[8]。

(1) カップルの関係のアセスメント
① 子どもの誕生が夫婦に及ぼす影響

　ジェイ・ベルスキーとジョン・ケリー[9]は，子どもの誕生が夫婦に及ぼす影響を明らかにするために，第 1 子の妊娠から 7 年間にわたって 250 組の家族を追跡調査し，親への移行期に生じる不和や不一致を乗り越えることに影響する 6 側面を明らかにした。その側面とは，「自己」（カップルが

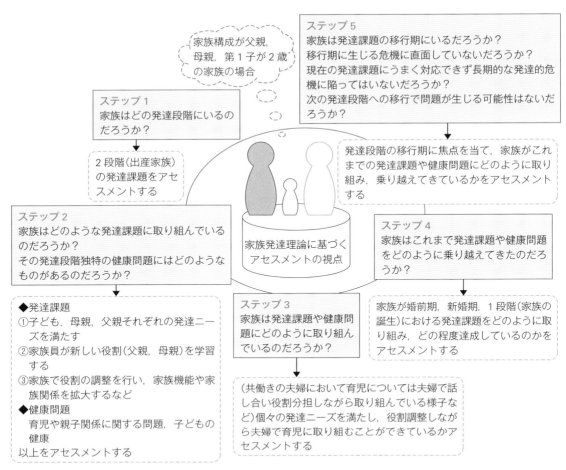

ステップ5
家族は発達課題の移行期にいるだろうか？
移行期に生じる危機に直面していないだろうか？
現在の発達課題にうまく対応できず長期的な発達的危
機に陥ってはいないだろうか？
次の発達段階への移行で問題が生じる可能性はないだ
ろうか？

家族構成が父親，
母親，第1子が2歳
の家族の場合

ステップ1
家族はどの発達段階にいるの
だろうか？

2段階（出産家族）
の発達課題をアセ
スメントする

発達段階の移行期に焦点を当て，家族がこれ
までの発達課題や健康問題にどのように取り
組み，乗り越えてきているかをアセスメント
する

ステップ2
家族はどのような発達課題に取り組んでいる
のだろうか？
その発達段階独特の健康問題にはどのような
ものがあるのだろうか？

家族発達理論に基づく
アセスメントの視点

ステップ4
家族はこれまで発達課題や健康問題
をどのように乗り越えてきたのだろ
うか？

◆発達課題
①子ども，母親，父親それぞれの発達ニー
　ズを満たす
②家族員が新しい役割（父親，母親）を学習
　する
③家族で役割の調整を行い，家族機能や家
　族関係を拡大するなど
◆健康問題
　育児や親子関係に関する問題，子どもの
　健康
以上をアセスメントする

ステップ3
家族は発達課題や健康問
題にどのように取り組ん
でいるのだろうか？

家族が婚前期，新婚期，1段階（家族の
誕生）における発達課題をどのように取
り組み，どの程度達成しているのかを
アセスメントする

（共働きの夫婦において育児については夫婦で話
し合い役割分担しながら取り組んでいる様子な
ど）個々の発達ニーズを満たし，役割調整しなが
ら夫婦で育児に取り組むことができているかアセ
スメントする

図3-6　家族発達理論に基づくアセスメントの視点
（文献[8]より）

2人の個別の自己を「私たち」に合体させる能力），「性イデオロギー」（男
性あるいは女性はどのように振る舞うべきかといった行動の仕方について
の考え方），「情緒傾向」（ストレスに対するもろさを左右する人格特性），
「期待」（子どもが結婚生活にどのような影響を与えると考えていたか），
「コミュニケーション」（子どもが生まれてからも会話を続けることができ
るか），そして，「危機（摩擦）管理」（2人の間にある不一致をうまく処理
する能力）である。これらは，結婚の質を決定する移行領域とされている。

　また，一見良好な関係に見えるカップルでも，周産期はドメスティッ
ク・バイオレンス（DV）が始まる契機になることが報告されており
（p.101〜参照），子どもを迎えることがカップルにとって危機となりうる
ことも忘れてはならない。

② 妊娠が先行した家族形成過程

　跡上[10]は，妊娠を契機に結婚生活を開始した女性への面接によって，妊
娠先行型結婚女性の家族形成過程の構造試案を報告した。家族形成過程を
〈家族になる意識〉〈便宜的家族生活の開始〉〈妊娠中の家族作り〉〈分娩に

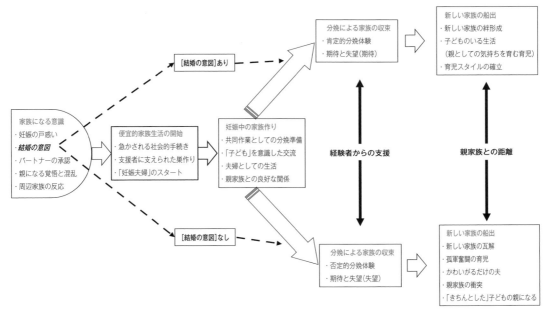

図 3-7　妊娠先行型結婚女性の家族形成過程の構造試案図
（文献[10]）により作成）

よる家族の収束〉〈新しい家族の船出〉というカテゴリーで説明し，妊娠に
先立つ時期に，結婚の意図を持つかどうかが，その後の家族形成過程に影
響することを示した（図 3-7）。

　また，妊娠先行型結婚をした形成期家族の家族機能を調査した西元ら[11]）
は，妊娠先行型結婚をした妻は，一般妊娠群よりも家族機能が有意に低く，
特に「家族員との関係」における家族機能が低いため，夫婦関係を十分ア
セスメントし，確立していない脆弱な夫婦関係に対しては，「配偶者と過ご
す時間」「配偶者との意見の対立」「結婚生活における満足感」などに注目
した支援が必要であることを示した。

(2) 家族機能に関するアセスメント

　家族機能に関しては，さまざまな説があるが，伝統的な家族が持つ機能
には，以下のようなものを認めることができる。

① 性・生殖の場：生殖につながる，社会的に容認された性活動を行う場
② 社会化の場：社会に適応できる人間としての教育を行う場
③ 経済の場：生活する場として生産活動と消費活動を行う場
④ 情緒安定の場：憩いや安らぎを得ることができるプライベートな場
⑤ 福祉の場：子ども・高齢者・病者などの扶養の場

　家族周期に合わせたそれぞれの段階における発達課題の達成と，これら
の家族機能を果たしていくことができるような家族の形成につなぐこと
が，家族ケアを行う上での目標といえる。西元ら[11]）の報告では，妊娠先行

型のカップルでは，カップルが認識する家族の範囲には定位家族が含まれている可能性もあり，定位家族の情報も踏まえてアセスメントを行う必要がある。

(3) パートナーに関する情報収集とアセスメント

女性にとって妊娠や出産は，自己の体に生じる具体的な変化として実感を持つことができるが，男性にとってパートナーの妊娠や出産は，未知の部分が大きい。まわりの友人が親になっていれば，自分もいずれ親となることを想像するかもしれない。しかし，想像すらしない場合もある。計画的で予定した妊娠である場合と，全くの想定外の妊娠である場合とでは，その受け止め方が大きく異なることは容易に理解できる。

想定内の妊娠であっても，不安と嬉しさの感情は混在することが考えられ，父親になる自分自身への感情と，妊婦となったパートナーに対する感情を経験する。パートナーに関する情報収集とアセスメントでは，「男性が1人の父親に成熟していくプロセスとして」という視点と，「妊婦をサポートするパートナーとして」，さらに，「新生児の養育者として」という視点が必要である。

また，パートナーが妊婦健診に同行してきていても，周産期DVにつながる，妊婦の監視のための同行の可能性もある。

何よりもまず，助産師が「父親自身も親移行の当事者であることを認識すること」が重要[12]である。

● 潜伏化している周産期DVを早期に発見するには，妊婦1人に対応する場面を設け，表4-6のようなスクリーニング尺度を用いた面接が有効である。

(4) 上の（すでにいる）子どもに関する情報収集とアセスメント

すでに子どもがいる場合，新しい家族が増えることについての，その子どもの発達段階に応じた一般的な理解力はどうか。母親と父親や祖父母などは，新しい家族が増えることをどのように伝えているのか。子どもは子どもなりに家族の誕生を理解する。

妊婦健診などに上の子どもを同伴して来る場合，家族が増えることの理解を促す機会として，妊婦や家族が意図的にしていることなのか，上の子どもを見てくれる保育者が確保できずに連れて来ているだけなのかによって，アセスメントは大きく異なる。妊婦健診について来ている上の子どもと直接関わり，どのように弟や妹の誕生をイメージしているのかをとらえることもできる。また，子どもは新生児についての具体的なイメージだけではなく，母親の身体的変化や両親の関わりから，自分以外の家族が増えることを理解している場合もある。

分娩による母親の入院は，上の子どもにとっておそらく初めてとなる長期間の母親との分離経験である。自分の睡眠中に母親の分娩が開始し，目覚めたときには母親は不在で，数日帰ってこないばかりか，やっと帰宅したときには赤ん坊を連れており，周囲の大人は皆，その赤ん坊に注目する

といったストーリーは，子どもを混乱させる。新しい家族の誕生に伴う具体的な生活の変化についても，どのように知らされ，準備されているのか，妊娠中から意図的に情報を収集しておくとよい。

(5) 祖父母に関する情報収集とアセスメント

祖父母は，妊娠・出産・育児期における主要なサポーターであり，里帰り出産などは，祖父母のサポートを期待するものである。しかし，きょうだい数が少なく，出産年齢も高くなっている現代では，祖父母のサポーターとしての能力をていねいにアセスメントすべきである。祖母自身が出産後の育児をサポートしてもらっており，たとえば，自分では沐浴をしたことがないなど，サポートする立場になって初めて経験することになる場合も考えられる。

また，現在，妊娠や出産，育児に関する情報はインターネットなどを介して多く得ることができ，父親や母親とともに祖父母も混乱してしまう可能性がある。祖父母の持つ価値観などとともに，育児の当事者が考え，選択していける状況であるかをアセスメントしていく。

4) 家族ケアの実際

家族ケアを展開しようとするとき，そのケアは，家族の構成員個人に対するケアと家族全体に対するケアが同時に実施されることになる。つまり，ケアの対象は家族構成員個人の一人一人であり，また，同時に家族全体でもある。

ケアは，家族構成員の個人に対して直接的に行われることも，家族を通して間接的に行われることもある。たとえば，助産師は妊婦健診に同行して来た上の子どもやパートナー，祖父母などに直接関わることができる。入院中の面会の場面も，直接関わることができる機会である。

小嶋[13]は，助産所助産師の実践の参与観察とインタビューから，夫婦間関係性に働きかける熟練した援助として，〈夫婦間葛藤に至った要因への気づきを促す援助〉〈夫婦間の対話を促す援助〉〈新たなパートナーシップを築く援助〉が行われていることを見出した。

助産師は，妊婦に対して行っているケアが，妊婦1人に対する援助の目的を達成するだけにとどまらず，家族ケアとしても影響を持つことを意識すべきである。

保育サポートの確保ができずに，やむなく妊婦健診に同行して来た上の子どもに助産師が話しかける場面などは，よく見受けられる。それまで漠然としか理解していなかったきょうだいの誕生に対して，助産師が投げかけた何気ない一言で，自分の具体的な役割を理解し，期待を持ってきょうだいを迎えるようになるなど，助産師の関わりは，家族ケアにとって効果的となる場合がある。

さらに，分娩が，産婦や家族にとって肯定的な体験になるか否定的な体験になるかは，分娩期における助産師のケアによるところも大きい。産婦にとって安全で安楽な分娩になるよう専心するだけでなく，分娩期に行う一つ一つのケアが家族機能の発達にも影響することを忘れてはならない。

妊娠先行型結婚であることによる親子関係の差を検討した高橋[14]は，父親と第1子との関係性が良好ではないのは，26歳までの比較的若い時期に妊娠先行型結婚をした父親であり，妊娠先行型であることによる違いが観察されるのは母親ではなく父親の方であることを明らかにした。そして，父親に対しても親役割の獲得を促す取り組みや，子どもとの関係性を構築するための支援が求められているのではないかと考察している。

また，パートナーが父親へと成熟するのを支えていく役割が，妊婦自身にあると伝えることや，それぞれの両親に祖父母役割を学習してもらうための，意図的な関わり方を妊婦に指導することも重要である。妊婦自身が母親役割を学習していくことで精一杯のように見えるかもしれないが，家族がそれぞれの発達課題を達成していく上で，妊婦自身がキーパーソンの役割を持つことを伝えていくことも，助産師の役割である。

齋藤ら[15]は，「家族形成支援とは，妊娠以前から始まり，ライフコースを見据えた長期にわたる継続的な支援である」と述べている。助産師は，自らの結婚観や家族観を自覚しつつ，その価値観にとらわれず，社会の変化や対象のあるがままを受け止めて，いつも女性の傍らに存在し，あらゆる機会を通じて新しい家族の誕生を支えているということを忘れてはならない。

2 母親と子どもを対象とする訪問看護の実際

1）訪問看護ステーション開設の背景

近年，社会背景の複雑化と多様化する社会の変化とともに，児童虐待，産後うつなど，母親とその家族の置かれている環境は，ますます複雑化している。2009〜2018年の10年間で，出産前から支援を要する「特定妊婦」が7倍増加した（厚生労働省調査）[16]といわれ，また，産後うつや虐待の増加に伴い，母子の安心・安全に配慮した支援が一層求められている。

こうした状況に対応できるよう，各地域では，新たな母子支援として，特定妊婦に対する支援事業や，出産後の育児不安や虐待防止対策として，産後母子ケア事業などの取り組みが始まっている。さらに，訪問看護による助産師の支援が必要なこともあるため，助産所が訪問看護ステーションを併設する取り組みが各地で広がりを見せている。

● 助産師の資格を持つ看護師が事業主となれるのは，健康保険法の指定する場合のみ。

2）A市における母子支援事業の概要

（1）A市の母子支援事業における助産師との連携

　A市は，地域で開業している助産師との協働により，さまざまな母子支援事業を行っている。助産師の開業形態は，個人で行う出張型と，複数の助産師でサポートを行うチーム型があるが，それぞれの事業内容を効果的に組み合わせ，母子の背景に合わせて対応できるように工夫されている（表 3-10）。

（2）A市における特定妊婦支援（妊娠期支援事業）の概要

　妊娠中から特定妊婦として母子生活支援施設へ入所した人が対象の事業。病院，行政，母子生活支援施設，児童相談所，助産所などでチームカンファレンスを行い，妊娠中の心身の準備や出産後に向けて支援の方向性を決定する。妊娠中から産後 8 週まで，16 回を上限として助産師が母子生活支援施設を訪問し，出産後は，産後母子ケア事業につないで養育能力を確認しながら，母親の育児行動が獲得できるよう見守る。産後母子ケア事業を利用した後に，再び母子生活支援施設に戻り，助産師が継続して母子生活支援施設への訪問を実施し，必要な支援を行う（図 3-8）。

（3）地域における母子への包括的な支援を目指して（B助産所の場合）

　A市にある B 助産所は，出産支援のほか，子育て支援に必要ないくつかの事業を継続的かつ包括的に行っている。

表 3-10　A市における母子支援事業と助産師などとの連携

事業内容	目的	時期・料金	連携先
産前・産後ヘルパー事業 育児支援ヘルパー事業	産前・産後にヘルパーを派遣し，家事・育児支援を行う。	妊娠中から産後 5 か月未満まで 2 時間，上限 1,500 円	産前・産後ヘルパー 育児支援ヘルパー
母子訪問 （新生児訪問指導・ 未熟児訪問）	育児に関するさまざまな相談および母体の回復促進を目的とする。	無料	保健師 開業助産師
養育支援ヘルパー事業	養育支援が特に必要であると判断される家庭に対して養育支援ヘルパーを派遣し，家事，育児支援を行う。	18 歳までの子がいる家庭 原則 1 年間・利用者負担なし	養育支援ヘルパー
産後母子ケア事業 2013 年 10 月～	ショートステイなどで体や心を休める場を提供し，虐待防止に努める。	ショート・デイともに各 7 日間の利用可能で 1 割負担	有床助産所 医療施設
妊娠期支援事業 2016 年 7 月～	特定妊婦を対象に，産後の子育て支援のため，母子生活支援施設を訪問する。	無料 産前 8 週から産後 8 週まで，上限 16 回訪問	助産師会と契約し，開業助産師がチームで支援
産後健診 （2 週間・1 か月） 2017 年 6 月～	2 週間健診（①心の健康アンケート，②赤ちゃんへの気持ち質問票，③育児支援チェックリスト），1 か月健診（①心の健康アンケート）を実施する。	5,000 円無料券	助産師会（開業助産師） 医療施設（病院・診療所）
訪問型母子ケア事業 2018 年 1 月～	居宅に直接助産師が訪問し，授乳や育児のアドバイスを行う。	4,000 円補助	開業助産師 医療施設（病院・診療所）

妊娠中
特定妊婦として母子生活支援施設に入所後，行政，母子生活支援施設，児童相談所，助産所とのチームカンファレンスを実施し，支援の方向性を決定する。
助産師は，妊娠中から分娩後まで母子生活支援施設を訪問する（上限16回）。

出産後
産後母子ケア事業につなぎ，支援を行う中で養育能力を確認し，育児行動が獲得できるよう見守る。
その後，母子生活支援施設に戻り，助産師が継続して訪問し，母子を見守り，必要な支援を行う。

妊娠期支援終了後
精神疾患のある母親は訪問看護へと移行し，継続してサポートを行い，長期的に関わる。

図 3-8　A 市における妊娠期支援事業から産後母子ケア事業，訪問看護への継続フォロー

B 助産所が行う包括的事業

助産所が実施
① 産後母子ケア事業（ショートステイ，デイケア，アウトリーチ）
② 特定妊婦支援事業（妊娠期支援事業）
助産所が主体となって実施
③ 親と子のつどい事業，10 代妊婦・褥婦支援事業
④ 小規模保育，一時預かり事業
⑤ 子どもの居場所（学童期）事業

（4）助産師による訪問看護の特徴

　特定妊婦や，発達障害，精神疾患などのある母親は，時に，育児能力が低下することがあるため，子どもの健やかな成長・発達のためにも，母子ともに長期的なサポートが必要になってくる。訪問看護では，生きづらさを抱えた母親に寄り添いながら，子どもの安全を守る役割もあり，子どもの成長とともに「親育ち」のプロセスに長く関わることが可能である。

　助産師が行う訪問看護は，母親と子どもを含めた支援が可能であり，授乳相談，離乳食相談，成長・発達，生活支援まで，生活全般に対して母子ともに支援を行うことができることも特徴である。

3）事例紹介

　ここでは，B 助産所での事例をもとに，さまざまな背景のある対象者に助産師としてどのように介入し，つながりを持ちながら連携していったのか，述べてみたい。

（1）産後母子ケア事業利用をきっかけに訪問看護の対象となった事例

　産後母子ケア事業を利用する母親が，実母や夫といった家族間での不和

により困惑している場合もあり，その調整に助産師が介入する場面もある。また，母親に精神疾患がある場合，家族の精神的な負担は大きく，家族が突発的に助産所に相談に訪れることもある。

　困ったときにいつでも相談に応じ，母子保健サービスの活用の観点も踏まえて母子とその家族双方を含めた関わりができるのも，地域ならではの役割だと筆者は考えている。家族間の問題など生活に影響を及ぼす要因がある場合は，行政との連携を密にし，情報を共有している。また，医師の判断により訪問看護が必要となった場合に，ケアの提供を続けられることも特徴の一つである。

事例①：産後母子ケア事業利用終了後に訪問看護に移行し，継続支援を行っている事例

【産後母子ケア事業利用から訪問看護開始まで】

　母親・Cさんには精神疾患があり，妊娠後，精神的に不安定であった。夫とは別居で両親と同居をしているが，Cさんの実母も精神疾患があり，行政の支援を受けていた。

　出産後，助産所で産後母子ケア事業を利用中に，Cさんは，夫が子ども中心になっていることに嫉妬するが，自分を見てほしいという気持ちをうまく伝えられず悩んでいた。助産師がCさんの気持ちを夫に伝え，関係修復に努めた。

　産後4か月に入ったころ，助産所にCさんから「つらくなった」と電話が入った。精神科に月に1回通院していることや，夫と離婚したこと，漠然とした不安等を訴えてきた。行政と連携をとっていたため，Cさんからの電話の内容を報告した。

　その後，Cさんからホットラインに「子どもの首を絞めた」と電話が入ったため，児は一時保護となった。

　Cさんに対しては，行政，児童相談所，精神科，助産所および併設の訪問看護ステーションがチームとなって連携して支援することになった。カンファレンスを実施し，児童相談所への入所期間などを検討した。

【訪問看護開始】

　Cさんは月1回精神科を受診していたため，医師の訪問看護指示により，訪問看護開始となる。

　産後6か月に入ったころ，児は一時保護解除となり，自宅に戻ってきた。チームでのカンファレンスは定期的に開催。育児をする中で，追い込まれて「死にたい」などの発言が聞かれる日もあった。訪問看護を週1〜2回実施するほか，行政の保健師，養育支援ヘルパーなどが定期的に訪問することになった。

　児が1歳〜2歳半の時期には，Cさんは社会復帰に向けて活動しており，恋愛や友人，家族関係についての相談があった。電話相談は，本人が相談したいと思ったときにいつでも受けており，訪問は週2〜3回，状況に応じて行っている。また，行政との連絡・報告も適宜行い，情報共有している（図3-9）。

　現在，訪問看護は3年目を迎え，Cさんは多くのサポートを受けながらも一歩ずつ「親育ち」している。

---

(2) 地域の親子交流の場から訪問看護へ移行して継続支援を行った事例

　A市では，主に0〜3歳の未就学児と保護者を対象に，マンションの一室や商店街の空き店舗などを利用し，地域の子育て中の親子の交流や，育児相談の場として，「親と子のつどいの広場」（以下，「広場」）の活動を実施している。運営を担うのは，主にNPOなどの市民団体である。

　次に紹介するのは，「広場」に来所した母親の言動や様子が気になると，

図3-9　Cさんへの継続支援

「広場」の施設長から助産所に情報提供があり，行政とも情報共有して，訪問看護利用に至った事例である。

事例②：「親と子のつどいの広場」から訪問看護（精神）に移行し，継続支援を行っている事例

　母親・Dさんは，子どもと一緒に「広場」に何度も来所していたが，Dさんの言動や様子が気になると「広場」の施設長から助産所に情報提供があった。関わっていく中で，Dさんには精神的な疾患があり，精神科を受診していることが徐々にわかってきた。行政と情報を共有し，Dさんの言動や育児行動から，子どもを虐待する可能性もあると判断し，受診中の精神科へ継続的にサポートする必要性を提案し，医師の精神科訪問看護指示により，精神科訪問看護が開始となった。

　Dさんは，夫と子ども2人の4人暮らしで，すぐ近くに実家があり，実母のサポートを受けながら子育てをしていた。しかし，幼少期から思春期まで実兄からの暴力，そして，祖母・両親からの言葉の暴力を受けてきたという。本人は，発達障害とうつ病と診断されていた。第2子出産後から子どもと向き合うことに対してつらさを感じ，「第1子に手をあげてしまった」と，泣きながら助産所に連絡が入ることもあった。助産師の前でも，子どもに対して手をあげたり大声で怒鳴ったりする言動が見られたことから，緊急対応として子ども2人は実母に預かってもらい，子どもの安全を守った。しかしながら，Dさんは実母との関係がよくなく，家族間の問題に介入する必要があるため，状況に応じて，実母や夫との話し合いを行っている。また，精神科医師とも治療方針を確認するため，カンファレンスを実施している。

　訪問看護開始から4年が経過し，現在は2週間に1回程度，訪問を実施している。途中で，Dさんより精神科医師を変更したいと希望があり，より現在の状況に寄り添ってくれるとDさんが思える精神科医師が見つかったため変更になり，その医師から訪問看護ステーションに継続して精神科訪問看護指示が出ている。現在も気分の浮き沈みはあるが，子どもに手をあげることはなくなってきた。また，Dさんの自立のために実母とは距離を置くようにし，自分自身で育児を行えるようになりつつある。そして，Dさんは，これまでの振り返りの中で自分自身と向き合い，子育てにも向き合えるようになってきている。

　本事例では，主に精神科医師と助産師が中心となって関わり，必要時，話し合いを持ちながら情報共有し，対応してきた。Dさんのよき理解者として寄り添いながら，実母や夫からの相談にも応じつつ，訪問看護を継続中である。

4）今後の課題

　ハイリスクな社会背景がある母親への支援では，各関係機関と連携をとりながら，必要に応じてタイムリーにつないでいくことが求められる。一方で，関係構築のために時間を要することもある。そのため，一歩前に進むためには，問題に対してタイミングを逃さず，速やかな対応と，早い段階からの連携が重要となる。

引 用 文 献
1) 篠原良子（2011）：日本における助産師の職務行動への影響要因. 医療保健学研究, 2：65-77.
2) 磯山あけみ, 衣川さえ子（2020）：助産師のための周産期の家族役割獲得の理解と認識を向上させる研修プログラムの開発と評価. 日本助産学会誌, 34（1）：61-68.
　〈https://doi.org/10.3418/jjam.JJAM-2019-0005〉
3) 森岡清美, 望月嵩（2012）：新しい家族社会学［四訂版］（第23刷）, 培風館. p.4.
4) 前掲書3）, p.69.
5) 望月嵩, 本村汎編（1980）：現代家族の危機, 有斐閣.
6) 小林盾, 大崎裕子（2016）：恋愛経験は結婚の前提条件か―2015年家族形成とキャリア形成についての全国調査による量的分析―. 成蹊人文研究, 24：1-15.
　doi：10.15018/00000774
7) 渡辺秀樹（2013）：【提言】家族形成の多様性. 日本労働研究雑誌. 9月号（No. 638）：1.
　〈https://dl.ndl.go.jp/info:ndljp/pid/10180226〉
8) 池添志乃（2010）：法橋尚宏編著, 新しい家族看護学―理論・実践・研究―, メヂカルフレンド社, p.71.
9) ベルスキー, ジェイ, ケリー, ジョン（安次嶺佳子訳）（1995）：子供をもつと夫婦に何が起こるか, 草思社.
10) 跡上富美（2011）：妊娠先行婚女性の家族形成過程の特徴. 東北大学医学部保健学科紀要, 20（1）：45-54.
　〈http://hdl.handle.net/10097/49387〉
11) 西元康世, 法橋尚宏（2016）：妊娠先行型結婚をした形成期家族の家族機能と家族支援への示唆. 家族看護学研究, 21（2）：145-157.
　〈https://jarfn.jp/newsletter/doc/kikanshi/21-2/21_2_4.pdf〉
12) 磯山あけみ（2015）：勤務助産師が行う父親役割獲得を促す支援とその関連要因. 日本助産学会誌, 29（2）：230-239.
13) 小嶋理恵子（2014）：周産期における夫婦間関係性に働きかける援助―助産院助産師の実践についての質的研究―. 立命館人間科学研究, 29：35-47.
14) 髙橋香苗（2021）：妊娠先行型結婚であることによって親子関係に差違は生じるのか―第一子の生まれたタイミングの違いに着目して―. 西村純子, 田中慶子編, 第4回全国家族調査（NFRJ18）第2次報告書, 第2巻（親子関係・世代間関係）, p.1-11.
　〈https://nfrj.org/nfrj18_pdf/reports/2_2_1_takahashi.pdf〉
15) 齋藤幸子, 宮原忍, 佐藤龍三郎, 他（2012）：少子社会における家庭形成支援に関する母子保健学的研究　文献研究および専門職への意見調査. 日本子ども家庭総合研究所紀要, 49：59-90.
16) 要支援の「特定妊婦」, 制度10年で7倍増　厚労省調査. 産経ニュース, 2021年3月21日.
　〈https://www.sankei.com/article/20210313-YWBSBSUSSFNCRLATHNQEKLC7PA〉

参 考 文 献
・厚生労働省（2017）：子育て世代包括支援センター業務ガイドライン.
　〈https://www.mhlw.go.jp/file/04-Houdouhappyou-11908000-Koyoukintoujidoukateikyoku-Boshihokenka/senta-gaidorain.pdf〉
・前川智恵子（2018）：母子保健・子育て支援領域における専門職の役割―子育て世代包括支援センターの活動を中心に―. 甲子園短期大学紀要, 36：47-53.
・宮下美代子（2022）：母子に特化した訪問看護ステーションを開設する意義. 助産師, 76（1）：8.

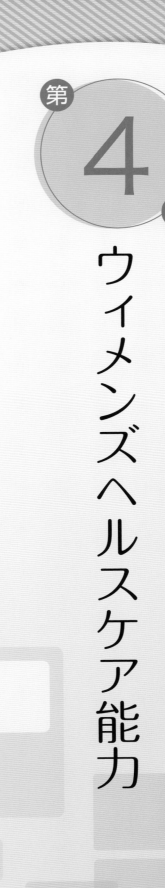

助産師に求められる
〈ウィメンズヘルスケア能力〉

1 現在のウィメンズヘルスの課題

　近年，女性を取り巻く環境・社会・経済状況の著しい変動に伴い，人々の生活スタイルや意識，行動は変化してきている。日本では，女性の平均寿命の延伸や社会進出，晩婚化・晩産化を背景として，著しい少子化の進行，不妊やハイリスク妊産褥婦の増加，子育ての負担感の増大などが問題視されている。吉沢[1]は，ウィメンズヘルスについて，「単に疾病または，病弱の存在しないことではなく，一生涯をとおして，その人らしいウェルビーイングな生活をするために，オプティマルな健康を獲得し，維持すること」と述べている。

　ウィメンズヘルスは女性の一生涯の健康であり，女性のライフサイクルにおける性ホルモンと密接な関係がある。女性は，性ホルモン（エストロゲン）によって，第一次性徴の発現をはじめ，月経開始，妊娠や出産，閉経など，女性特有の変化を呈する。また，各ライフステージにおいて，思春期では月経痛や月経不順，摂食障害，成熟期では性感染症，望まない（予期せぬ）妊娠や不妊，閉経前後の更年期障害，子宮がんや乳がん，生活習慣病，老年期では骨粗鬆症や尿失禁，骨盤臓器脱などのさまざまな健康問題[1]を生じるおそれがある。そして，各ライフサイクルの発達課題およびライフイベントと関連して，摂食障害や貧血，不安障害，うつ，ドメスティック・バイオレンス（DV），育児不安，空の巣症候群など，心理・社会的な問題を生じる可能性をはらんでいる。

　したがって，ウィメンズヘルスケアでは，女性を取り巻く状況による影響を踏まえ，対象の過去・現在・未来に続くライフステージや妊娠・出産などの生物学的な側面およびジェンダーなどの心理・社会学的な側面から，個人や集団の健康課題をアセスメントする必要がある。

2 ウィメンズヘルスケアにおける助産師の役割

　助産師の役割について，日本助産師会の「助産師の声明」[2]では，「（前略）さらに，助産師は母子のみならず，女性の生涯における性と生殖にかかわる健康相談や教育活動を通して家族や地域社会に広く貢献する。その活動は育児やウイメンズ・ヘルスケア活動を包含する」と述べられている。

ウィメンズヘルスに対する助産師の役割・責務として，「助産師は，女性の健康の保持・増進を促し，女性が自己の健康管理を行えるよう日常生活上のケアを通して支援する。具体的には，リプロダクティブヘルス／ライツの視点から，女性のライフステージに対応した課題において，健康教育，知識の普及・啓発，健康相談，保健指導を行い，健康をめぐるさまざまな問題に女性が対処できるよう支援する」とされている。

また，〈ウィメンズヘルスケア能力〉は，「助産師のコア・コンピテンシー」[2]の 4 要素の一つとして，助産師が果たすべき重要な責務とされ，他の 3 要素と相互的・循環的に関係しつつ，拡大と深化を遂げる。これによって，助産実践能力の獲得および助産師としての成熟や発達が実現するのである。

3　助産師の〈ウィメンズヘルスケア能力〉の習熟段階

日本看護協会の「助産師実践能力習熟段階（クリニカルラダー）活用ガイド 2022」（以下，「活用ガイド 2022」）[3]では，「助産師のコア・コンピテンシー」のうち，旧活用ガイドにすでに記載があった〈倫理的感応力〉〈マタニティケア能力〉〈専門的自律能力〉に加えて，〈ウィメンズヘルスケア能力〉に関する助産実践能力と新人〜レベルIVの各レベルに応じた教育内容が示された。以下に詳細について述べる。

1）〈ウィメンズヘルスケア能力〉の教育項目

助産師に求められる〈ウィメンズヘルスケア能力〉とその教育項目（表4-1）は，「女性のライフサイクルの観点からの対象理解」および「リプロダクティブヘルス／ライツに基づく支援」の 2 つの大項目で構成される。

前者は，「女性のライフサイクルの観点から，女性の成長に伴う身体，精神と社会的機能状況（セクシュアリティやジェンダー含む）からの対象理解」「女性とその家族の発達段階のアセスメントと理解」「女性のライフサイクル特有の問題に関する自身の健康への自覚と管理に向けた啓発活動と評価」「女性特有の疾患（婦人科疾患，骨粗鬆症等）のアセスメント，支援と評価」の 4 つの中項目と，思春期，成熟期，更年期，老年期と，「すべてのライフステージ」の各区分における教育項目が示されている。

後者は，「産前・産後のメンタルヘルスケア」「妊娠期からの子育て支援による胎児を含む子どもの虐待予防の支援」「妊娠から子育て期において支援を必要とする母親とその家族の支援」「不妊，不育の悩みをもつ女性の支援（出生前診断を含む）」「家族計画の支援」「性感染症予防の支援」「月経異常や月経障害等を有する女性の支援（更年期の女性へのケアを含む）」「女性に対する暴力予防の支援（モラルハラスメント，DV，セクシャルハラスメント，性的虐待を含む）」「予期せぬ妊娠をした女性の支援」「多様な性

表 4-1　助産師に求められる〈ウィメンズヘルスケア能力〉と教育項目

大項目	中項目	教育項目
女性のライフサイクルの観点からの対象理解	女性のライフサイクルの観点から，女性の成長に伴う身体，精神と社会的機能状況（セクシュアリティやジェンダー含む）からの対象理解	＜思春期＞ ・思春期の身体的特徴（第二次性徴，月経等） ・思春期を取り巻く社会的機能と問題（生活基盤，飲酒・喫煙・ドラッグ・摂食障害，若年妊娠，若年者の性感染症，デート DV 等） ＜成熟期＞ ・中高年期女性の身体的特徴（循環器系，呼吸器系，消化器系，代謝系，性腺，内分泌系，皮膚・骨筋肉系等） ・成熟期を取り巻く社会的機能状況と問題（生活基盤，家族役割の変化，就職，妊娠，出産，育児，子どもを持たない／持てない，DV 等） ＜更年期＞ ・更年期女性の身体的特徴（感覚機能，皮膚，姿勢・運動器，女性性器，排泄等） ・更年期女性を取り巻く社会的機能と問題（家族役割の変化，喪失体験と適応，介護等）
	女性とその家族の発達段階のアセスメントと理解	
	女性のライフサイクル特有の問題に関する自身の健康への自覚と管理に向けた啓発活動と評価	＜老年期＞ ・老年期女性の身体的特徴（5 覚の変化，骨盤臓器脱，脂質異常症，骨粗鬆症，子宮がん，乳がん等） ・老年期を取り巻く社会的機能状況と問題（身体的衰えへの自己認識と適応，喪失体験，孤独と孤立，不安，死との直面等） ＜すべてのライフステージ＞ ・女性特有の疾患，婦人科疾患とそれに伴う社会資源の活用 ・ジェンダーと女性の生活基盤，生活リズムの変化
	女性特有の疾患（婦人科疾患，骨粗鬆症等）のアセスメント，支援と評価	・自己の健康自覚，健康管理，健康増進（ヘルスプロモーション） ・男女相互の生理，人権尊重，ジェンダー，平等，パートナーシップ，性感染症の予防，DV ・生命の成り立ち，妊娠のメカニズム，出産，育児，生命倫理 ・社会資源，法律と制度
リプロダクティブヘルス／ライツに基づく支援	産前・産後のメンタルヘルスケア	妊娠，出産，育児に関連する女性の性周期，身体，精神と社会的機能や役割の変化に伴うメンタルヘルスに関するアセスメント，支援と評価
		・周産期のホルモン動態や家族役割・社会的機能の変化等に伴うメンタルヘルスの生理，病態，症状，治療，予後等 ・妊娠，出産，育児期におけるメンタルヘルスによる弊害（子どもへの愛着障害，虐待等）
	産前・産後の支援に関する啓発活動と評価	・妊娠，出産，育児期におけるメンタルヘルス問題の早期発見，予防方法とスクリーニングツールの理解と活用 ・妊娠，出産，育児期におけるメンタルヘルスに関する社会資源の活用
	妊娠期からの子育て支援による胎児を含む子どもの虐待予防の支援	胎児を含む子どもの虐待に関するアセスメント，支援と評価 ・胎児を含む子ども虐待リスクの発見 ・胎児を含む子ども虐待発見時の支援 ・胎児を含む子ども虐待予防の支援 ・胎児を含む子ども虐待予防とネットワーク
		・子ども（胎児含む）の虐待のタイプ（身体的，性的，心理的ネグレクト） ・子ども（胎児含む）の虐待のリスク要因（母親の妊娠過程（歴），生育歴（両親含む），生活状況） ・虐待による影響（不自然なけが（痣，骨折，SBS 等），身体的発達状況，表現や言動，親子関係の状況等） ・虐待疑い・発見時の対応 ・虐待の対応に関する社会資源（児童相談所，保健センター，保健所，市役所等）の活用 ・虐待に関連する法律と制度 ・子ども（胎児含む）の虐待の動向
	胎児を含む子どもの虐待の予防，発見と支援に関する啓発活動と評価	・虐待に関連する相談の支援（相談窓口，電話，母親のネットワーク作り等） ・地域の母子保健事業や要保護児童対策地域協議会
	妊娠から子育て期において特に支援を要する（特定妊婦や虐待予防の支援を要する等）母親とその家族のアセスメント，支援と評価	・妊娠から子育て期に支援を要する母親の身体的，心理社会的機能 ・妊娠から子育て期に支援を要する母親の家庭，生活基盤 ・妊娠から子育て期に支援を要する母親のリスク要因（生活状況，妊娠経過，パーソナリティ，家族歴，特定妊婦等），早期発見，予防と支援方法
	妊娠から子育て期における母親とその家族の支援に関する啓発活動と評価	・子育て状況の動向（育てにくさ等） ・妊娠から子育て期の相談と支援に関する技術，社会資源の活用 ・社会的ハイリスク妊産婦（特定妊婦を含む）の早期発見
	不妊，不育の悩みをもつ女性の支援（出生前診断を含む）	不妊，不育状況にある女性とパートナーの身体，精神と社会的機能状況のアセスメント，支援と評価
		・不妊，不育に関連する生殖器系の形態・機能，病態，検査・診断・治療（医学的支援に限らずそれらに伴う苦痛（経済，時間），有効性（成功率，限界と見通し）等） ・生殖医療の動向，リスクマネジメント，倫理，法律，ケアの裏づけとなる関連概念・理論（危機理論，喪失理論，セルフケア理論，エンパワーメント，ストレスコーピング，意思決定理論，家族関係理論，発達理論等）
	不妊・不育の啓発活動と評価	・不妊，不育に関連する社会資源の活用（経済的支援，セルフヘルプグループ，ピアサポート等），法律と制度（例：不妊専門相談センター事業） ・里親，養子縁組制度
	家族計画の支援	家族計画の立案と実施に向けた女性とパートナーの身体，精神と社会的機能状況のアセスメント，支援と評価
		・家族計画（妊娠，分娩，育児に向けた調整等） ・健康的な家庭・生活運営に必要な基盤 ・親となる準備（身体的，心理的，社会的，経済的，文化的・宗教的側面） ・家族計画に関連する問題（若年妊娠，高年妊娠，望まない妊娠，人工妊娠中絶等） ・避妊法（基礎体温法，オギノ式，排卵日検査法，腟錠，ペッサリー法，女性用・男性用コンドーム法，IUD 法，経口避妊薬，緊急避妊法，避妊手術等）
	家族計画に向けた啓発活動と評価	・人工妊娠中絶（適応，方法，動向，母体の身体的・精神的影響，法律と制度） ・社会資源の活用，法律と制度（例：にんしん SOS） ・受胎調整実施指導員（リプロヘルス・サポーター） ・性と生殖に関する教育の現状
	性感染症予防の支援	性感染症に罹患している女性とパートナーの身体，精神と社会的機能状況のアセスメント，支援と評価
		・性感染症の病態，症状，検査・診断・治療，予後 ・性感染症の身体的・心理的・社会的影響 ・性感染症の妊娠・出産への影響 ・性感染症の感染経路（性行為，母子感染含む）
	性感染症と予防の啓発活動と評価	・性感染症の予防（感染予防，再発予防，反復予防，一次・二次・三次予防，ワクチン等），感染拡大等 ・性感染症の動向 ・性感染症に関連する社会資源の活用，制度
	月経異常や月経障害等を有する女性の支援（更年期の女性へのケアを含む）	月経異常や月経障害等をもつ女性の身体，精神と社会的機能状況のアセスメント，支援と評価
		・月経異常や月経障害等の生理，病態，症状，検査・診断・治療，予後 ・月経異常や月経障害等の身体的・心理的・社会的影響 ・月経異常や月経障害の症状改善に向けた日常生活面からの支援
	月経異常や月経障害の啓発活動と評価	
	女性に対する暴力予防の支援（モラルハラスメント，DV，セクシュアルハラスメント，性的虐待を含む）	女性に対する暴力に関する身体，精神と社会的機能状況のアセスメント，支援と評価
		・女性に対する暴力のリスク要因と暴力が起こる病理 ・女性に対する暴力の早期発見，発見時の対応，予防 ・女性に対する暴力の身体的・心理社会的影響
	女性に対する暴力と予防に関する啓発活動と評価	・女性に対する暴力の相談と支援に関する技術，社会資源の活用（例：性犯罪・性暴力被害者のためのワンストップ支援センター） ・女性に対する暴力に関する法律と制度
	予期せぬ妊娠をした女性の支援	予期せぬ妊娠をした女性の身体，精神と社会的機能状況のアセスメント，支援と評価
		・予期せぬ妊娠とは（例：思いがけない妊娠，望まない妊娠，高齢妊娠等） ・予期せぬ妊娠がもたらす女性とパートナーへの身体的・心理社会的影響 ・予期せぬ妊娠がもたらす社会現象（例：虐待等） ・予期せぬ妊娠における意思決定
	予期せぬ妊娠に関する啓発活動と評価	・予期せぬ妊娠をした女性への支援に関する技術，社会資源の活用（例：女性健康支援センター事業） ・社会資源，法律と制度（例：にんしん SOS） ・里親，養子縁組制度
	多様な性の支援	多様な性に関する身体，精神と社会的機能状況のアセスメント，支援と評価
		・多様な性の基本的知識（性同一性障害を含む LGBTQI（トランスジェンダー，同性愛，両性愛，異性愛，インターセックス等） ・多様な性による身体的・社会機能的影響 ・多様な性の社会的動向
	多様な性に関する啓発活動と評価	・多様な性の相談と支援に関する技術，社会資源の活用
	女性のメンタルヘルスケア	女性の性周期や身体，社会的機能や役割の変化に伴うメンタルヘルスに関するアセスメント，支援と評価
		・女性のライフサイクルに伴う身体，精神，社会的動態とメンタルヘルスへの影響 ・メンタルヘルスの徴候，症状のメカニズム，症状，予後等の理解 ・女性に好発するメンタルヘルス（気分障害，不安障害，摂食障害，アディクション）
	女性のメンタルヘルスに関する啓発活動と評価	・メンタルヘルス問題の早期発見，予防方法とスクリーニングツールの理解と活用 ・メンタルヘルスに関する法律と社会資源の活用

（文献3），p.19-21 より）

の支援」「女性のメンタルヘルスケア」の 11 の中項目と，22 の下位目標で構成されている。

2)〈ウィメンズヘルスケア能力〉の習熟段階

「助産師実践能力習熟段階（クリニカルラダー：CLoCMiP®）」[3]では，助産実践を行う背景的な特徴から，経験年数を基準に，レベル新人（入職後半年〜1 年），レベルⅠ（2〜3 年），レベルⅡ（3〜4 年），レベルⅢ（5〜7 年），レベルⅣとしており，〈ウィメンズヘルスケア能力〉における習熟段階（表 4-2）は，レベルごとの到達目標に対応している。

また，〈ウィメンズヘルスケア能力〉に必要な〈専門的自律能力〉として，「コーディネーション」「意思決定支援」「接遇」「企画力」「コミュニケーション」の 5 つの基盤が示されている（表 4-3）。

3) 各レベルに必要な教育内容および教育体制

助産師に求められる〈ウィメンズヘルスケア能力〉としては，「女性のライフサイクル」の観点から，思春期から老年期まで各ライフステージにおける対象への支援，そして，「リプロダクティブヘルス／ライツ」の観点から，地域を含めた妊娠・出産から産後まで切れ目ない支援を行えることが必要である。

〈ウィメンズヘルスケア能力〉を習得するための教育目標は，各レベルに対応して具体的に示されている。しかし，ウィメンズヘルスケアの対象者の多くは地域に存在していることから，周産期医療施設における実践や研修のみでは〈ウィメンズヘルスケア能力〉の習熟は困難である。そのため，施設の看護管理者は，必要な教育内容を検討し，年間教育計画を立案するとともに，施設内外での連携を強化して助産実践能力の獲得を促すための教育体制を整備することが重要である。

● 詳細は，「活用ガイド2022」[3]を参照のこと。

また，助産師は自身が目指す CLoCMiP® レベルの到達目標の習得に向けた具体的な学習計画を，自律的に，あるいは管理者（指導者）の助言のもとに立案し，実施・評価することが肝要である。

4)〈ウィメンズヘルスケア能力〉の教育方法・評価

〈ウィメンズヘルスケア能力〉の習熟のための教育方法には，他の能力と同様，「講義」「演習」「シミュレーション」「OJT（職場内教育）」「振り返り」がある。各種チェックリストや事例の振り返りレポート，学会・研修参加証，受講証明書，各種認定証など，評価に活用できるツールをポートフォリオで管理し，評価に備えることが重要である。

〈ウィメンズヘルスケア能力〉の評価は，「活用ガイド 2022」[3]を参考に，各施設で実施可能な目標を設定する。設定した目標の到達度を総合評価時に〈ウィメンズヘルスケア能力〉の評価基準（表 4-4）に照らし合わせて

表 4-2 　〈ウィメンズヘルスケア能力〉の習熟段階

【到達目標】

	レベル新人	レベル I	レベル II
到達目標	1. 指示・手順・ガイドに従い，安全確実に助産ケアができる 2. 指示・手順・ガイドに従い，ウィメンズヘルスケアができる	1. 健康生活支援の援助のための知識・技術・態度を身につけ，安全確実に助産ケアができる 2. 院内助産・助産師外来について，その業務内容を理解できる 3. ハイリスク事例についての病態と対処が理解できる 4. 支援を受けながら，基礎的な知識・技術・態度を身につけ，ウィメンズヘルスケアができる	1. 助産過程を踏まえ個別的なケアができる 2. 支援を受けながら，助産師外来においてケアができる 3. 先輩助産師とともに，院内助産においてケアができる 4. ローリスク／ハイリスクの判別および初期介入ができる 5. 特徴的な事例について，ウィメンズヘルスケアができる

【〈ウィメンズヘルスケア能力〉の習熟段階】

	中項目	レベル新人	レベル I	レベル II
女性のライフサイクルの観点からの対象理解	女性のライフサイクルの観点から，女性の成長に伴う身体，精神と社会的機能状況（セクシュアリティやジェンダー含む）からの対象理解	①女性の成長に伴う身体，精神と社会的機能状況について学習できる	①女性の成長に伴う身体，精神と社会的機能状況について，共感的態度をもち，対象への理解を示すことができる	①女性のライフサイクルの観点をアセスメントした支援を計画し，対象への理解を示せる
	女性とその家族の発達段階のアセスメントと理解	①女性とその家族の発達段階について学習できる	①女性とその家族をアセスメントし理解できる	①女性とその家族の発達段階をアセスメントし，支援を計画できる
	女性のライフサイクル特有の問題に関する自身の健康への自覚と管理に向けた啓発活動と評価	①女性のライフサイクル特有の問題を学習し，自身の健康の自覚をする	①女性のライフサイクル特有の問題の管理に向けた健康教育を理解できる	①女性のライフサイクル特有の問題の管理に向けた健康教育を計画できる
	女性特有の疾患（婦人科疾患，骨粗鬆症等）のアセスメント，支援と評価	①女性特有の疾患について学習できる	①女性特有の疾患を有する女性の支援に必要な医学的知識や女性の身体，精神と社会的機能状況のアセスメント，支援方法について理解できる	①女性特有の疾患を有する女性の支援を計画できる
リプロダクティブヘルス／ライツに基づく支援	産前・産後のメンタルヘルスケア	①妊娠，出産，育児に関連する女性の性周期，身体，精神と社会的機能や役割の変化に伴うメンタルヘルスについて学習できる	①産前・産後のメンタルヘルスケア支援に必要な知識やアセスメント，支援方法について理解することができる ②産前・産後の支援に係る健康教育を理解できる	①指導を受けながら，産前・産後のメンタルヘルスケアを計画・実施・評価できる ②指導を受けながら，産前・産後のメンタルヘルスに係る健康教育を計画・実施・評価できる
	妊娠期からの子育て支援による胎児を含む子どもの虐待予防の支援	①妊娠期からの子育て支援による胎児を含む子どもの虐待予防について学習できる	①妊娠期からの子育て支援による胎児を含む子どもの虐待予防の支援に必要な知識やアセスメント，支援方法について理解できる ②胎児を含む子どもの虐待の予防，発見と支援に係る健康教育を理解できる	①指導を受けながら，妊娠期からの子育て支援による胎児を含む子どもの虐待予防を計画・実施・評価できる ②指導を受けながら，子どもの虐待予防に係る健康教育を計画・実施・評価できる
	妊娠から子育て期において支援を必要とする母親とその家族の支援	①妊娠から子育て期において特に支援を要する母親（特定妊婦や虐待予防の支援を要する妊産婦等）とその家族について学習できる	①妊娠から子育て期における母親とその家族の支援に必要な知識やアセスメント，支援方法について理解できる ②妊娠から子育て期における母親とその家族の支援に係る健康教育を理解できる	①指導を受けながら，妊娠から子育て期における母親とその家族の支援を計画・実施・評価できる ②指導を受けながら，妊娠から子育て期における母親とその家族の支援に係る健康教育を計画・実施・評価できる

レベルⅢ	レベルⅣ
1. 入院期間を通して，責任をもって妊産褥婦・新生児の助産ケアができる 2. 助産師外来において，個別性を考慮し，自律したケアができる 3. 助産師外来において，指導的な役割ができる 4. 院内助産において，自律してケアができる 5. ハイリスクへの移行を早期に発見し対処できる 6. ウィメンズヘルスケアを自律して実践できる	1. 創造的な助産ケアができる 2. 助産師外来において，指導的な役割ができる 3. 院内助産において，指導的な役割ができる 4. ローリスク／ハイリスク事例において，スタッフに対して教育的なかかわりができる 5. ウィメンズヘルスケアにおいて，スタッフに対して教育的な関わりができる

レベルⅢ	レベルⅣ
①女性のライフサイクルの観点をアセスメントした支援を計画・実施・評価し，対象への理解を示せる	①すべてのライフステージの女性を理解するために必要な支援体制を構築し，対象への理解を示せる
①女性とその家族の発達段階をアセスメントし，支援を計画・実施・評価できる	①女性とその家族の発達段階の理解に必要な知識や支援体制を構築し，評価できる
①女性のライフサイクル特有の問題の管理に向けた健康教育を計画・実施・評価できる	①女性のライフサイクル特有の問題に関する健康と管理に向けた健康教育について体制を構築し，評価できる
①女性特有の疾患を有する女性の支援を計画・実施・評価できる	①女性特有の疾患を有する女性に必要な知識や支援等について，体制を構築し，評価できる
①自律して，産前・産後のメンタルヘルスケアを計画・実施・評価できる ②自律して，産前・産後のメンタルヘルスに係る健康教育を計画・実施・評価できる	①産前・産後のメンタルヘルスケアの知識や支援等について，教育的指導を行い，評価できる ②産前・産後のメンタルヘルスに係る健康教育について体制を構築し，評価できる
①自律して，妊娠期からの子育て支援による胎児を含む子どもの虐待予防を計画・実施・評価できる ②自律して，胎児を含む子どもの虐待予防に係る健康教育を計画・実施・評価できる	①妊娠期からの子育て支援による胎児を含む子どもの虐待予防の知識や支援等について，教育的指導を行い，評価できる ②妊娠期からの子育て支援による胎児を含む子どもの虐待予防に係る健康教育について体制を構築し，評価できる
①自律して，妊娠から子育て期における母親とその家族の支援を計画・実施・評価できる ②自律して，妊娠から子育て期における母親とその家族の支援に係る健康教育を計画・実施・評価できる	①妊娠から子育て期における母親とその家族の知識や支援等について，教育的指導を行い，評価できる ②妊娠から子育て期における母親とその家族の支援に係る健康教育について体制を構築し，評価できる

4

表 4-2　（続き）

	中項目	レベル新人	レベルⅠ	レベルⅡ
リプロダクティブヘルス／ライツに基づく支援	不妊，不育の悩みをもつ女性の支援（出生前診断を含む）	①不妊症，不育症（出生前診断含む）について学習できる	①不妊，不育の悩みをもつ女性とパートナーの支援に必要な医学的知識や不妊や不育の悩みをもつ女性とパートナーの身体，精神と社会的機能状況について理解できる ②不妊症，不育症に係る健康教育を理解できる	①不妊，不育の悩みをもつ女性とパートナーの支援を計画できる ②不妊症，不育症に係る健康教育を計画できる ③関連する保健医療職と連携できる
	家族計画の支援	①家族計画について学習できる	①家族計画の支援に必要な医学的知識や女性とパートナーの身体，精神と社会的機能状況のアセスメント，支援方法について理解できる ②家族計画に係る健康教育を理解できる	①女性とパートナーに対して，家族計画の支援を計画できる ②家族計画に係る健康教育を計画できる
	性感染症予防の支援	①性感染症について学習できる	①性感染症予防に係る支援に必要な医学的知識や性感染症に罹患している女性とパートナーの身体，精神と社会的機能状況のアセスメント，支援方法について理解できる ②性感染症予防に係る健康教育を理解できる	①性感染症に罹患している女性とパートナーの支援を計画できる ②性感染症予防に係る健康教育を計画できる
	月経異常や月経障害等を有する女性の支援（更年期の女性へのケアを含む）	①月経異常や月経障害等について学習できる	①月経異常や月経障害等を有する女性の支援に必要な医学的知識や月経異常や月経障害等を有する女性の身体，精神と社会的機能状況のアセスメント，支援方法について理解できる ②月経異常や月経障害等に係る健康教育を理解できる	①月経異常や月経障害等を有する女性の支援を計画できる ②月経異常や月経障害等に係る健康教育を計画できる
	女性に対する暴力予防の支援（モラルハラスメント，DV，セクシュアルハラスメント，性的虐待を含む）	①女性に対する暴力について学習できる	①暴力を受けた女性の支援に必要な知識や暴力を受けた女性の身体，精神と社会的機能状況のアセスメント，支援方法について理解できる ②女性に対する暴力予防に係る健康教育を理解できる	①暴力を受けた女性の支援を計画できる ②指導を受けながら，女性に対する暴力予防に係る健康教育を計画できる ③女性を守るために必要な行政・保険医療機関と連携できる
	予期せぬ妊娠をした女性の支援	①予期せぬ妊娠について学習できる	①予期せぬ妊娠をした女性の支援に必要な知識や予期せぬ妊娠をした女性の身体，精神と社会的機能状況のアセスメント，支援方法について理解できる ②予期せぬ妊娠に係る健康教育を理解できる	①予期せぬ妊娠をした女性の支援を計画できる ②指導を受けながら，予期せぬ妊娠をした女性の支援に係る健康教育を計画できる
	多様な性の支援	①多様な性について学習できる	①多様な性の支援に必要な知識や多様な性の身体，精神と社会的機能状況のアセスメント，支援方法について理解できる ②多様な性に係る健康教育を理解できる	①多様な性の支援を計画できる ②指導を受けながら，多様な性に係る健康教育を計画できる
	女性のメンタルヘルスケア	①女性の性周期や身体，精神と社会的機能や役割の変化に伴う女性のメンタルヘルスについて学習できる	①女性のメンタルヘルスケア支援に必要な知識やアセスメント，支援方法について理解できる ②女性のメンタルヘルスに係る健康教育を理解できる	①女性のメンタルヘルスケアを計画できる ②指導を受けながら，女性のメンタルヘルスに係る健康教育を計画できる

（文献[3]，p.26，32-34 より）

レベルⅢ	レベルⅣ
①不妊，不育の悩みをもつ女性とパートナーの支援を計画・実施・評価できる ②不妊症，不育症に係る健康教育を計画・実施・評価できる	①不妊，不育の悩みをもつ女性とパートナーに必要な知識や支援等について，教育的指導を行い，評価できる ②不妊症，不育症に係る健康教育について体制を構築し，評価できる
①女性とパートナーに対して，家族計画の支援を計画・実施・評価できる ②家族計画に係る健康教育を計画・実施・評価できる	①家族計画に必要な知識や支援等について，教育的指導を行い，評価できる ②家族計画に係る健康教育について体制を構築し，評価できる
①性感染症に罹患している女性とパートナーの支援を計画・実施・評価できる ②性感染症予防に係る健康教育を計画・実施・評価できる	①性感染症に罹患している女性とパートナーに必要な知識や支援等について，教育的指導を行い，評価できる ②性感染症予防に係る健康教育について体制を構築し，評価できる
①月経異常や月経障害等を有する女性の支援を計画・実施・評価できる ②月経異常や月経障害等に係る健康教育を計画・実施・評価できる	①月経異常や月経障害等を有する女性に必要な知識や支援等について，教育的指導を行い，評価できる ②月経異常や月経障害等に係る健康教育について体制を構築し，評価できる
①暴力を受けた女性の支援を計画・実施・評価できる ②女性に対する暴力予防に係る健康教育を計画・実施・評価できる	①暴力を受けた女性に必要な知識や支援等について，教育的指導を行い，評価できる ②女性に対する暴力予防に係る健康教育について体制を構築し，評価できる
①予期せぬ妊娠をした女性の支援を計画・実施・評価できる ②予期せぬ妊娠をした女性の支援に係る健康教育を計画・実施・評価できる	①予期せぬ妊娠をした女性に必要な知識や支援等について，教育的指導を行い，評価できる ②予期せぬ妊娠をした女性の支援に係る健康教育について体制を構築し，評価できる
①多様な性の支援を計画・実施・評価できる ②多様な性に係る健康教育を計画・実施・評価できる	①多様な性の知識や支援等について，教育的指導を行い，評価できる ②多様な性に係る健康教育について体制を構築し，評価できる
①女性のメンタルヘルスケアを計画・実施・評価できる ②女性のメンタルヘルスに係る健康教育を計画・実施・評価できる	①女性のメンタルヘルスケアの知識や支援等について，教育的指導を行い，評価できる ②女性のメンタルヘルスに係る健康教育について体制を構築し，評価できる

4

表 4-3 〈ウィメンズヘルスケア能力〉に必要な〈専門的自律能力〉

大項目	中項目	教育項目	
基盤1 **コーディ** **ネーション**	地域資源の活用	対象のニーズの支援に有効な地域に既存する医療的・社会的資源を選択し，活用する能力	社会資源の把握，生活圏にある地域資源の把握と活用　等
	地域ニーズの把握	対象の生活圏についてその特徴や課題を把握する能力	対象が暮らす地域ニーズの把握　等
	情報共有の方法と記録	対象に関する情報を適切かつ正確に記録し，多職種・多機関と適切な範囲で共有する能力	個人情報の取り扱い，記録の保存　等
	対象者とのパートナーシップをつなぐ多職種連携・協働	多職種や多機関と対象の支援を目的とした連携・協働ができる能力	専門職連携実践（IPW），専門職連携教育（IPE）　等
基盤2 **意思決定支援**	対象が直面している問題と，問題解決のために行う意思決定を支援する能力		・意思決定と支援方法 ・情報リテラシー（ヘルスリテラシー） ・ヘルスコミュニケーション ・カウンセリング技法　等
基盤3 **接遇**	助産師かつ社会人としての自覚をもち，他者を尊重し，礼儀的，常識的な態度をもって接する能力		対象の生活圏に「訪問する」ことを意識した挨拶や振る舞い　等
基盤4 **企画力**	助産師として対象個人や，対象の生活圏である地域のニーズに応える企画を立案する能力		対象個人や対象の生活圏にある地域資源等を活用した支援計画の立案　等
基盤5 **コミュニ** **ケーション**	対象を支援する上で有益な情報と対象者の強みを引き出し，適切な情報を対象の状況に合わせて提供する能力		コミュニケーションスキル，アサーティブコミュニケーション　等

（文献[3]，p.35 より）

表 4-4 〈ウィメンズヘルスケア能力〉の評価基準

4	指導ができる	支援に必要な知識や支援等について，教育的指導を行い，評価することができる。
3	自律して実践できる	対象に対し，自律してウィメンズヘルスケアの支援を計画・実施・評価することができる。
2	助言のもと実践できる	対象に対し，指導や助言を受けながら，自らウィメンズヘルスケアの支援を計画・実施し，評価することができる。
1	知識として理解している	ウィメンズヘルスケアについて学習し，支援等に必要な医学的知識，支援に活用できる地域資源，関連する法律等について理解することができる。

評価する。

　「女性のライフサイクルの観点からの対象理解」の評価は，「リプロダクティブヘルス／ライツに基づく支援」に含めて評価する。たとえば，1つの事例で中項目の実施内容が確認できない場合は複数の事例で評価する，あるいは，1つの事例で複数の項目の要素を含めて評価するなど，工夫する。また，自施設でケア対象者を認めない場合は教育目標に応じた研修や学会，地域連携会議などで補充していることを確認する。

　このように，「リプロダクティブヘルス／ライツに基づく支援」は，施設における教育の提供体制にバラツキが多いことが考えられるため，標準化

した習熟過程と評価基準の設定は困難である。そのため，「活用ガイド2022」[3]においても，中項目ごとに，対応するキャリアパスと習熟過程が示されている。また，〈ウィメンズヘルスケア能力〉の評価基準は，表4-4に示したように，習熟度を行動レベルで評価できるよう，「1　知識として理解している」「2　助言のもと実践できる」「3　自律して実践できる」「4　指導ができる」の4段階で示されている。

4 〈ウィメンズヘルスケア能力〉の習熟のために必要なこと

　ウィメンズヘルスケアは，ライフサイクルという時間軸や地域などの空間軸，文化・社会的側面，生殖・生物学的側面など，広域の概念を含んでいる。そのため，助産師はウィメンズヘルスケアを実践するに当たって，女性個人だけでなく，その家族や地域コミュニティも対象とする必要がある[4]。したがって，助産師は，自施設を起点として地域と連携し，状況しだいでは地域に赴いて対象となる女性とその家族を支援することを見すえておかなければならない。助産師は自律的学習を基盤として，〈ウィメンズヘルスケア能力〉の習熟を図ることが肝要である。

引用文献
1) 吉沢豊予子（2023）：吉沢豊予子責任編集，助産師基礎教育テキスト2023年版，第2巻（ウィメンズヘルスケア），日本看護協会出版会，p.46.
2) 日本助産師会編（2021）：助産師の声明／コア・コンピテンシー2021，日本助産師会出版.
3) 日本看護協会（2022）：助産実践能力習熟段階（クリニカルラダー）活用ガイド2022.
4) 日本助産実践能力推進協議会編（2021）：アドバンス助産師育成のための教育プログラム，医学書院.

女性のライフサイクルの観点からの対象理解

1 女性のライフサイクルと性ホルモン動態の変化

　女性のライフサイクルは，小児期，思春期，成人期，更年期，老年期に大枠で分けられ，女性の健康は，性ホルモン動態変化の影響を受ける。女性の健康，そして起こりやすい異常を理解するためには，女性の一生における性ホルモン動態の変化を押さえておく必要がある。性および生殖に関わるホルモンについて整理した表 4-5 で復習しておこう。

2 思春期

1）思春期とは

　思春期は，第二次性徴の発現から性成熟の完成までの時期を指す。第二次性徴は，8〜9 歳から始まり，身長の急激な伸び，乳房の発達，腋毛・恥毛の発生，そして初経が発来し，生殖機能が完成する 17〜18 歳ごろまでとされている（図 4-1）。

2）思春期における性ホルモン動態

　小児期では，性ホルモンの視床下部での感受性が高く，血中にある少量の性ホルモンにより性腺刺激ホルモン（ゴナドトロピン）放出ホルモン（GnRH）の分泌が抑制されている。思春期に近づくと感受性が低下して負のフィードバックが弱まるため，GnRH と下垂体からの性腺刺激ホルモンの分泌が亢進する。

　図 4-2 に，性腺刺激ホルモンと性ホルモンの骨年齢による変化を示した。骨年齢は，暦年齢と比べ，性成熟と関連している。性腺刺激ホルモンの分泌量増加は，卵巣において卵胞の発育を促し，エストロゲン分泌が促進され，第二次性徴が発現し，初経が起こる。初経後数年は，無排卵性の月経であることが多いが，徐々に GnRH に対する下垂体の反応が亢進し，卵胞発育への刺激が効果的になり，排卵を伴う月経周期が確立する。第二次性徴の中でも，骨の成長や恥毛の発生には，血中のアンドロゲンが関与している。

表 4-5　性・生殖に関連するホルモン

種類		合成・分泌	主な働き	分解
視床下部から分泌されるホルモン				
性腺刺激ホルモン（ゴナドトロピン）放出ホルモン（GnRH）	ペプチドホルモン	視床下部の視索前野の GnRH 産生細胞で産生され，下垂体門脈に分泌される。	性腺刺激ホルモンの分泌をコントロールするために，FSH と LH の両者の分泌を促す。	
下垂体から分泌される性腺刺激ホルモン（ゴナドトロピン）				
卵胞刺激ホルモン（FSH）	糖蛋白ホルモン	下垂体の性腺刺激ホルモン産生細胞から分泌される。	卵巣内で未成熟の卵胞の成長を刺激し，成熟させる。	
黄体化ホルモン（LH）			FSH とともに卵胞を成熟させ，また，エストラジオールの上昇により急激な上昇（LH サージ）を生じ，排卵が起こる。	
卵巣から分泌されるホルモン				
エストロゲン	ステロイドホルモン：エストロン（E_1），エストラジオール（E_2），エストリオール（E_3）の3種類。エストラジオールが最も活性が高い。	・主に卵胞の莢膜細胞と顆粒膜細胞の相互作用によって合成され，顆粒膜細胞から分泌される。莢膜細胞には多数の LH 受容体がある。 ・黄体からも分泌される。	〈エストラジオールの主な働き〉 ・子宮内膜の増殖を促し，増殖期内膜を形成する。 ・排卵期には頸管粘液の粘稠性を低下させ，精子の進入を助け，また，腟内の pH をよりアルカリ性にする。 ・プロゲステロンとともに，内膜腺の発達を促進させる。 ・正常月経周期において乳管の増殖を促す。	肝臓にてグルクロン酸抱合を受け，胆汁・尿中に排泄。
プロゲステロン	ステロイドホルモン	黄体から分泌される。	・黄体期において子宮内膜腺の発達と分泌期変化を促進し，受精卵の着床に適した内膜を形成する。 ・頸管粘液を濃くし，粘着性を増す。 ・正常月経周期において乳腺小葉と腺房の発達を促す。 ・プロゲステロンの代謝産物には，体温上昇作用があり，排卵後の基礎体温の上昇を起こす。	肝臓にてプレグナンジオールに変えられ，グルクロン酸抱合を受け，尿中に排泄。
インヒビン・アクチビン	蛋白	卵巣から分泌される。	・インヒビン：下垂体からの FSH 分泌を抑制し，単一の卵胞発育に働く。 ・アクチビン：下垂体からの FSH 分泌を促進する。	

3）思春期の特徴

（1）身体的特徴

　思春期では，急激な身体的な発育（growth spurt；成長のスパート）が起こる。女子は 10～12 歳，男子は 11～14 歳で起こるため，10～12 歳の平均身長は女子の方が高くなる。体重増加のスパートは，半年程度，遅れて来る。女子は体脂肪率が増加することにより，丸みを帯びた体形となる。この急激な発育は，性ホルモンの急増によって起こる。性ホルモンは，成長ホルモンや IGF-1（インスリン様成長因子 1）の分泌を促進する。

（2）心理的・社会的特徴

　思春期における急激な身体的変化は，心理的な影響も及ぼす。乳房の変

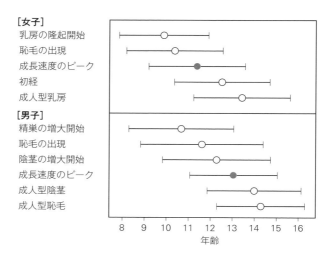

図 4-1　第二次性徴の出現年齢（文献[1]，p.472 より）

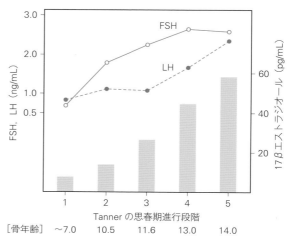

図 4-2　思春期女子における性腺刺激ホルモン（LH，FSH）と性ホルモン
　　　　（エストラジオール）の骨年齢による変動
（文献[2,3] より一部改変）

　化や月経の発来は，「大人になること」のイメージを想起させ，肯定的な感
情と否定的な感情の両方を体験する。これらの心理的反応は，体験する時
期や準備性などにより異なり，画一的ではない。また，身体的な変化を体験
する中で，社会的な基準や親・仲間の基準を取り入れ，自己像やボディイ
メージを作り上げる。
　思春期の発達課題は，自我同一性（アイデンティティ）と心理的自立の
獲得である。エリクソンはこれを「同一性対同一性混乱」と示している[4]。
親や友人とは異なる，自分の世界があることに気づき始め，さまざまな葛
藤の中で，自らの生き方を模索し始める時期といえる。この時期は，友人
関係に強い意味を見出し，親に対する反抗期を迎えるため，親子のコミュ

ニケーションが低下するなどの思春期特有の課題が現れる。

思春期も後半になると，親の保護のもとから出て，社会に参画し，自立した大人となるための最終的な移行時期となる。思春期の混乱から脱しつつ，大人の社会でどのように生きるのかという課題に対して，真剣に模索する時期である。

(3) 思春期の性行動

青少年の性行動全国調査の結果（2017 年）[5] から，思春期女子の性行動の傾向を見てみよう。

デートの経験率は，中学生 29.2%，高校生 59.1%，大学生 69.3% である。キスの経験率は，中学生 12.6%，高校生 40.7%，大学生 54.3% である。さらに性交経験率は，中学生 4.5%，高校生 19.3%，大学生 36.7% である。最近の傾向として，高校生と大学生においては，キス経験率および性交経験率が低下傾向にあることがあげられる。中学生は，ほぼ横這いである。

この背景には，性行動の日常化による関心の低下，性行動の二分極化（活発な人と不活発な人に分かれる），交際自体への無関心，若者の無気力化などの存在が推測されている。

4) 思春期の健康問題

思春期に起こりやすい健康問題で，性・生殖に関連するものとして，月経困難症および性感染症について概説する。

(1) 月経困難症

月経困難症とは，「月経期間中に月経に随伴して起こる病的症状」と定義され[6]，下腹部痛，腰痛，腹部膨満感，悪心（嘔気），頭痛，疲労・脱力感，食欲不振，イライラ，下痢および憂うつといった症状が多く見られる[6]。

月経困難症には，機能性月経困難症と器質性月経困難症がある。

機能性月経困難症は，黄体期後期に子宮内膜で産生されるプロスタグランディンの過剰による子宮の過収縮，それに伴う子宮血流量減少による虚血が原因と考えられている。月経の初日〜2 日目ごろの出血が多いときに強く，痛みの性質は攣縮性，周期性であることが特徴である。治療は，鎮痛薬（非ステロイド性抗炎症薬（NSAIDs）など），低用量エストロゲン・プロゲスチン（LEP）製剤，漢方薬の使用，さらに，心理的な要因が関連している可能性があるため，カウンセリングや心理療法も考慮する。

器質性月経困難症の原因としては，子宮内膜症，子宮腺筋症，子宮筋腫，付属器炎，子宮内膜炎などがあり，これらの存在が二次的に子宮内膜からのプロスタグランディン過剰産生を促し，子宮過収縮を伴って発症する。痛みの特徴としては，月経 1〜2 週間前から月経後数日まで続く，持続性

鈍痛のことが多い。治療は，まず原因疾患の治療を行う。それでも改善されなければ，機能性月経困難症と同様の治療が行われる。

(2) 性感染症

性感染症（sexually transmitted infection/disease；STI/STD）とは，主として，性行為に伴う性的な接触が原因となって，直接，ヒトからヒトへ，皮膚や粘膜を通して病原微生物（寄生虫，原虫，細菌，真菌，ウイルスなど）が感染することによって生じる疾患の総称である。淋病，性器クラミジア感染症（陰部クラミジア，非淋菌性尿道炎など），陰部ヘルペス（陰部疱疹），尖圭コンジローマ（疣贅），トリコモナス感染症（腟トリコモナス），HIV/AIDS などがある。

女性の将来の健康に特に影響のあるものとしては，性器クラミジア感染症が代表的であろう。クラミジアは不顕性感染が多く，若年者は5〜10％が感染していると考えられている。子宮頸管炎を起こし，上行感染により，子宮内膜炎，卵管炎，付属器炎，骨盤内炎症性疾患（PID），さらに，肝周囲炎を起こすこともあり，不妊症の原因にもなる。

性感染症の治療は，早期発見，早期治療が原則であり，コンドームによる感染予防も有効であることが多いが，口腔・咽頭，直腸などの性器以外の粘膜部位への感染もあるので，注意が必要である。また，STI の多くは，いったん治癒した後も，再び新たに感染することもあるので，患者だけでなく，感染はしているがまだ症状が現れていないパートナーの診療も併せて行い，再感染を防止することが重要である。

3 成人期

1）成人期とは

成人期は，広い意味では青年期と壮年期（15〜65歳）を指し，思春期や更年期も含むが，ここでは，思春期に発達した自律神経系および内分泌系，性・生殖系の器官や機能が成熟し，維持される時期を指すこととする。

2）成人期における性ホルモン動態

成人期の女性は，妊娠が成立しない限り，卵胞期 → 排卵 → 黄体期を繰り返すが，この周期は，視床下部，下垂体，性腺系により制御されている。

ヒトの卵胞は，一次卵胞までは下垂体からの性腺刺激ホルモンを必要としないが，それ以降の成長には性腺刺激ホルモンである黄体化ホルモン（LH）と卵胞刺激ホルモン（FSH）に依存する。二次卵胞では，LH と FSH によって促進される莢膜細胞と顆粒膜細胞の協同作用によってエストロゲンが分泌される。また，エストロゲンは血中や卵胞液中に分泌されると同時に，顆粒膜細胞自体にも作用して FSH 受容体の数を増加させ，FSH の

作用を増強する。卵胞の成長によって，大量のエストロゲンが分泌される。エストラジオール（E_2）の血中濃度が高値で持続すると，視床下部に対する正のフィードバックが働き，GnRH の大量放出，次いで下垂体からの LH の大量放出（LH サージ）が起こる。LH サージは約 24 時間続き，分泌のピークから 18～24 時間後に排卵が起こる。卵胞の成長過程で 1 つの卵胞のみが選択され排卵に至るのには，顆粒膜細胞から分泌されるインヒビンがカギを握っていると考えられている。

　排卵後の卵胞は，莢膜細胞と顆粒膜細胞が大型化し，プロゲステロンを分泌するようになる。これらの細胞は脂質を多く含み，組織は肉眼的にも黄色に見えるため，黄体と呼ばれる。黄体の形成は，LH の作用による。黄体細胞はエストロゲンとプロゲステロンを合成し，プロゲステロンは，子宮内膜に作用し，着床や妊娠維持に重要な役割を果たす。妊娠が起こらなければ，黄体は退縮し，結合組織に置き換わり，白体となる。

3）成人期の特徴

（1）身体的特徴

　心臓，肝臓，腎臓などの内臓器官は最大の重量になり，肺活量や心拍出量などの機能も最高となる。加齢に伴う生理機能の変化は，30 歳における機能を平均値として 100％としたとき，60 歳には最大換気量や腎血流量は 60％まで低下する。

　免疫機能は，一般に 20 歳前後をピークに，その後，加齢とともに低下する。

　感覚器の変化も著明であり，聴力は，60 歳を超えると，特に高周波数音の低下が起こる。視力は，眼のピント調節力が年齢とともに衰え，焦点の合う近点が徐々に眼から遠くなる。40～60 代で自覚症状を認める。味覚は，35 歳以降，衰え始め，70 歳までにおよそ 2/3 が失われる。

　認知機能の中でも記銘力の低下は 30 歳以降，著しい。一方，記憶の保持力の低下は緩やかである。しかし，総括的な知能（知的機能，一般的理解，実践能力）は，60 歳くらいまで大きく変化しない。

（2）心理的・社会的特徴

　思春期の後，20 代後半～30 代は，確立したアイデンティティを基盤とし，職業生活を開始して，安定化に向けて努力する時期となる。多くの人はこの時期にパートナーを見つけ，親密な関係性を築き，自らの家族を形成する。エリクソンは，この時期の発達課題を「親密対孤独」と表現した[7]。これは，互いを尊重しながら親密な関係性を築くこと，そして，これに相反した状態として，他者との関わりを築こうとせず孤立した状態を示している。親密性と孤立の間の葛藤を克服することが，愛情を持った家族の生成につながっていく。

壮年期と呼ばれる 30 代から 60 歳までの特徴は，家庭や社会での役割の充実を図る時期であるということである。子どもを養育し，社会に送り出すまで保護者としての役割を果たすこの時期について，エリクソンは，「生殖性対停滞」とし，この葛藤の克服は，子どもを育てることを通じて自らも成熟し，自身の仕事を創造的かつ生産性の高いものとすることによって可能であるとしている[7]。

4) 成人期の健康問題
(1) 人工妊娠中絶

　人工妊娠中絶とは，胎児が母体外において生命を保続することのできない時期に，人工的に，胎児およびその付属物（胎盤，臍帯，卵膜など）を母体外に排出することをいう。日本では，人工妊娠中絶は，堕胎罪として刑法第 212 〜 第 216 条で禁止されているが，母体保護法にて，本人および配偶者の同意を得て，胎児が生命を保続できない時期（妊娠 22 週未満）においての実施が可能となっている。なお，母体保護法では，中絶の適用条項として，① 妊娠の継続または分娩が，身体的または経済的理由により母体の健康を著しく害するおそれのあるもの，② 暴行もしくは脅迫によって，または抵抗もしくは拒絶することができない間に姦淫（かんいん）されて妊娠したものが規定されているが，統計的には，圧倒的に ① によるものが多い。

　人工妊娠中絶の件数は，1990 年度の 456,797 件から 2021 年度の 126,174 件へと，年々減少している。2021 年度の人工妊娠中絶実施率（女子人口千対）は 5.1 となっており，年齢階級別に見ると，20 〜 24 歳が 10.1，25 〜 29 歳が 8.4 となっている。20 歳未満について各歳で見ると，19 歳が 7.1，18 歳が 4.5 となっている。最も高かった 2000 年の 12.1 から徐々に減少している。すべての年代において少しずつではあるが，減少傾向にあるといえる[8]。

　人工妊娠中絶の方法について，WHO のガイドラインでは，妊娠 14 週未満の場合は真空吸引法，妊娠 14 週以降は拡張・排出法（D&E），または薬剤による中絶も推奨されている[9]。有効性と安全性を踏まえて適切な方法を選択することが望まれる。

　日本における避妊の選択肢は，これまで非常に限られていた。経口避妊薬（ピル）は，副作用や女性の性道徳の乱れの助長，性感染症の拡大などを理由に，長い間，認可されなかった。低用量ピルが認可されたのは 1999 年であり，同年，銅付加子宮内避妊器具（IUD）も認可されたが，避妊法の約 8 割は相変わらずコンドームで，次に多いのが腟外射精である。ピルに限らず，避妊には健康保険が適用されず，経費はすべて使用者の自己負担である。また，緊急避妊法としては，性交後 72 時間以内にレボノルゲストレル錠 1.5 mg をできるだけ速やかに 1 錠服用することがすすめられている[6]が，服用後の妊娠の可能性は否定できないため，月経確認までは性

● 2023年7月現在，緊急避妊薬は，医師による処方せんが必要である。

交を控える，または確実な避妊法を行うよう指導する必要がある。

社会において，ジェンダーの平等や自己決定権の大切さを教える性教育が必要であり，正しい情報・相談・サービスが得られる場の増設も，今後の課題である。

（2）子宮筋腫

子宮筋腫とは，子宮筋組織から発生する良性腫瘍であり，実質は筋繊維，間質は結合組織からなる平滑筋腫である。日本においては，0.5％の女性がこの診断を受けており，30～40代に多い。原因は明らかになっていないが，子宮筋腫の発育にはエストロゲンが関与していると考えられている。

多くは無症状であるが，過多月経や過長月経などの月経異常，それに伴う貧血，腹部圧迫感や下腹部痛などがある。筋腫の増大の結果，排便障害や膀胱・尿道の圧迫による頻尿や排尿困難が出現することがある。日常生活に影響を及ぼすほどの症状がある場合は，単純子宮全摘術が考慮される。妊孕性温存を目的とする場合は，薬物療法，子宮筋腫核出術など，個々に対応される。

妊娠中には，切迫流早産，妊娠末期の胎位異常，前置胎盤，常位胎盤早期剝離など，分娩時には陣痛異常，異常出血などの原因になることがある。

（3）子宮内膜症

子宮内膜症は，子宮内膜組織に類似する組織が子宮内腔または子宮深層以外の部位で発生・発育するものである。エストロゲンの周期的分泌に反応して，内膜症病巣は相続し，出血を繰り返し，徐々に進行するものと考えられている。子宮内膜症の症状には，月経困難症，慢性骨盤痛，排便痛，性交痛などの痛み，妊孕性の低下があげられる。生殖年齢女性の約7～10％が罹患していると推定され，好発年齢は20～40代である。

治療としては，薬物療法と手術療法があり，組み合わせることで治療効果を高めることができるが，再発率は高く，少なくとも閉経までの長期的管理が必要となる。

（4）ドメスティック・バイオレンス（DV）

ドメスティック・バイオレンス（domestic violence；DV）は，夫（パートナー）や婚約者，恋人といった親密な関係の，主に男性からの女性への暴力と定義され，全世界的な問題として国連総会，世界女性会議で中心的課題として問題提起されている。日本では，2001年10月に「配偶者からの暴力の防止及び被害者の保護等に関する法律」（DV防止法）が施行され，DVが女性の人権侵害であることが初めて明記された。

内閣府による2020年度の調査では，成人女性の25.9％が配偶者から身体的暴力を受けたことがあり，14.6％が精神的な嫌がらせや脅迫などが

あったと回答している。また，16.7％の女性が交際相手から被害を受けた経験があると報告しており，DVは決してまれなことではないことが数値としても示されている[10]。

DVは，女性と子どもの健康に大きな影響を及ぼすことが報告されている。身体的暴力によるけがのみならず，抑うつ症状，不安，心的外傷後ストレス障害（PTSD）など，心理的な影響は多大であり，妊娠中の暴力は女性と胎児の健康に影響し，出産後には子どもへの虐待との関連が示唆されている。

また，妊娠，出産，育児期は，DVが始まる契機になることが報告されており，内閣府による2008年度の調査では，被害に遭った女性の約19％がこの時期に暴力が始まったと回答している[10]。

これらの状況から，妊娠中，および幼い子どもを抱えている産後・育児期にある女性には，特に支援の必要性が高いということができる。また，妊娠中は，定期的に医療機関を受診する機会があるため，被害者の発見と支援の好機にもなりうる。

DV被害者への支援は，women-centered care（女性を中心にしたケア）の理念に基づいて行われる。女性の健康に対する社会的・文化的・政治的な影響を重視し，女性が自ら定義する健康を志向する権利の保証のもと，元来持っている力を十分に発揮できるようサポートする。women-centered careでは，女性のホリスティック（全人的）な健康を目指し，女性のこれまでの体験や意思が尊重され，安全な，そして安心できる環境においてこそ，女性が奪われた力を取り戻すケアを行うことができると考える。その際，医療者と女性は対等な関係であること，相手を脅かさないケアを行うことが重要である。医療の場でDV被害者の支援を始めるに当たって，数々の障壁が存在することが指摘されている。医療者の知識不足，時間的制約，被害女性に対するステレオタイプ，患者を怒らせることへの不安，夫を非難することへの抵抗，力不足感などが，DVスクリーニングの実施を妨げる要因となっている。

医療の中で潜在的なDV被害者を見つけるためには，全妊産婦に対し，DVの有無について質問するという方法でのスクリーニングがすすめられる。DVスクリーニングは，女性のプライバシーが守られる場所で実施し，夫や家族が同席しないことが重要な条件である。その理由は，夫が同席した面接中に女性が話したことが引き金になって，暴力が悪化する危険性が指摘されているからである。

DVスクリーニングツールとしては，表4-6に示す「女性に対する暴力スクリーニング尺度」を使用することができる。プライバシーの守れる場所で，スクリーニング用紙に自分で記入してもらう方法がすすめられる。DVスクリーニングが陽性であったときは，まず，女性が夫からの暴力について，医療者に話したい（話してもよい）と思っているかどうかを確認

表 4-6　女性に対する暴力スクリーニング尺度（Violence Against Women Screen；VAWS）

問1から問7は，<u>過去1年間のあなたとパートナーとの関係</u>についての質問です。あなたとパートナーの状態に最もよくあてはまると思われるもの1つに☑をつけてください。

1. あなたとパートナーの間でもめごとが起こったとき，話し合いで解決するのは難しいですか？
　　□非常に難しい　　　□ある程度難しい　　　□難しくない

2. あなたは，パートナーのやることや言うことを怖いと感じることはありますか？
　　□よくある　　　　　□たまにある　　　　　□まったくない

3. あなたのパートナーは，気に入らないことがあると大きな声で怒鳴ったりすることがありますか？
　　□よくある　　　　　□たまにある　　　　　□まったくない

4. あなたのパートナーは，怒って壁をたたいたり，物を投げたりすることがありますか？
　　□よくある　　　　　□たまにある　　　　　□まったくない

5. あなたは，気が進まないのにパートナーから性的な行為を強いられることがありますか？
　　□よくある　　　　　□たまにある　　　　　□まったくない

6. あなたのパートナーは，あなたをたたく，強く押す，腕をぐいっと引っ張るなど強引にふるまうことがありますか？
　　□よくある　　　　　□たまにある　　　　　□まったくない

7. あなたのパートナーは，殴る，けるなどの暴力をふるうことがありますか？
　　□よくある　　　　　□たまにある　　　　　□まったくない

問1～5は「非常に難しい」「よくある」2点，「ある程度難しい」「たまにある」1点，「難しくない」「まったくない」0点とし，問6および問7は「よくある」3点，「たまにある」2点，「まったくない」0点とし，合計点を算出する。合計得点2点以上をスクリーニング陽性と判断する。

（文献[11]）により作成）

する必要がある。DVは，他の人に話すのは恥ずかしい，医療者から否定的に見られる，夫からの報復が怖い，といった思いから，打ち明けるのは容易なことではない。女性から無理に聞き出したり，医療者の価値観や意見を押しつけたり，威圧的な態度を示すことは好ましくない。医療における被害女性の支援の目標の一つは，女性が暴力によって失った自己コントロール感および安全感を確保することである。実際的な支援の方法は，DV支援ガイドライン[11]を参照してほしい。

4　更年期

1）更年期とは

　更年期とは，性成熟期から老年期への移行期とされ，加齢に伴う卵巣機能の衰退から始まり，月経不順から無排卵に至り，卵巣機能の消失までの期間である。日本人女性の平均閉経年齢は50.5歳であり，その前後，45～55歳ごろが更年期に当たる。

　診断基準としては，他の原因のない45歳以上の女性が12か月間無月経であれば，閉経と判断される。

2）更年期における性ホルモン動態

　出生時に約200万個あった原始卵胞は，思春期には約20万個，40代には約5万個になる。40歳を過ぎると急激に減少し，更年期のはじめには1万個以下になる。更年期における卵胞の減少は，卵胞刺激ホルモンの反応

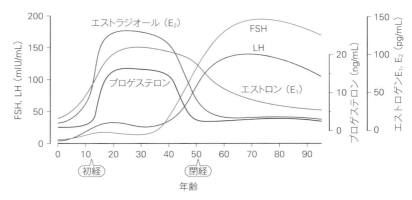

図 4-3　**女性の血中ホルモン濃度の年齢変化**
（文献[1]，p.473 より）

性を低下させ，卵胞の成熟が起こらなくなる。卵胞からのエストロゲンやインヒビンの分泌は減少し，視床下部や下垂体への負のフィードバックがかからなくなり，GnRH 分泌が亢進し，FSH および LH が高値を示す。

さらに閉経が近づくと，血中プロゲステロン，エストラジオール（E_2）およびエストリオール（E_3）濃度が低下し，閉経後数年で分泌はなくなる。それに比べ，エストロン（E_1）の減少は緩徐であるが生物活性がエストラジオールの 1/10 程度であるため，十分な作用は見られない（図 4-3）。

3）更年期の特徴
（1）身体的特徴

エストロゲンの低下という更年期における内分泌動態の変化は，加齢に伴う全身の機能低下と相まって，女性の心身に大きな影響を与える。ホットフラッシュ（のぼせ）や異常発汗といった血管運動神経症状，自律神経症状（動悸，めまいなど），運動器症状（腰痛，関節痛），精神神経症状（抑うつ気分，不眠，頭重感，記銘力低下）など，多様であるが，症状が重いものは更年期障害という（詳細は，後述）。また，血中のエストロゲン濃度の低下は，骨吸収を促進し，骨粗鬆症が起こりやすくなる。

（2）心理的・社会的特徴

この時期の発達課題は，アイデンティティの再構築であるといわれている。加齢による老いの自覚，子どもの自立による役割の変化，配偶者との関係の不均衡や配偶者の喪失，親の介護など，さまざまな課題に直面する。

4）更年期の健康問題
（1）更年期障害

「更年期に現れる多種多様な症状の中で，器質的変化に起因しない症状を更年期症状と呼び，これらの症状の中で日常生活に支障をきたす病態が

更年期障害」と定義される[6]。

更年期症状は，エストロゲンの欠落症状として，血管運動神経症状，精神神経症状，運動器症状，悪心や食欲不振などの消化器症状，乾燥感や掻痒感などの皮膚粘膜症状，排尿障害・頻尿や性交障害などの泌尿器・生殖器症状など，その出現の仕方は多様である。

更年期障害の治療としては，ホルモン補充療法（HRT）が考慮される。HRTは，エストロゲン製剤を投与する治療の総称であり，更年期障害の第一選択治療である。その有効性についてエビデンスがあるが，マイナートラブル（不正性器出血，乳房痛・乳房緊満感など），HRTにより増加する疾患（乳がん，静脈血栓塞栓症，虚血性脳梗塞など），HRTにより増加する可能性のある疾患（卵巣がん，肺がん，冠動脈疾患など）が危惧される。HRTについては，女性の年齢，閉経後年数，体格や既往疾患など，個別にリスク評価を行う必要があり，それに基づいてリスクとベネフィットを説明した上で治療を決定することが重要である（インフォームド・チョイス）。

なお，多種多様な症状が出現するのが更年期障害の特徴ではあるが，それらの症状は，うつ病や悪性疾患などの器質性疾患が原因であることもあるため，十分な注意を要する。

(2) 子宮体がん

子宮体がん（子宮内膜がん）は，子宮体部から発生するがんであり，閉経前後で最も頻度が高い。検査には，内膜の細胞や組織を採取し，細胞診や組織診が必要となる。子宮体がんの患者の90％に不正性器出血が見られ，特に閉経後に少量ずつ長く続く出血がある場合は，検査を受けることがすすめられる。子宮体がんの約8割はエストロゲンの長期的刺激と関連しており，肥満，閉経が遅い，出産経験がないなどは，発症のリスク因子と考えられている。

5 老年期

1）老年期とは

65歳以上は老年期とされており，特に女性の場合は，更年期後の時期ととらえられる。老年期は，加齢が進み，環境の変化に対する適応性が低下し，記憶力減退，知的機能の低下が生じ，周囲への興味が減少して，自己中心的な傾向が強くなる。更年期以降，生殖機能の消退による性ホルモンの低下は，女性の健康に大きな影響がある。

2）老年期の特徴

(1) 身体的特徴

2021年の日本の女性の平均寿命は87.6歳であり，男性81.5歳と比べ，

6歳ほど長くなっている[12]。閉経年齢はほとんど変わっていないことから，更年期以降，30年以上を生きることになり，すなわち，性ホルモンが欠乏した状態で過ごすことになる。性ホルモンの急激な減少，慢性的な欠乏は，脂質異常症（高脂血症），骨粗鬆症，尿失禁，アルツハイマー病などに関連している。

（2）心理的特徴

エリクソンによる老年期の発達課題は，「統合対絶望」である[13]。自我の中に蓄積された確信や経験としての愛を「統合」と示し，これらを通じて，自分の唯一の人生周期を，そうあらねばならなかったものとして，また，どうしても取り替えの許されないものとして，受け入れることであるとしている。さらに，人生の最終段階を互いに分かち合い，認め合うことを可能とする他者との相互依存における情緒的統合も意味しているという。死の恐怖や，やり直せないという焦りからの「絶望」は，自我の統合が欠如した状態において表現されるという。

3）老年期の健康問題
（1）尿　失　禁

尿失禁とは，「無意識あるいは不随意な尿の漏れが衛生的または社会的に問題となるもの」と定義されている[6]。この定義により，「尿が漏れて困る」との訴えがあった時点で，尿失禁と診断されることになる。尿失禁は，その症状から，腹圧性尿失禁，切迫性尿失禁，混合性尿失禁に分類される。

最も頻度が高いのは，腹圧性尿失禁で，女性の4割を超える2,000万人以上が悩まされていると考えられている。腹圧性尿失禁は，咳やくしゃみ，運動時などの腹圧上昇時に，膀胱の収縮と無関係に尿が漏れてしまう状態を指す。腹圧性尿失禁の原因には，尿道過可動と内因性括約筋不全がある。

尿道過可動は，尿道支持組織が弛緩し，腹圧が急に上昇した際，膀胱内の圧が高まって尿道を締めつける機能が作動しないで尿漏れが起こるものである。一方，内因性括約筋不全は，括約筋機能の低下により，腹圧時に尿が漏れるものである。腹圧性尿失禁に対して，骨盤底筋訓練が有効であるというエビデンスがあり，骨盤底筋訓練にバイオフィードバック法を用いるとさらに効果が高いことが報告されており，重症の場合は，手術療法も考慮される[6]。

切迫性尿失禁は，我慢することができない突然の尿意とともに尿が漏れてしまう状態である。老年期女性の尿失禁として最も多く，膀胱に無抑制収縮が起こる。脳血管障害または下部尿路に原因が考えられるが，特に原因がわからない場合もある。外出時や乗り物に乗っているときなどに突然の尿意とともに尿が漏れるため，女性のQOLに大きな影響を及ぼす。過活動膀胱の一病態である。過活動膀胱の場合，行動療法としての膀胱訓練，

薬物療法としては抗コリン薬が第一選択である。

なお，混合型とは，腹圧性尿失禁と切迫性尿失禁が混在する状態である。

溢流性尿失禁は，膀胱に尿が充満し，尿が尿道から漏れ出ることを指す。尿の排出障害が原因であり，排尿筋の収縮力減弱か下部尿路閉塞のどちらか，あるいは両方による。

(2) 閉経後骨粗鬆症

骨粗鬆症は，「骨強度の低下を特徴とし，骨折リスクが増大しやすくなる骨疾患」と定義されている[6]。骨強度は，骨密度と骨質の 2 つの要素からなるが，骨密度は骨強度の約 70％を説明することから，骨密度の維持が必須である。

骨粗鬆症患者のうち約 80％は閉経後の女性であり，それは，血中エストロゲン濃度の低下とともに骨量が減少するためである。骨粗鬆症の発生を予防するには，若年期に高い最大骨量を獲得しておくこと，そして，閉経後も骨量をできるだけ維持することが重要である。思春期に，やせやダイエットにより BMI が低値になると骨粗鬆症のリスクを上げるため，思春期からの健康教育が必要である。

骨粗鬆症の予防には，栄養，運動，喫煙・飲酒などの点が重要である。

栄養については，先にも述べたが，思春期からの適切な栄養摂取，特にカルシウムの摂取が不可欠である。カルシウムの 1 日の摂取推奨量は，12～14 歳 800 mg，15 歳以上 650 mg とされている[14]。ちなみに，牛乳 100 g にはカルシウム 100 mg，ヨーグルト 100 g には 120 mg が含まれるが，1 日の摂取推奨量を摂取するには相当意識して食事をとらなければ不足してしまうことが容易に想像できる。乳製品に加え，魚や大豆食品を組み合わせて摂取する必要がある。また，骨代謝には，カルシウムのみならず，ビタミン D，ビタミン K も積極的に摂取することが重要である。

運動については，成長期における運動が更年期の骨密度に反映されることがわかっており，健康教育として重要である。中高年期においても，運動は骨量を増加させるため，日常生活の中で散歩や筋力を高める運動を継続的に行うことが推奨されている。

骨量減少の早期発見の手段として，骨密度の測定がある。65 歳以上の女性および骨折リスク因子を有する 65 歳未満の閉経後～閉経周辺期の女性には，骨粗鬆症検診（骨密度の測定）が推奨されている。骨折のリスク因子は，両親の大腿骨近位部骨折歴，現在の喫煙習慣，アルコールの多量摂取習慣，ステロイド薬の使用，関節リウマチなどの続発性骨粗鬆症の原因疾患などである[15]。閉経後骨粗鬆症の薬物治療については，ホルモン補充療法，ビスホスホネート薬などがあるが，その作用・副作用，適用などの詳細は，ガイドライン[15]を参照されたい。

（3）骨盤臓器脱

　子宮の下垂感，下腹部不快感などが初発症状で，排便・排尿時または入浴時に腟入口部に子宮腟部や腟壁を触れ，気づくことがある。老年期の女性に多い。

　子宮脱・子宮下垂は，正常子宮位置よりも下方に偏位した状態をいい，骨盤底支持に関わる仙骨子宮靱帯などの靱帯組織の弛緩，恥頸筋膜などの筋膜性支持構造の実質的な弛緩，骨盤筋膜腱弓との機構的破綻が要因となり，骨盤底臓器の支持機構の破綻によって起こる。基本的に，「脱」と「下垂」は同一の病態であり，違いは程度の差である。保存的療法として，腟内ペッサリーの装着と骨盤底筋訓練がすすめられる。薬物療法としてはホルモン補充療法が腟内ペッサリー療法と併用されることがある。これらの治療が有効でない場合は，手術療法も考慮される。

引 用 文 献
1）坂井建雄，河原克雅編（2017）：カラー図解人体の正常構造と機能，改訂第3版【全10巻縮刷版】，日本医事新報社，p.472-473.
2）武谷雄二，上妻志郎，藤井知行，大須賀穣監修（2014）：プリンシプル産科婦人科学1，第3版，メジカルビュー社，p.105.
3）Grumbach, M. M.(1975)：Onset of puberty. Berenberg, S. R., ed., Puberty, Biologic and Social Components, Leiden, H. E., Stenfert Kroese, p.1-21.
4）エリクソン，E. H.，エリクソン，J. M.(村瀬孝雄，近藤邦夫訳)（2001）：ライフサイクル，その完結，みすず書房，p.96-103.
5）日本性教育協会編（2018）：青少年の性行動―わが国の中学生・高校生・大学生に関する第8回調査報告―.
6）日本産科婦人科学会，日本産婦人科医会編集・監修（2020）：産婦人科診療ガイドライン―婦人科外来編 2020.
7）前掲書4），p.87-95.
8）厚生労働省：令和3年度衛生行政報告例の概況.
9）WHO（リプラ，日本助産学会訳）（2022）：中絶ケアガイドライン　エグゼクティブサマリー.
〈https://www.jyosan.jp/uploads/files/journal/abortion_care_guideline_executive_summary.pdf〉
10）内閣府男女共同参画局：男女間における暴力に関する調査報告書.
11）聖路加看護大学女性を中心にしたケア研究会（2004）：EBMの手法による周産期ドメスティック・バイオレンスの支援ガイドライン2004年版，金原出版.
12）厚生労働統計協会編集・発行(2023)：国民衛生の動向2023／2024(厚生の指標増刊)，70（9）：73.
13）前掲書4），p.79-86.
14）厚生労働省（2019）：日本人の食事摂取基準（2020年版）.
〈https://www.mhlw.go.jp/content/0904750/000586553.pdf〉
15）骨粗鬆症の予防と治療ガイドライン作成委員会編（2015）：骨粗鬆症の予防と治療ガイドライン2015年版.
〈http://www.josteo.com/ja/guideline/doc/15_1.pdf〉

3 リプロダクティブ・ヘルス／ライツに基づく支援

1 青年期の性教育

1) 性教育とは

2005 年にモントリオールで開催された性の健康世界学会は，「性の権利宣言」（世界性科学学会，1999），世界保健機関（WHO）が 2002 年に策定した「性の健康と性の権利に関する仮定義」などを踏まえて，「モントリオール宣言」を発表した。その中で，セクシュアリティに関する包括的な情報や教育を広く提供することが謳われており，「性の健康」を達成するためには，若者を含めたすべての人々が，生涯を通じて，包括的セクシュアリティ教育，および「性の健康」に関する情報とサービスにアクセスできる状況でなければならないとされている[1]。また，この中で，セクシュアリティとは，「人間であることの中核的な特質の一つで，セックス，ジェンダー，セクシュアル・アイデンティティならびにジェンダー・アイデンティティ，性的指向，エロティシズム，情緒的愛着／愛情，およびリプロダクションを含む」とある[1]。

性教育に求められるものは多岐にわたり，その根底には，人間尊重や，互いの人格を尊敬する人権の尊重，男女の平等がある。

「性の権利」保障の実現に向けて，2009 年に国際連合教育科学文化機関（UNESCO）が中心となり，国連合同エイズ計画（UNAIDS），国連人口基金（UNFPA），ユニセフ（UNICEF），世界保健機関（WHO）との共同で，「国際セクシュアリティ教育ガイダンス」が開発，発表され，日本では2017 年に翻訳版が発行された。2018 年の改訂版では国連女性機関（UNWOMEN）も加わっている[2]。同ガイダンスの中で，包括的セクシュアリティ教育は，以下の形でフォーマル，インフォーマル両方の環境で提供される[3,4]。

> **包括的セクシュアリティ教育**
> ・正確な科学的知識に基づいていること
> ・幼少期から始まり，継続的に段階を経ながら進むカリキュラムに基づいていること
> ・年齢・成長に即していること，カリキュラムを基盤にしていること（教育目標・学習目標の開発，コンセプトの紹介など）
> ・包括的であること
> ・人権的アプローチに基づいていること

・ジェンダー平等を基盤にしていること
・その国や地域の文化と関連させること
・学習者を変容させること
・健康的な選択のためのライフスキルを発達させること

　日本では，同ガイダンスは公的には取り入れられていないが，理解した上で性教育を実施していくことが望まれる。

　では，生命の誕生に直接携わる助産師には，どのような性教育を行うことが求められるだろうか。

　助産師は，多くの母子と接し，すべての命が望まれて生まれ，愛され，健やかに成長してほしいと願っている。そのためにも，思春期からの教育が重要であることを実感しているのではないだろうか。日本助産師会は，2001年から組織的に思春期支援の一環として性教育を開始し，2012年に「思春期指導実践マニュアル」を，2020年には思春期の健康教育に当たり必須となる知識と，小学生から高校生，特別支援学校，保護者・養育者といった対象者への健康教育の実際をまとめた「助産師による思春期の健康教育」を作成し，発行している。

　また，2020年6月，政府の「性犯罪・性暴力対策強化のための関係府省会議」において，「性犯罪・性暴力対策の強化の方針」が決定された。2020年度から2022年度までの3年間を，性犯罪・性暴力対策の「集中強化期間」として，教育・啓発の強化などの実効性ある取り組みが進められることになった。そして，この方針を踏まえ，子どもたちが性暴力の加害者，被害者，傍観者にならないよう，全国の学校において「生命（いのち）の安全教育」を推進することになり，2023年度に，全国の小・中・高の各学校において地域の実情に応じた教育を実施していくとされ，全国展開に向けた取り組みが進んでいる[5]。文部科学省と内閣府が連携し，生命の安全教育のための教材および指導の手引きなどが作成されており，文部科学省のホームページで見ることができる。

◉ https://www.mext.go.jp/a_menu/danjo/anzen/index.html

　助産師にも，助産師の視点からの性犯罪・性暴力の防止に向けた「生命の教育」「性の教育」に対する積極的な取り組みが求められる。

2）性教育の企画から実施

　性教育は，その時代背景にある教育改革の流れや，学校教育への期待などの社会的な事情に影響を受ける。性教育を実施していくに当たり，文部科学省が示す学習指導要領を踏まえた取り組みが必要とされ，学校側との十分な打ち合わせが求められる。

　子どもたちを取り巻く社会状況や家庭環境は，日々，変化している。メディアを通じての情報だけでなく，子どもたち自らがパソコンや携帯電話（スマートフォン）などを通じてあらゆる情報にアクセスできる環境にある。友人とのコミュニケーションも，LINEやInstagramなどのソーシャ

ル・ネットワーキング・サービス（SNS）を通じて行われているのが日常であり，人との関係性を作っていくことが苦手な若者も多い。子どもたちの状況を把握し，発達段階に応じた内容が求められる。また，子どもたちの置かれた状況には地域性もあり，学校側と十分情報交換を行った上で内容を企画していくことが必要となる。

性教育の企画から実施・評価

《企画までに》
- 依頼側の意図・問題状況の確認：依頼側が，何を求めているのか，その背景にはどのような問題状況があるのかについて十分に話を聞く。
- 性教育の目的の明確化と共通認識：実施する性教育の目的を明らかにし，その内容を依頼側と助産師が共通認識する。
- 子どもたちの状況の確認：子どもたちが，実施する性教育の関連する内容を学校教育の中でどの程度，学んでいるのか確認する。子どもたちの発達状況や，実施する性教育に関連することで，子どもたちの置かれた状況や学校での様子などを，可能な範囲で学校より情報を得る。
- 依頼側の要望の確認：実施する性教育の中で，伝えてほしい内容と避けてほしい内容・文言（たとえば，性行為やコンドームなどの話題や文言には触れないでほしいなどの要望がある場合もある）について，打ち合わせの中で確認しておく。

《企画》
- 教育案の作成：目的に沿って，子どもたちの状況を踏まえて，内容・構成・時間配分を検討する。
- 実施者・協力者の選定・依頼：教育内容によって，助産師，医師，保健師，子どもたちと年齢の近いピアなど，実施者や協力者を選定依頼する。
- 教育方法の検討：集団での講義形式や小グループに分かれてのグループディスカッションなどの方法，指導者によるデモンストレーションや，参加者に体験をしてもらう方法など，教育内容や子どもたちの発達状況によって効果的な方法を検討する。
- 媒体の検討。
- 評価方法の検討：教育の評価をどのようにして行うのか，検討しておく。

《実施》
　性には多様性があるので，教育内容によっては，自分のセクシュアリティの自認や受容ができない子どもたちには，動揺を与える場合もある。実施する側がそれをよく理解しておく。子どもたちの表情や反応を見ながら，フォローアップが可能な体制を整えておく。

《評価》
- 事前に検討していた評価方法に従って目的が達成されたか，残された課題について評価する。
- 評価内容を依頼側に伝え，課題についてフォローアップが必要であれば，その方法について依頼側と検討する。

　現在，YouTube での性教育関連動画の配信や，家庭向けの性教育関連本の出版などにより，「おうち性教育」ブームといわれている[6]。新型コロナウイルス感染症（COVID-19）流行の影響で，望まない（予期せぬ）妊娠の相談件数[7]や性暴力[8]が増加しているとの報告もあり，性教育の必要性が認識されつつあると思われるが，ブームに終わるのではなく包括的性教

育が進んでいくよう，助産師も取り組むことが望まれる。

　また，思春期の子どもたちに性・生を伝えていくためには，性に関わる教育についての知識やスキルの向上だけでなく，助産師が自らのセクシュアリティを認識し，見つめ直すことが，子どもたちの豊かなセクシュアリティを支援できることにつながる。

2 | 妊娠前からの健康管理

プレコンセプションケア

　コンセプション（conception）とは，受胎を意味し，プレコンセプションケア（preconception care）とは，女性やカップルに将来の妊娠のための健康管理を提供することを示す[9]。妊娠・出産前から持っている母体のリスク因子（糖尿病や高血圧などの基礎疾患，感染症，生活習慣，体格など）は，妊娠・出産への影響ばかりでなく，生まれてくる児の健康にも影響を及ぼす可能性があり，健全な妊娠・出産のためだけでなく，次世代の子どもたちの健康のためにも，妊娠する前からの健康管理が重要である。

　また，プレコンセプションケアは，すべての妊娠可能年齢の女性にとって重要なケアであり，自分自身を管理して健康な生活習慣を身につけることは，健康のみならず，質の高い人生を送ることにつながるともいわれている[10]。

　プレコンセプションケアを改善するための勧告が，2006年にアメリカ疾病予防管理センター（CDC），2008年に英国国立医療技術評価機構（NICE），2013年に世界保健機関（WHO）で出された。日本では，2015年11月に国立成育医療研究センターがプレコンセプションケアセンターを開設し，女性やカップルがより健康になること，元気な赤ちゃんを授かるチャンスを増やすこと，さらに女性や将来の家族がより健康な生活を送れることを目的とし，検診・カウンセリング，相談外来を行っており[11]，日本の実情に合わせたプレコンセプションケアのためのチェックシートを掲げている（表4-7）。また，若い男女が将来のライフプランを考えて日々の生活や健康に向き合えるよう，「プレコンノート」を作成し，web上で情報提供を開始している。

　2021年2月に閣議決定された，成育医療等の提供に関する施策の総合的な推進に関する基本的な方針（成育医療等基本方針）では，「男女を問わず，相談支援や健診等を通じ，将来の妊娠のための健康管理に関する情報提供を推進するなど，プレコンセプションケアに関する体制整備を図る」ことが記載されており，厚生労働省は，都道府県や指定都市，中核市が主体となって取り組む事業として，性と健康の相談センター事業，女性健康支援センター事業，健康教育事業を開始している。さらに，SNSなどのインターネット上では性に関する情報が溢れている中，若者が性や妊娠に関

◉ https://www.ncchd.
go.jp/hospital/about/sec
tion/preconception/precon
note/index.html

表 4-7　プレコンセプションケア・チェックシート

（女性用）

□適正体重をキープしよう	□危険ドラッグを使用しない
□禁煙する。受動喫煙を避ける	□有害な薬品を避ける
□アルコールを控える	□生活習慣病をチェックしよう（血圧・糖尿病・検尿など）
□バランスの良い食事をこころがける	□がんのチェックをしよう（乳がん・子宮頸がんなど）
□食事とサプリメントから葉酸を積極的に摂取しよう	□子宮頸がんワクチンを若いうちにうとう
□150 分/週運動しよう。こころもからだも活発に	□かかりつけの婦人科医をつくろう
□ストレスをためこまない	□持病と妊娠について知ろう（薬の内服についてなど）
□感染症から自分を守る（風疹・B 型／C 型肝炎・性感染症など）	□家族の病気を知っておこう
□ワクチン接種をしよう（風疹・インフルエンザなど）	□歯のケアをしよう
□パートナーも一緒に健康管理をしよう	■計画：将来の妊娠・出産をライフプランとして考えてみよう

（男性用）

□バランスの良い食事をこころがけ，適正体重をキープしよう
□たばこや危険ドラッグ，過度の飲酒はやめよう
□ストレスをためこまない
□生活習慣病やがんのチェックをしよう
□パートナーも一緒に健康管理をしよう
□感染症から自分とパートナーを守る（風疹・B 型／C 型肝炎・性感染症など）
□ワクチン接種をしよう（風疹・おたふくかぜ・インフルエンザなど）
□自分と家族の病気を知っておこう
■計画：将来の妊娠・出産やライフプランについてパートナーと一緒に考えてみよう

（国立成育医療研究センター　プレコンセプションケアセンター[11]の「プレコン・チェックシート」（2020 年 11 月改訂）により作成）
〈https://www.ncchd.go.jp/hospital/about/section/preconception/pcc_check-list.html〉

する正しい知識を身につけ，健康管理を促すプレコンセプションケアを推進するためにインターネットでアクセスできる若者向けの健康相談支援サイト「スマート保健相談室」を公開している。

● https://youth.mhlw.go.jp

　日本人の結婚年齢は上昇傾向にあるが，人口動態統計（概数）によると，2022 年の平均初婚年齢は，男性 31.1 歳，女性 29.7 歳であった。結婚年齢の上昇は，妊孕性<small>（にんようせい）</small>にも影響を及ぼす。結婚年齢の上昇とともに出産年齢も上昇しており，2022 年では第 1 子出産年齢の平均は 30.9 歳となっている。そして，出産年齢の高齢化は，何らかの基礎疾患を有する女性の妊娠や，妊娠中の異常や合併症の増加にもつながる。

　助産師には，結婚・妊娠前の女性やカップルに対して，性周期や妊娠の仕組みについての正しい知識，妊娠前からの健康管理についての情報提供や健康教育に取り組むことが求められる。

3 不妊の悩みを持つ人への支援

1）不妊とは

　不妊とは，生殖年齢の男女が妊娠を希望し，ある一定期間，避妊することなく性生活を行っているにもかかわらず，妊娠の成立を見ない場合をいう。「一定期間」とは，1 年とするのが一般的である。なお，妊娠のために医学的介入が必要な場合は期間を問わないと，日本産科婦人科学会では定義している[12]。

　また，一度も妊娠しない原発性不妊と，過去に妊娠・分娩をした女性が

その後，妊娠しない状態となった続発性不妊とがある。女性に原因がある場合を女性不妊症，男性に原因がある場合を男性不妊症と分類する[12]。

　出産年齢が高齢化しており，何らかの疾患を合併する妊婦も多く，ハイリスク妊娠となりうる。妊娠前から診断や治療が行われていれば，体調を整えた上で妊娠に臨むこともできるし，妊娠の早い時期からの医学的管理やコントロールを行うことも可能となり，母児ともにより安全に妊娠を経過できることにつながる。そうした疾患がない場合であっても，児に重篤な影響を与える感染症（風疹など）を予防するために抗体価検査や予防接種を実施しておくのも重要であり，不妊症検査や治療の開始前にこうしたことを説明しておく必要がある。

　男性に関しても，晩婚化に伴い，生活習慣病を抱える男性不妊患者が増加している。肥満，喫煙は従来，精子形成に悪影響を与えるといわれており，これらの改善を指導する。また，原因が勃起障害や射精障害などの男性性機能障害か，乏精子症，精子無力症，奇形精子症や無精子症なのかなどの鑑別が行われ，それに合った治療が行われる[13]。

　診断や治療の詳細は，「4　不妊への支援」を参照されたい。

2）不妊治療への支援

　診断・治療において，体外受精・胚移植，顕微授精，凍結胚融解移植などの専門的かつ特殊な医療技術を総称して，生殖補助医療（assisted reproductive technology：ART）といい[14]，治療数は急速に増加している。ARTにより，今まで子どもを望めなかったカップルが子どもを授かることが可能になってきた反面，医療が生殖にどこまで関わっていくのか，生命倫理の視点からも議論が尽きない。

　国は，少子化への対策として，不妊治療の経済的負担の軽減を図るため，2022年4月から，人工授精などの「一般不妊治療」，体外受精・顕微授精などの「生殖補助医療」を保険適用とした[*1]。また，不妊治療と仕事の両立のために両立支援等助成金（不妊治療両立支援コース）を設けるとともに，不妊治療のために利用可能な休暇制度・両立支援制度について，① 不妊治療のための休暇制度（特定目的・多目的とも可），② 所定外労働制限制度，③ 時差出勤制度，④ 短時間勤務制度，⑤ フレックスタイム制，⑥ テレワークのいずれか，または複数の制度を，不妊治療を行う労働者が利用しやすい環境整備に取り組むよう，中小企業事業主を対象に示した[*2]。また，「不妊治療を受けながら働き続けられる職場づくりのためのマニュアル」[15]を，事業主向けに作成している。さらに，次世代育成支援対策推進法施行規則を改正し，2022年4月，「くるみんプラス」などの制度を新設した。「くるみん」などの認定を受けた企業が，不妊治療と仕事との両立に積極的に取り組み，一定の認定基準を満たした場合，プラス認定を追加するものである。

◉1　詳細は，厚生労働省のリーフレットを参照。
https://www.mhlw.go.jp/content/000913267.pdf

◉2　支給要件などは，厚生労働省「不妊治療に関する取組」を参照。
https://www.mhlw.go.jp/stf/newpage_14408.html

3）治療後のケア

　ARTは，治療を受ける女性に副作用・合併症もあり，その予防，ケアが必要となる。また，不妊症・不育症の女性の悩みは深く，精神的サポートが求められる。医師，助産師，看護師，心理職など専門職による支援に加え，過去に同様の治療を経験した者による傾聴的な寄り添い型ピアサポートが重要であることが知られている。厚生労働省では，2021年度よりピアサポーターを育成するため，相談・支援に当たって必要となる基礎知識やスキルを習得するための研修事業を開始し，2022年度厚生労働省委託事業として，日本助産師会が研修会を主催した[16]。併せて，看護師等の医療従事者に対して，生殖心理カウンセリングなど，より医学的・専門的な知識による支援を実施できる研修を実施している。

　不妊治療を行って妊娠した妊婦は，喜びで一杯ではないかと思われがちであるが，妊娠中の不安が高いとの調査結果が出されている。森[17]は，一般不妊治療後の妊婦の不安は自然妊娠の妊婦と比べて高くはないが，ARTを受けた妊婦の多くは，妊娠初期に流産や母体および胎児の異常に対する不安を抱えていること，このような不安は母親役割獲得過程に影響を及ぼす可能性もあることを文献から導き出している。

　このような妊婦に対して，助産師は，ささいな不安でも表出できるよう関わり，十分に話を聞く。妊娠各期や妊娠経過でそのつど生じる不安に対し，その内容を把握し，アセスメントした上でサポートすることが重要である。また，森[17]は，「看護者は不妊・不妊治療経験のストレスフルな面のみに注目せず，視野を広くし肯定的な面にも着目しそれを引き出すような関わりが重要である」とも述べている。不妊治療後の妊婦の母親役割獲得も視野に入れ，父親となるパートナーも含めた支援が求められる。

4　多様な性への支援

1）性分化疾患への対応

　性には生物学的性（sex）と社会的性（gender）があり，生物学的性（sex）は，①性染色体，②内・外性器の解剖（陰茎など外陰部の形状や，子宮や卵巣など内性器の状況），③性ステロイドホルモン（男性ホルモン，女性ホルモン）のレベルなどから決定される[18]。性分化のプロセスの中で，性腺や性染色体などのレベルで男女両方の特徴を持つか，男女どちらにも分化していない場合も含め，インターセックス（間性）といわれていたが，現在では性分化疾患（disorders of sex development；DSD）といわれ，従来用いられてきた「性分化異常」「インターセックス」「半陰陽」「性転換症」などの呼称は，患者・家族の心情にも配慮して用いないことが推奨されている[19]。

　性分化疾患は，「染色体，性腺，あるいは解剖学的な性が非典型的な状

態」と定義されている[19]。出生時に気づかれる場合と，思春期になり，初経や第二次性徴の出現の遅れ，不妊などで診断に至る場合がある。性分化疾患は出生 4,500 例に 1 例とされ[20]，出産を扱う施設であればどこでも起こりえ，適切な社会的性の決定と保護者への説明が問題となるといわれている[19]。

性分化疾患への初期対応として，日本小児内分泌学会性分化委員会，厚生労働省研究費補助金難治性疾患克服研究事業性分化疾患に関する研究班は，「性分化疾患初期対応の手引き」[21]を 2011 年 1 月に作成し，日本小児内分泌学会のホームページ上で公表している。その中で，性分化異常を疑う所見として，外性器所見が典型的男児／女児とは，以下の 6 つの点で異なるとしている。

性分化異常を疑う所見[21]
① 性腺を触知するか：停留精巣など
② 陰茎あるいは陰核の状態：矮小陰茎あるいは陰核肥大か（亀頭が露出していれば陰核肥大を疑うが，露出していなくても陰核肥大でないとはいえない）
③ 尿道口の開口部位：尿道下裂あるいは陰唇癒合がないか，通常の位置と異ならないか
④ 陰嚢あるいは陰唇の状態：陰嚢低形成あるいは大陰唇の男性化（肥大し，しわが寄る）がないか
⑤ 腟の状態：腟盲端（dimple のみの形成もあり）や泌尿生殖洞（尿道口と共通になる）はないか
⑥ 色素沈着はないか

出産の場に当たる助産師は，これらのことを念頭に置き，その場で最も可能性のある性を安易に告げないこと，「男の子か女の子かわからない」「不完全」「異常」といった言葉を使わないことが重要である[21]。助産師は，最もショックを受けるであろう母親のメンタリティに配慮し，医療者間での言動を統一して対応することが求められる。性分化異常が疑われる場合は，医師と連携し，その取り扱いについて経験の豊富な施設で対応するべきである。

2）性同一性障害・多様な性への対応

一方，社会的性（gender）は，① 性の自己認識（性自認とも呼ばれ，物心ついたころから現れる「自分は男（または女）」という認識），② 性役割（男性として，女性として果たしている役割），③ 性的指向（恋愛や性交の対象となる性別）などからなる[18]。

性同一性障害（gender identity disorder；GID）については，日本では 2003 年 7 月に，性同一性障害者の性別の取扱いの特例に関する法律（性同一性障害特例法）が成立（2004 年 7 月施行）し，その中で，「生物学的には性別が明らかであるにもかかわらず，心理的にはそれとは別の性別（以下「他の性別」という。）であるとの持続的な確信を持ち，かつ，自己を身体的及び社会的に他の性別に適合させようとする意思を有する者であっ

表 4-8　性同一性障害の鑑別

診断名		生物学的性（セックス）			社会的性（ジェンダー）		
		遺伝子・染色体	性器の形態	性ホルモン	性自認	性的指向	性役割
性同一性障害 (GID)	MTF	男	男	男	女	問わない（男）	問わない
	FTM	女	女	女	男	問わない（女）	問わない
同性愛	ゲイ	男	男	男	男	男	問わない
	レズビアン	女	女	女	女	女	問わない
性分化疾患 (DSD)		特定されない（疾患・個人により異なる）			問わない（疾患・個人により異なる）		

性同一性障害の診断には性的指向は問わないが，典型例では（　）内の性の方へ向かうため，外見的には同性愛（ホモセクシュアル）のように映る場合もある。性自認（心の性）から見ると異性愛（ヘテロセクシュアル）であり，アセクシュアル（無性愛），バイセクシュアル（両性愛）の場合もある。性自認は揺れることもあり，特に，子どもの場合は慎重な観察が必要である。同じ性分化疾患（例：副腎過形成）であっても，症例により性自認は女性であったり，男性であったりする。また，これら以外の多様な形をとりうる。

（文献[18]，p.154 により作成）

て，そのことについてその診断を的確に行うために必要な知識及び経験を有する二人以上の医師の一般に認められている医学的知見に基づき行う診断が一致しているものをいう」と定義されている。

　身体的性別は男性で心の性が女性である MTF（male to female）と，身体的性別は女性で心の性が男性である FTM（female to male）に分類される。なお，性同一性障害には，性役割，性的指向は問わない（表 4-8）。

　2019 年 6 月に ICD-11 が発表され，ICD-10 からの 30 年ぶりの改訂となった。その中で，性同一性障害は性別不合（gender incongruence）と記載され，「精神および行動の障害」の分類から，新しく設定された「性の健康に関連する状態」に移された。性別不合は，その人の感じているジェンダーと指定された生物学的性に対する不一致が著しく持続することが特徴であり，ジェンダーに非典型的な行動や嗜好だけでは診断する基盤にはならないとしている[22]。ここで重要なことは，ジェンダーに非典型的な行動や嗜好は，多様な性のありようを示しているだけであり，医療による介入は必要ないとしている点である[22]。

　ICD-11 に記載されている性別不合は，下記のとおりで，①〜③のうち，2 つを満たす必要がある。感じているジェンダーの人間として扱われたい「生活し受け入れられる」という強い欲求を実感し，感じているジェンダーの不一致は，少なくとも数か月は持続しなければならず，思春期の開始以前には診断することはできない[22]。

● ICD-11 は，2023 年 7 月現在，日本では適用されておらず，仮訳の段階だが，参考のために紹介する。現在は「性同一性障害」の用語が使用されている。

> **ICD-11 における性別不合 [22]**
> ①感じているジェンダーとの不一致により，その人の第一次および第二次性徴（青年期においては予想される第二次性徴）への強い嫌悪または不快感
> ②感じているジェンダーとの不一致により，その人の第一次および第二次性徴（青年期においては予想される第二次性徴）の一部またはすべてから解放されたいという強い欲求
> ③感じているジェンダーとの第一次および第二次性徴（青年期においては予想される第二次性徴）を獲得したいという強い欲求

自分の性別に違和感を持ち始めるのは，岡山大学病院ジェンダークリニックの調査によると，受診者の56.6％が小学校入学以前で，また，89.7％が中学生までに性別違和感を持っていた[23]。このような子どもたちは，日々の学校生活の中で多くの「生きづらさ」を感じ，思春期になるに従って訪れる第二次性徴に伴う体の変化に，焦燥感や抑うつ感を持ちやすくなり，不登校や自殺念慮につながる可能性がある[24]。

　性別違和を主訴とする患者1,138人の調査では，自殺念慮62.0％，自殺企図10.8％，自傷行為16.1％と，自殺関連の経験率が高く，思春期がそのピークであった[25]。

　性別違和を感じた子どもたちの苦痛・苦悩は深い。小学校入学前からランドセルの色や服装，持ち物など，男の子らしいもの，女の子らしいもので溢れている。高学年から中学・高校へと進むに従って，髪型，男女別の制服，体育の授業，修学旅行など，自認している性と異なる性での参画が求められ，体形も第二次性徴に伴い，否応なしに変化していく。自分に対する嫌悪を感じながらも，そのことは誰にもいえないと思う。

　MTF当事者の子どものときの気持ちの調査では，子どものころの悩みを「絶対に伝えまいと思った」と答えた人は75％，「迷ったが伝えられなかった」という人が12.5％で，9割近くが誰にもいえず1人で悩んでいる状況であった[26]。社会の中でまだ性同一性障害に対する理解は進んでおらず，いじめや差別，からかいの対象となり，そのような中で生活せざるをえない性同一性障害を持つ人たちは，人との関わり，さらには家族との関わりの中でも，「ありのままの自分」を隠し，「違う性の自分」を演じざるをえない，本当に生きたい性別で生きられない哀しさや苦しさを抱えている。

　個人が性のそれぞれのどの側面に属するかには，きわめて幅広い多様性（グラデーション）がある。多様な性を生きる人たちは，LGBTあるいはLGBTIQとも呼ばれる。Lはレズビアン（女性同性愛者），Gはゲイ（男性同性愛者），Bはバイセクシュアル（性的指向が男女いずれにも向かう人たち），Tはトランスジェンダー（身体的性あるいは社会的・法律的性に割り当てられた性とは違う性を生きる人たち。なお，このトランスジェンダーは，医療的対応を希望する場合の診断名としては「性同一性障害」が用いられる），Iはインターセックス（性分化疾患），Qはクエスチョニング（不確定）である。

　しかし，どれも「しっくりこない」と思う人々がいたり，LGBTという言葉に連帯感を持ったりする当事者もいる一方，ひとくくりにされることが嫌だと感じる当事者もいるといわれている[27]。現在，性的指向（sexual orientation）および性自認（gender identity）の頭文字をとってSOGIと表現し，性自認，性的指向に関するハラスメントを「SOGIハラスメント」といい，法務省は啓発活動を行っている。各自治体も広報活動に取り組ん

でおり，企業や住民を対象としたガイドブックなどを作成している。各施策にも盛り込まれ，東京都は2019年に「東京都性自認及び性的指向に関する基本計画」[28]を策定した。

でおり，企業や住民を対象としたガイドブックなどを作成している。各施策にも盛り込まれ，東京都は2019年に「東京都性自認及び性的指向に関する基本計画」[28]を策定した。

　助産師には，マタニティケアだけでなく，性と生殖に関わる健康相談や教育活動を通して，家族や地域社会に広く貢献することも求められている。助産師こそ，自らの性に思い悩む人々への支援に貢献できるよう研鑽し，努めていかねばならない。そのためにも，正しい，新しい情報を得て，社会の動きや地域の活動に関心を持つこと，コミュニケーションスキルの向上を図ることが必要である。

　また，性的悩みや行動を客観的に受け止め，共有し，効果的な援助が行えるようになるためにも，助産師自らも性的な存在であることに目を向け，自らの性に関する価値観を認識しておくことが求められる。性同一性障害やLGBTには，多くの当事者の団体があり，ホームページや書籍などが作成されている。自らの性に思い悩む人々へのピア（仲間）の力は大きい。当事者の団体や，性の問題に関わる専門家とともに支援できるよう，まずは助産師自らがそのような人々とのつながりを持つところから始めることが必要ではないだろうか。

引 用 文 献

1) 日本性教育協会：性の健康世界学会モントリオール宣言.
　〈https://www.jase.faje.or.jp/pdf/montreal_declaration_a4.pdf〉
2) ユネスコ編（浅井春夫，他訳）（2020）：序文．国際セクシュアリティ教育ガイダンス〔改訂版〕―科学的根拠に基づいたアプローチ，明石書店，p.3-6.
3) 田代美江子（2019）：「性の権利」保障を実現する包括的性教育『国際セクシュアリティ教育ガイダンス』の目的，意義とその概要．助産雑誌，73（5）：348-353.
4) 前掲書2)：包括的セクシュアリティ教育（CSE）とは何か，p.28-31.
5) 内閣府男女共同参画局（2021）：共同参画，2021年8月号.
　〈https://www.gender.go.jp/public/kyodosankaku/2021/202108/202108_05.html〉
6) 東優子（2021）：「おうち性教育ブーム」に思うこと，これからの性教育・性科学を考える．現代性教育研究ジャーナル，121：1-2.
7) おかやま妊娠・出産サポートセンター（岡山県）・岡山大学大学院保健学研究科（2021）：報告書　全国の「都道府県等における妊婦の方々への新型コロナウイルスに関する相談窓口」への調査　新型コロナウイルス感染拡大に伴う妊産婦や母親の不安と支援の実態.
　〈https://www.okayama-u.ac.jp/user/mikiya/img/COVID19_soudanmadoguchi_houkokusyo_0324.pdf〉
8) 内閣府男女共同参画局（2021）：コロナ下の女性への影響と課題に関する研究会報告書～誰一人取り残さないポストコロナの社会へ～.
　〈https://www.gender.go.jp/kaigi/kento/covid-19/siryo/pdf/post_honbun.pdf〉
9) 荒田尚子（2016）：プレコンセプションケアと産後フォローアップ―妊娠前後の母性内科の役割．医学のあゆみ，256（3）：199-205.
10) Johnson. K., et al.(2006)：MMWR Recomm. Rep., 55：1-23.
11) 国立成育医療研究センタープレコンセプションケアセンター.
　〈https://www.ncchd.go.jp/hospital/about/section/preconception〉
12) 日本産科婦人科学会：不妊症.
　〈https://www.jsog.or.jp/modules/diseases/index.php?content_id=15〉
13) 日本生殖医学会編（2020）：男性不妊症に対する治療のアルゴリズム．生殖医療の必修知識，p.245-250.

14）日本産科婦人科学会編（2018）：生殖補助医療. 産科婦人科用語集・用語解説集, 改定第 4 版, p.188.
15）厚生労働省：不妊治療を受けながら働き続けられる職場づくりのためのマニュアル.
〈https://www.mhlw.go.jp/bunya/koyoukintou/pamphlet/dl/30 k.pdf〉
16）厚生労働省：不妊症・不育症ピアサポーター育成研修等事業.
〈https://www.mhlw.go.jp/stf/seisakunitsuite/bunya/0000047270_00004.html〉
17）森恵美（2012）：不妊治療後の妊娠・出産の問題点と心理的ケア. 母子保健情報, No. 66：71-75.
18）中塚幹也（2016）：性同一性障害と思春期. 小児保健研究, 75（2）：154-160.
19）高井泰（2015）：性分化疾患. 産科と婦人科, l82：268-274.
20）Hughes, I. A., *et al.*（2016）：Consensus statement on management of intersex disorders. *Arch. Dis. Child.*, 91：554-563.
21）日本小児内分泌学会性分化委員会, 厚生労働省研究費補助金難治性疾患克服研究事業性分化疾患に関する研究班（2011）：性分化疾患初期対応の手引き.
〈http://jspe.umin.jp/medical/files/seibunkamanual_2011.1.pdf〉
22）康純（2020）：性別不合. 児童青年精神医学とその近接領域, 61（1）：18-26.
23）中塚幹也（2013）：思春期の性同一性障害. 臨床婦人科産科, 67：712-716.
24）東優子（2016）：LGBT を排除しない性教育のあり方. 保健の科学, 58（6）：391-395.
25）針間克己, 他（2010）：性同一性障害と自殺. 精神科治療学, 2（2）：245-251.
26）中塚幹也（2014）：性同一性障害. Hormone Frontier in Gynecology, 21（1）：61-65.
27）中塚幹也（2016）：LGBT. White, 女性の健康にまつわる新語辞典, 4（1）：84-85.
28）東京都（2019）：東京都性自認及び性的指向に関する基本計画.
〈https://www.metro.tokyo.lg.jp/tosei/hodohappyo/press/2019/12/25/documents/19_02a.pdf〉

参 考 文 献
・飯島睦子（2015）：学校・家庭・地域をつなぐ助産師が行う思春期事業. 母性衛生, 56（1）：51-55.
・有森直子（2017）：性教育の実施. 福井トシ子編, 新版助産業務要覧, 第 2 版 2017 年版, Ⅱ巻（実践編）, 日本看護協会出版会, p.149-150.
・武田敏（2011）：若年者性感染症の効果的予防教育. 産婦人科治療, 92（5）：809-816.
・川名尚, 児島俊行（2011）：母子感染, 金原出版.
・齋藤滋（2018）：母子感染症. 病気がみえる 10 産科, 第 4 版, メディックメディア, p.206-226.
・CDC：Before Pregnancy.
〈https://www.cdc.gov/preconception/index.html〉
・WHO：Preconception care.
〈https://www.who.int/publications/i/item/WHO-FWC-MCA-13.02〉
・厚生労働省：令和 4 年人口動態統計月報年計（概数）の概況.
・文部科学省：小学校学習指導要領解説［体育編］（平成 29 年告示）.
〈https://www.mext.go.jp/component/a_menu/education/micro_detail/__icsFiles/afieldfile/2019/03/18/1387017_010.pdf〉
・中野英之, 羽島暁子, 高橋郁恵, 池田洋子, 堀正行, 宋恒雄（2010）：当院における不妊症治療後妊産褥婦の周産期での精神的変化に関する検討. 日本女性心身医学会雑誌, 14（3）：262-267.
・日本精神神経学会（2012）：性同一性障害に関する診断と治療のガイドライン（第 4 報）. 精神神経学雑誌, 114（11）：1250-1266.
・塚田攻（2005）：インターセックス. 日本性科学学会監修, セックスカウンセリング入門, 金原出版, p.143-147.
・茅島江子（2005）：看護におけるセックスカウンセリング. 日本性科学学会監修, セックスカウンセリング入門, 金原出版, p.54-60.

④ 不妊への支援

近年の生殖補助医療（assisted reproductive technology；ART）の発展に伴い，2020年には体外受精・胚移植後の出生が全体に占める割合は7.3%（14人に1人）になっている[1]。そのため，臨床に関わる助産師にとってARTは身近なものになっており，「アドバンス助産師」の必須研修項目にも，「不妊・不育の悩みを持つ女性の支援」が含まれている。

ここでは，不妊症・不育症，特にARTの基礎知識を概説し，不妊・不育の悩みを持つ女性を理解し，支援するための基礎を解説する。

1 不妊症・不育症と生殖補助医療(ART)の基礎知識

1）用語の定義

日本産科婦人科学会により，不妊とは，「妊娠を望む健康な男女が避妊をしないで性交しているにもかかわらず，1年間妊娠しない状態」と定義されている。

一方，不育症は，「生殖年齢の男女が妊娠を希望し，妊娠は成立するが流産や死産を繰り返して生児が得られない状態」と定義されている。いずれも，生児を得ることができない状態であり，その病態や治療法は重なる点が多い。

日本のARTのデータは日本産科婦人科学会によって集計され，「体外受精・胚移植等の臨床実施成績」として報告されている[1]。この統計の中では，治療法別の妊娠率，生産率，流産率が掲載されており，日本の生殖医療の現状を示す基本統計となっている（図4-4）。

この統計で用いられている治療法は，体外受精（*in vitro* fertilization；

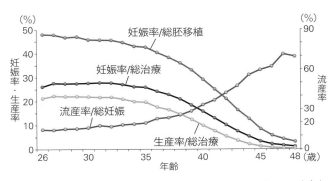

図4-4　ARTにおける妊娠率・生産率・流産率（2020年）[1]

IVF），顕微授精（細胞質内精子注入法，intracytoplasmic sperm injection；ICSI），胚移植（embryo transfer；ET）である。体外受精は卵巣より卵子を採卵し，培養液中で受精させる技術である。1978年にイギリスで開発され，2010年には開発者の一人がノーベル生理学・医学賞を受賞した。顕微授精は採卵した卵子に直接精子を注入する方法であり，体外受精に必要な精子数が獲得できない場合や通常の体外受精では受精しない場合の治療法として，1992年にベルギーから報告された。胚移植は採卵周期にすぐに胚を子宮内に移植する新鮮胚移植と，胚を液体窒素の中で凍結した後に採卵周期以外に胚移植を行う凍結胚移植に分類される。臨床実施成績はこれらの分類を用いて解析されている。

2）不妊症・不育症の診断

不妊症の原因は複雑であり，原因別の不妊症の頻度や男性不妊・女性不妊という分類も正確ではない。不妊カップルの約3割に男性と女性の両者に不妊原因が存在するといわれている[2]。そのため，不妊症検査や不妊治療はカップル単位で行う必要があり，不妊症検査の時点からカップルに対するカウンセリングや精神的な支援が必要である。

初診時には不妊期間，性交の状況（回数，時期），生活様式（喫煙，アルコール摂取を含む），不妊症の治療歴，既往歴などのカップルの情報や月経歴，妊娠・分娩歴，婦人科疾患既往歴などの女性の情報を問診する。また，男性不妊症に対する問診では，性行為の状況（勃起，射精の状態）など，きわめてデリケートな内容を聴取するため，プライバシーの確保などの十分な配慮が必要である。

女性に対する初期検査には，排卵の評価（基礎体温，血中ホルモン検査，超音波検査など），卵管通過性の評価（子宮卵管造影，卵管通気検査，血中クラミジア抗体検査など）がある。男性に対する初期検査には，精液検査，血中ホルモン検査，外陰部診察（精巣容積の測定，精索静脈瘤の確認など）がある。

不育症の原因は不明であることが多く，抗リン脂質抗体，子宮形態異常，夫婦染色体異常，甲状腺機能低下症などの内分泌障害が代表的な原因と考えられている。しかし，不育症に特化したガイドラインは存在せず，日本生殖医学会「生殖医療の知識2020」[3]の中で推奨される検査が紹介されている。

3）不妊症・不育症の診察時の支援

日本産婦人科医会より，「2013～2015年の期間での妊産婦死亡は140例で，不妊治療は15例（10％）で実施されていた。その中で，5例（33％）が，重篤な合併症を有し，不妊治療を開始する前に，妊娠前相談を行い十分に立案された妊娠管理が必要であったが，行われていなかった事例で

あった」と報告された[4]。この報告の中では，不整脈の定期検診を受けていたことや失神発作が増えていることを不妊治療中の主治医に伝えないまま，妊娠が成立し，妊娠 39 週に自宅トイレで心停止の状態で発見された例が報告されている[4]。そのため，「産婦人科診療ガイドライン―婦人科外来編 2020」[5]では，「不妊症原因検索に関する検査と並行して，遅くとも不妊治療を開始する前には，妊娠することの安全性を確認することが勧められる。妊娠した場合に問題となる循環器疾患，代謝性疾患，内分泌疾患，膠原病，血液疾患などの疾患について，除外または診断しておくことが望ましい」と記載されている。

このように，不妊治療前の問診はその後の安全な妊娠・分娩にとって重要な支援であることを理解することが必要である。そのためには，問診用紙による情報収集だけでなく，対話による情報収集が重要である。

また，不妊症検査の結果は，プライバシーに配慮し，正確に理解できるように説明を行う。不妊の診察時にはカップルへの対応が原則であるが，個別の配慮が必要になる場合もある。たとえば，無精子症の結果が出た場合には，男性にとっては非常につらい経験になるため，説明をカップルで行うか個別に行うかを慎重に判断する。

4）不妊症・不育症の治療と不育症の予防

不妊症の治療は，不妊原因を正確に診断し，原因に即して行うことが原則である。女性側の原因としては，排卵障害，卵管因子，子宮の異常，子宮内膜症，原因不明不妊などがあり，男性側の原因としては，異常精液所見（無精子症，乏精子症，精子無力症など），性交障害，射精障害などがある。これらの原因別の治療を行っても妊娠が成立をしない場合には，ARTによる治療を行う。

近年では，不妊治療を受ける女性の高年齢化が進んでいるために，妊娠成立までの期間を早めることを目的として，原因別の治療を十分に行わずに，ART を行うという意見もあるが，ART は医療行為であり，不必要なART を行うことは避けるべきである。

不妊治療は，原因の検査・治療と並行して，一般的に自然経過観察，タイミング療法，人工授精，体外受精・胚移植，顕微授精の順でステップアップしていくことが多い。タイミング療法は尿中黄体形成ホルモン（lutenizing hormone；LH）測定や超音波検査による卵胞の評価をもとに排卵日を推定して，性交を行う方法である。人工授精は射出された精液から精子浮遊液を調整し，子宮内に精子浮遊液を注入する方法である。体外受精・胚移植は卵巣より卵子を採卵し，培養液中で受精させ，受精卵や胚を子宮内に注入する方法である。顕微授精は，1 つの精子を卵子内に直接，注入する方法で，通常の体外受精で受精しなかった場合や，体外受精に必要な精子数が獲得できなかった場合に実施する。

不育症は流産を繰り返す状態であり，胎児の染色体異常など胎児側の要因が大きい。そのため，治療ではなく，さまざまな予防法が行われている。抗リン脂質抗体症候群に対しては，血栓形成の予防のための低用量アスピリン・未分画ヘパリン療法が標準治療として行われている。また，カップルの染色体異常原因不明の不育症には，歴史的にさまざまな治療法（夫リンパ球免疫療法，ステロイド投与，G-CSF（granulocyte-colony stimulating factor）投与，タクロリムス投与）が試みられてきたが，効果は否定的か確証が得られていないことに注意する必要がある。

5）不妊症・不育症の治療時と不育症の予防時の支援

　自然の妊娠の成立には，性交，卵子と精子，子宮の存在が必要である。この3つの要因に関わる不妊の支援について概説する。

（1）性交が関わる不妊の支援

　性交がない，もしくは非常に少ない状態（いわゆるセックスレス）の問題は，近年増加している。日本性科学会によれば，セックスレスは，「病気など特別な事情がないのに，1か月以上性交渉がない状態」と定義されている。

　同学会は，セックス・セラピストやセックス・カウンセラーを認定しており，医師，看護師，助産師，心理職が認定を受けている。セックスレスは，生殖の問題だけではなく，セクシュアル・ヘルス（性の健康）に関する身体的，心理的，社会的な幸福（well-being）の問題である。セックスレスのカップルには，これらの専門家の意見を参考にして支援すべきである。

　一方で，不妊治療が原因となるセックスレスも問題である。タイミング法で性交の日を指定したり，検査のために性交が制限されたりするため，不妊治療がきっかけでセックスレスになるカップルも存在する。不妊治療中のカップルは妊娠することに集中しており，男女のコミュニケーションとしての性交について忘れがちになることを念頭に置いた支援が重要である。

（2）卵子と精子が関わる不妊の支援

　卵子と精子がない，もしくは非常に少ない場合の支援について述べる。卵子は通常，肉眼で直接観察することはできない。そのため，卵子の数を評価した卵巣予備能という概念が提唱されている。卵巣予備能の測定方法としては，月経周期3日目の卵胞刺激ホルモン（follicle-stimulating hormone；FSH）測定，クロミフェンチャレンジテスト，antral follicle count（月経周期2〜4日目の卵巣両側における2〜10 mmの卵胞数の合計），抗ミュラー管ホルモン（anti-Müllerian hormone；AMH）測定が知られている。特にAMH測定は血液検査で簡便であり，卵巣に残存する卵子数の目安となるため，不妊症治療の初期検査として行われる。しかし，AMH測

定値は卵子の質や妊孕性<ruby>（にんようせい）</ruby>を評価できないことには注意が必要である。一方，男性では精液検査によって異常を肉眼的に観察できる。精液異常，特に無精子症の診断が及ぼす男性の精神的な影響は大きい。無精子症男性の場合は，ART が発達する以前には，非配偶者間人工授精（artificial insemination with donor's semen；AID）以外に治療はなかった。しかし現在では，無精子症であっても精巣精子採取などによって精子を獲得できた場合には，顕微授精を用いてカップル間の妊娠が可能となった。

このように，男性不妊に対する治療法は進歩しており，精液所見に異常がある男性に希望を持たせ，不妊治療の継続を図る必要がある。近年では，再生医療によって，人工多能性幹細胞（induced pluripotent stem cell；iPS 細胞）から卵子や精子を作成する研究も進行中である。

(3) 子宮が関わる不妊の支援

先天性子宮欠損（ロキタンスキー症候群；Mayer-Rokitansky-Küster-Hauser 症候群）の場合も妊娠が成立しない。海外では代理懐胎（子を持ちたい女性（依頼女性）が，ART を用いて妊娠することおよびその妊娠を継続して出産することを他の女性に依頼し，生まれた子を引き取ること）が行われてきたが，日本では，日本産科婦人科学会の会告によって禁止されている。そのため，子宮移植などの技術開発が行われている。

また，婦人科疾患によって子宮摘出を行った場合にも妊娠はできなくなる。しかし，これまでは子宮全摘出を行ってきた初期子宮頸がん症例に対して，広汎子宮頸部摘出術を行うことで子宮体部を温存し，妊娠の可能性を追求する治療法も開発されている。

(4) 不育症のカップルへの支援

不育症のカップルは，流産や死産を繰り返すつらい経験をしており，不妊症カップルと異なるストレスの中にいることを理解する必要がある。不育症の約70%が原因不明であり，一部の不育症を除いて効果の高い治療法も少ない。しかし，原因不明の不育症であっても妊娠で生児を得る率は80% 以上であり，流産のリスク因子である加齢を避けるために，妊娠することへの不安を軽減させて，早期の妊娠成立を目指すことが重要である。

不育症カップルへの心理的サポートとして，テンダー・ラビング・ケア（tender loving care；TLC）を妊娠成立から行うと同時に，流死産時の悲嘆に対するグリーフケアも，次の妊娠時の TLC と一連の心理的サポートとして行うべきである[6]。

6）生殖補助医療の動向

2020 年度の統計では，体外受精後の出生児数は体外受精–新鮮胚移植後が 2,282，顕微授精–新鮮胚移植後が 3,626，凍結胚移植後が 55,503 であ

り，合計 61,441 人の児が誕生している[1]。このように，現在では凍結胚移植が主流であり，胚を凍結することによって新鮮胚移植に伴う卵巣過剰刺激症候群などの副作用を避けることができ，単一胚移植による多胎の防止や胚の有効活用ができるようになった。2020 年は新型コロナウイルス感染症（COVID-19）蔓延の影響で初めて体外受精後の出生児数が減少したが（2019 年は 61,951 人），日本の出生児数に対する割合は増加した。

現在の ART の課題は，治療対象女性の高年齢化である。治療している女性のピークは 39〜41 歳であり，この年齢層の生産率は総治療数あたり7.7〜12.4％であり，43 歳の生産率は 3.7％にすぎない[1]。一般の人々は，高年齢の女性の出産が報道されることで，女性の年齢が高くても簡単に妊娠できると誤解していることが多い。この点について，生殖医療に関わる医療職は，正確な情報を発信することが望まれる。

また，2022 年度より不妊治療は保険適用となり，これまで保険適用ではなかった人工授精や体外受精に保険が適用されることになった。不妊治療の経済的な負担を軽減して，経済的に弱い若年カップルの不妊治療を推進することが目的であると考えられる。しかし，今回の改正では，回数制限や年齢制限があり（40 歳までは 6 回，40〜43 歳未満では 3 回），今後の効果を検証する必要がある。

2 不妊・不育の悩みを持つ女性の心理

不妊・不育の悩みを持つ女性の心理については，各施設よりさまざまな報告がなされている。そこで厚生労働省は全国規模調査として，「令和 2 年度子ども・子育て支援推進調査研究事業不妊治療の実態に関する調査研究」を実施した[7]。2020 年 11 月に web 上で「あなた（あなたのパートナー）は過去・現在において不妊治療を行っていたことがありますか？」という質問に対して「はい」と回答した 1,636 人の調査結果を報告した。

この報告書では，以下の事項が報告されている。

不妊治療当事者への実態調査結果（文献[7]より抜粋）
① K6 尺度による精神状態の分析では，重度のうつ・不安障害が見られるとされる 13 点以上の当事者は，現在も継続的に治療中の人において約 2 割であり，不妊治療当事者以外のデータよりも高くなっている。
② 不妊治療の不安については，女性の方が男性よりも大きい傾向があり，「出産できるか」「治療費について」などに関する不安を訴える人が約半数以上であった。
③ 不妊治療当事者への経済的・心理的な支援制度・不妊治療中にほしい情報としては，「助成金に関する情報」「心理的なサポート」「不妊治療の一般的な成功確率など医学的な情報」「各医療機関の治療内容や実績について」が多くなっていた。
④ 不妊治療を継続するに当たって，男女とも 3 割以上が「治療のために仕事を休んだことがある」と回答した。勤務先の支援は休暇制度が上位を占める一方，6 割以上の人が支援はないと回答した。

このように，不妊治療中のカップルは大きなストレスと接しており，さまざまな支援を期待している。この研究は客観的な心理尺度を用いた大規模調査であり，施設間のバイアスも少ないため，日本の平均的な不妊治療中の女性の心理状態を示していると考えられる。

3 不妊・不育の悩みを持つ女性への支援

不妊治療は，医師，看護職，胚培養士，医療事務職，心理職などで構成されるチーム医療として行われる。筆者らが実施した調査によると，不妊治療経験者が不妊医療チームの中で看護職に期待する役割は「メンタルケアの担い手」と「患者と他職種との橋渡し」であり，看護職もこのことを自覚していた[8]。そのため，看護職が不妊症患者に対するケアを行うには，カウンセリングが重要である。

不妊治療におけるカウンセリングは，3つのレベルで構成される。

一次カウンセリングでは，生殖医療情報の提供などを通じて患者カップルの自己決定を支援する。一次カウンセリングは，看護職を中心として，医師，胚培養士など医療チーム内のすべての関係者が行う必要がある。

二次カウンセリングは，公認心理師などの心理学の知識やカウンセリングスキルを持つ心理専門職が行う。

三次カウンセリングは，精神科医師が行うカウンセリングであり，精神疾患を取り扱う。不妊患者にとっては二次カウンセリングや三次カウンセリングを受けることには抵抗が大きい。そこで，看護職は患者にとって最も身近な存在であるため，一次カウンセリングを通して患者の問題解決を図り，解決できない場合には高次カウンセリングへの「橋渡し」を行うことが必要である。一方で，すべての看護職がカウンセリングをできるというわけではないため，研修によって取得できる専門資格が存在する。主な資格を以下に示す。

● 詳細は，日本看護協会ホームページを参照。
https://www.nurse.or.jp/nursing/qualification/cn/index.html

不妊治療におけるカウンセリングを行う資格専門職
① 不妊症看護認定看護師
　2003年より日本看護協会が認定している資格である。2020年度より生殖看護認定看護師として教育が開始された。168人を認定している（2022年末データ）。
② 不妊カウンセラー
　2002年より日本不妊カウンセリング学会が認定を開始した資格である。不妊カウンセラー（1,115人）と体外受精コーディネーター（484人）を認定している（2022年末データ）。
③ 生殖医療相談士
　2008年より日本生殖心理学会が認定を開始した資格である。がん・生殖医療専門心理士（61人），生殖心理カウンセラー（81人），生殖医療相談士（306人）を認定している（2022年末データ）。

看護職が行うカウンセリングは，一次カウンセリングであることを十分に理解する必要がある。自分の役割の範囲外のカウンセリングを行うこと

や，状態が改善しないにもかかわらず「橋渡し」の役割を果たさないことがあってはならない。不妊治療は長期にわたることも多く，精神疾患を発症させる場合もある。このような場合には，担当医とともに精神科や心療内科を受診させ，三次カウンセリングを含む専門治療を行う必要がある。

　また，一次カウンセリングには，医療職や心理職以外の職種も関わっている。医療事務職は，費用などの問題に関して詳しいため，非常に信頼の置ける相談相手となっている。

　さらに，不妊治療体験者は，ピアカウンセラーとしてさまざまな活動を行っている。医療機関外でも看護職が不妊カップルを支援する活動は多くあるため，助産師がこれらの活動に参加する場合には，看護職としての専門性を発揮することが期待される。

4 これからの不妊ケア

1）プレコンセプションケア

　現在の不妊治療での課題の一つに，カップル，特に女性の高年齢化がある。そこで Adachi らは，不妊治療中につらい思いをしているカップルに対して，「もっと早く妊娠を計画すればよかったと思いますか」という質問を通し，妊娠計画が遅れたことへの思いや理由を調査した。その結果，女性の58％，男性の47％が「そのような思いがある」と回答し，思いの強さは男女ともに「妊孕性に対する知識の不足」と関連していた[9]。また，このような思いは，女性では人生の満足度と負の関係があったと報告している[10]。

　以上の結果は，不妊治療中の女性にとって「妊娠時期の決定が遅れた」との思いが生活の質（QOL）の低下につながっており，もっと早く加齢と妊孕性の関連を知っておけばよかったと考えていることを示している。そしてこれらの解決には，プレコンセプションケアの一つであるリプロダクティブ・ライフプラン作成の重要性を示している。

　プレコンセプションケアは，2021 年に閣議決定された，成育医療等の提供に関する施策の総合的な推進に関する基本的な方針（成育医療等基本方針）の中で，「生涯にわたる保健施策として，男女を問わず，相談支援や健診等を通じ，将来の妊娠のための健康管理に関する情報提供を推進するなど，プレコンセプションケアに関する体制整備を図る」などの記載として取り上げられている[11]。

　さらに，成育過程にある者及びその保護者並びに妊産婦に対し必要な成育医療等を切れ目なく提供するための施策の総合的な推進に関する法律（成育基本法）に基づき，「性と健康の相談センター事業」が開始され，その事業内容の中でも，「不妊に悩む夫婦，将来子を持ちたいカップル，身体的・精神的な悩みを有する女性等への健康状況に的確に応じた健康・不妊・将来の妊娠 出産に関する相談指導」「不妊治療，妊娠・出産，女性の

健康に関する医学的・科学的知見の普及啓発」「不妊治療と仕事の両立に関する相談対応」が取り上げられている[11]。

これからの不妊ケアは，不妊治療中のカップルのケアにとどまることなく，若年者が正確な情報をもとに自身のリプロダクティブ・ライフプランを考え，将来，不妊症と診断された場合にでも，前向きに考えることができるように支援する必要がある。そのためにも，助産師のこの分野での活躍が期待される（「3　リプロダクティブ・ヘルス／ライツに基づく支援」も参照）。

2）先進的な ART 関連技術

ART は目覚ましく進化しており，不妊に悩む人を支援する助産師は，常に最新情報を獲得している必要がある。また，不妊治療は，妊娠成立後の胎児診断と連続しており，先進医療を受ける不妊カップルへの対応は，ますます複雑になっている。

従来の出生前診断では，妊娠が成立した後に，超音波検査，絨毛検査，羊水検査，NIPT（non-invasive prenatal genetic testing；非侵襲的出生前遺伝学的検査）などが行われてきた。ここで注意が必要な点は，産科超音波検査は「広義の出生前診断の一つ」であることを認識して実施することである[12]。検査の目的，意義，異常発見時の告知などについて説明し，文書で同意を得ることが必要である。

着床前遺伝子診断（preimplantation genetic testing；PGT）は，ART と遺伝子解析技術の合体によって開発された診断技術であり，体外受精（顕微授精が多い）で得られた分割卵や胚より細胞を生検し，遺伝子解析を行う。従来は遺伝子変異による遺伝病を防ぐために行われる PGT-M（preimplantation genetic testing for monogenic diseases）として開発された。その後，染色体構造異常保因者に対する PGT-SR（preimplantation genetic testing for structural rearrangement）が遺伝性疾患に加えて染色体転座に起因する習慣流産や反復流産の診断に用いられた。現在，不育症に対して着床前診断を行う場合には，日本産科婦人科学会の見解を遵守し，倫理審査を受け，承認の上で実施することが求められている[13]。さらに，受精卵の染色体の数的異常による流死産を回避するために PGT-A（preimplantation genetic testing for aneuploidy）が欧米でも広く実施されるようになり，日本でも導入の可否などについて議論が行われている。これらの検査には検査の意義や手技の問題など未解決の問題があり，今後の日本での議論に注意していく必要がある。

*

不妊への支援における看護職のカウンセリングは重要である。カウンセリングは決してクライアントに解答（正解）を与えることではなく，これからの人生を建設的に生きてもらうことが目的である。

しかし，カウンセリング技術は自然に身につくものではなく，専門的な訓練と長年の努力が必要とされる。クライアントに「心が楽になる」「希望が持てる」「気持ちが整理できる」と思ってもらうことがカウンセリングの目標である。不妊治療中のカップルは常に「葛藤」を有しており，この葛藤を理解することが，よりよい看護につながる。そのためにも，生殖医療の最新情報を常に理解する努力を怠ってはならない。

引 用 文 献

1) 日本産科婦人科学会（2021）：2020年体外受精・胚移植等の臨床実施成績.
　〈https://www.jsog.or.jp/activity/art/2020_ARTdata.pdf〉
2) Practice Committee of the American Society for Reproductive Medicine（2015）：Diagnostic evaluation of the infertile female：a committee opinion. *Fertil. Steril.*, 103：e44-50.
3) 日本生殖医学会（2020）：第7章　不育症. 生殖医療の知識 2020．p.455-505.
4) 日本産婦人科医会妊産婦死亡症例検討評価委員会（2017；2018改訂）：母体安全への提言 2016．Vol. 7．p.38-39.
　〈http://www.jaog.or.jp/wp/wp-content/uploads/2017/08/botai_2016_2.pdf〉
5) 日本産科婦人科学会，日本産婦人科医会編集・監修（2020）：CQ318不妊症の原因検索としての一次検査は？　産婦人科診療ガイドライン―婦人科外来編 2020．p.133.
6) 「不育症管理に関する提言」改訂委員会（2021）：令和2年度厚生労働科学研究費補助金成育疾患克服等次世代育成基盤研究事業「不育症管理に関する提言 2021」.
　〈http://fuiku.jp/common/teigen001.pdf〉
7) 野村総合研究所（2021）：令和2年度 子ども・子育て支援推進調査研究事業「不妊治療の実態に関する調査研究」最終報告書.
　〈https://www.mhlw.go.jp/content/000766912.pdf〉
8) 矢野惠子，大橋一友，八木橋香津代，塩沢直美，此川愛子（2007）：不妊医療チームにおける多職種連携に求められる条件と期待される看護の役割. 日本不妊カウンセリング学会誌，6：1-6.
9) Adachi, T., Endo, M., Ohashi, K.（2020）：Uninformed decision-making and regret about delaying childbearing decisions：A cross-sectional study. *Nursing Open*, 7(5)：1489-1496.
　〈https://doi.org/10.1002/nop2.523〉
10) Adachi, T., Endo, M., Ohashi, K.（2020）：Regret over the delay in childbearing decision negatively associates with life satisfaction among Japanese women and men seeking fertility treatment：a cross-sectional study. *BMC Public Health*, 20：886.
　〈https://doi.org/10.1186/s12889-020-09025-5〉
11) 厚生労働省（2022）：プレコンセプションケアを含む性と健康の相談支援について.
　〈https://www.mhlw.go.jp/content/11920000/000919068.pdf〉
12) 日本産科婦人科学会・日本産婦人科医会編集・監修（2020）：CQ106-2産科超音波検査を実施するにあたっての留意点は？　産婦人科診療ガイドライン―婦人科外来編 2020．p.82.
13) 日本産科婦人科学会・日本産婦人科医会編集・監修（2020）：CQ329不育症に関する染色体異常の取り扱いは？　産婦人科診療ガイドライン―婦人科外来編 2020．p.161-163.

5 産前・産後の支援

　社会状況の急激な変化に伴い，妊娠・出産・育児をする女性とその家族の状況は多様化し，育児に困難を生じる事例も増加してきた。

　育児は，女性とその家族が地域で日々暮らしていく中で行われるものである。このため，妊娠期から育児期にわたる母子とその家族の支援をワンストップ拠点で実施する，市町村の「子育て世代包括支援センター」（法律上の名称は「母子健康包括支援センター」）の全国的な設置が進められている。

　また，国は2022年度の補正予算[1]によって，子育て世代包括支援センターにおいて，妊娠期に2回（母子健康手帳交付時である，おおむね妊娠8〜10週と妊娠32〜34週前後），そして産後に女性と面談を実施することを標準の支援とし，妊娠期から出産・育児までの継続的支援を経済的支援（出産応援ギフトと子育て応援ギフト）と一体的に実施する伴走型の相談支援を充実させる方針を明らかにしている。

1 妊娠期から育児において支援を要する女性とその家族のアセスメント

　女性とその家族の状況は日々変化するため，その時々の対象のニーズに対応した支援を実施していくことが求められる。前述のように，子育て世代包括支援センターにおいて，複数回の女性との面談が推進されることとなったのも，対象の状況に応じた支援を推進することが求められているためである。助産師は，女性の状況について，妊娠初期から身体的経過のみならず心理・社会的状況についても継続的に情報収集し，アセスメントする必要がある。

　主な情報収集項目としては，以下のようなものがあげられる。なお，これらは必ずしも初診時にすべて情報収集する必要はない。また，妊娠経過中の状況の変化を知ること，女性と信頼関係を構築することを踏まえ，健康診査時の複数回のコミュニケーションの中で情報を得ていく。

1）妊娠期のアセスメント

（1）年　　齢

　年齢によって一概にその対象の状況を推察することはできないが，10代

妊娠の場合は，未婚で予期せぬ（望まない）妊娠である，パートナー（夫）や両親などの支援が受けにくい，生活基盤が安定していないなどの状況も多く見受けられる。また，高齢初産婦では，これまで努力しキャリアを積む経験をしている人が多いがゆえに，出産や育児が思いどおりにコントロールできない，努力ではどうにもならないことからのいら立ちや自己肯定感低下によって，抑うつ状態をきたすこともある[2]ことに留意すべきである。

（2）精神科疾患の既往や産後うつのリスクの有無

立花[3]は，産後の心に不調をきたしやすいリスク因子として，ソーシャルサポートの不足，精神科疾患の既往や家族歴，精神に大きな負荷のかかるライフイベント，初産婦をあげている。さらに，産後の因子として，出産直後の情緒不安定，育児・母乳に対する強いこだわり，児の泣きによる不眠をあげている。これらの因子がある場合には，注意深く，母親の精神的状況をアセスメントしていく必要がある。

（3）初診の時期や健康診査の受診状況

妊娠検査薬によって妊娠早期に妊娠の自己確認ができる現代において，初診の時期が遅いことは，妊娠を受容できない，育てることに困難を感じている状況が危惧される。このため，初診の時期が遅い場合には，どうしてこの時期が初診になったのかを聞く必要がある。

また，妊娠週数に応じた健康診査受診の間隔について，説明を受けているにもかかわらず，望ましい間隔で受診ができていない場合は，経済的な事情があるのか，生活スタイルが不安定なのか，あるいはパートナー（夫）のドメスティック・バイオレンス（DV）で自由に外出できないのかなど，なぜ受診ができないのか，状況を確認する必要がある。

（4）妊娠・分娩歴，上の子の育児の状況

死産や早産を体験している場合，次子の妊娠過程は，そのときの不安や恐怖，葛藤を再体験させてしまうことも多い[4]。

現在の上の子の育児についても，どのように行っているのかは，その時々に確認する必要がある。要保護児童，要支援児童を養育している母親の場合は，市町村との連絡を密にする必要がある。

（5）婚姻の状況・パートナー（夫）との関係（DVの有無を含む）

婚姻の状況は，女性の心理・社会的ハイリスク状況に直接関連する要因である。未婚の場合は，今後の入籍の予定の有無を確認する。

パートナー（夫）の家事・育児参加の状況や産後の支援の意向については，現在，何をどのように実施しているのか，今後，カップルでどのよう

に役割分担をしていく予定なのかを具体的に確認する。また，家事だけではなく，妊娠・出産・育児に関して，パートナー（夫）とどのような話をしているのか，相談ができているか，その状況を確認する。

DVのリスクについては，後述のスクリーニング尺度への回答だけではなく，パートナー（夫）との関係を聞いている中で判明することもある。

(6) 本人やパートナー（夫）の妊娠の受容・児の性別希望

妊娠が判明した際の感情や，現在の思いを聞く。また，同時にパートナー（夫）の反応についてもたずねる。予期せぬ妊娠は，妊娠継続への葛藤や，今後の育児への不安につながりやすく，女性のメンタルヘルスへの影響だけでなく，児童虐待が危惧される要因である。また，パートナー（夫）が女性の妊娠を肯定的に受け止めていない場合には，女性の心理的不調のリスクが高くなるだけではなく，家族機能の不全なども危惧される。

また，生まれてくる児の性別について，女性や家族に強い希望があるような場合には，胎児の性別告知の時期を考慮することや，望んだ性別でない場合の母親の児に対する愛着形成の状況に留意する必要がある。

(7) 家族構成とインフォーマルサポートの状況

現在は，核家族の増加によって，育児はカップルの協力のもとに行われるのが主流となっている。しかしながら，育児開始期は，女性の実父母や姉妹，友人あるいは義父母がサポートすることで，育児を中心とした新たな生活への適応が促進される。女性が妊娠中から，それらの人々からのインフォーマルサポートを具体的にどのように受けていくつもりなのかを聞く必要がある。

(8) 仕事と世帯の経済状況

女性の仕事の状況，世帯の経済状況は，周産期，育児期のメンタルヘルスや育児機能に大きく影響することがある。現在，どのような状況なのか，今後はどのようにする予定なのかを確認していく。

経済的困窮がある場合には，医療ソーシャルワーカー（MSW）と連携の上，市町村の生活支援へのアクセスを援助するとともに，市町村とも密に連携をとることが必要である。

(9) 今回の妊娠経過（母体の状況）と胎児の健康状態

妊娠悪阻や切迫流産・早産，妊娠高血圧症候群や妊娠糖尿病など，今回の妊娠経過中に起こったさまざまなトラブルについて，母親がどのように受け止めているか，不安やうつの状況を含めて留意する必要がある。超音波診断その他で胎児に健康課題があると説明された場合，胎児の状況を直接見ることができない状況の中で，胎児へのマイナスイメージが増大する

こともある。

　また，生殖補助医療（ART）により妊娠した場合は，妊娠経過中に異常妊娠に移行しやすいだけでなく，心理的問題も生じやすいといわれている[2]。

（10）その他，接していて気になること

　女性やその家族の反応の状況，理解度，生活状況など，気になることがあれば，継続的にその状況について確認していく。

（11）妊娠期に使用できるスクリーニング尺度

① DVスクリーニング尺度：周産期にある女性へのDVスクリーニングに取り組んでいる産科施設も増加しつつある。周産期におけるスクリーニング尺度としては，片岡[5]による「女性に対する暴力スクリーニング尺度」（VAWS：表4-6参照）が，広く使用されている。

② メンタルヘルススクリーニング尺度：現在，多くの市町村では，メンタルヘルス支援のニーズ把握と育児支援計画の作成のために，妊産婦に対して「育児支援チェックリスト」「エジンバラ産後うつ病質問票（EPDS）」「赤ちゃんへの気持ち質問票」（表4-14〜4-16参照）をセットで実施している。これら3つの質問紙の使用を推進してきた吉田[6]は，産科においてもこれらを活用し，市町村への情報提供を行うことは意義あることだと述べている。

　これらのアセスメントの結果，出産後の子どもの養育について出産前から支援を行うことが特に必要と認められる「特定妊婦」に該当する場合（表

表4-9　特定妊婦の考え方

対象者	解説
すでに養育の問題がある妊婦	要保護児童，要支援児童を養育している親の妊娠，胎児虐待（高所から飛び降りるなどの直接的行為とアルコール中毒や薬物依存）をしている状況。
支援者のいない妊婦	未婚またはひとり親で親族などの身近な支援者がいない妊婦，パートナー（夫）の協力が得られない妊婦など。
妊娠の自覚がない妊婦	知識がない，あるいは知識を得ようとしない妊婦，出産の準備をしていない妊婦など，女性本人が妊娠経過を健康に過ごすための環境を調整できず，不安定な生活をしている状況。
予期せぬ妊娠をした妊婦	育てられない，もしくはその思い込みがある，婚外で妊娠した妊婦，すでに多くの子どもを養育しているが経済的に困窮している状態で妊娠した妊婦など。
若年妊婦	若年であっても妊娠を受容し，支援者も整っており，心理・社会的リスクが高くなければ，対象者とはならない。
心の問題がある妊婦	精神疾患や知的問題がある妊婦，アルコール依存症，薬物依存がある妊婦など。
経済的に困窮している妊婦	市町村の福祉窓口との連携が必要と判断される状況。
妊娠届出の未提出，母子健康手帳未交付，妊婦健康診査未受診または受診回数が少ない妊婦	妊娠初期からの妊婦健康診査を受けていない妊婦。飛び込み出産も含む。

（文献[7]により作成）

4-9) は，市町村と連携して支援していきたい旨を女性本人に説明し，女性の居住する市町村に情報提供を行う。

この情報提供により，当該事例は，要保護児童対策地域協議会（要対協）に登録されるため，出産前から関係諸機関との情報共有と連携が可能となる。なお，女性が市町村への連絡に同意しなくても，明らかに出産後の子どもの健全な養育が危惧される場合には，市町村への情報提供を行うことが，児童虐待防止の観点から必要である。

2）産後のアセスメント

（1）女性の心身の状況

産後の女性の心身の状況については，十分把握する必要がある。さらに，育児不安や育児に関する強いこだわりの有無や，児への接し方，児への愛着の状況，マタニティブルーズの有無などにも注意を向ける。また，児の泣きや授乳に時間がかかることなどによって睡眠時間がとれない，疲労が著しい場合には，早急にその解消を図ることができるよう，産後ケア事業の利用をすすめるなど，具体的な支援が必要である。

（2）授乳困難や育児状況

授乳がうまくできるかどうかは，今後の育児不安やメンタルヘルスに大きく影響する。児のおむつ交換や更衣などの世話の状況についても把握する。

（3）パートナー（夫）の態度

分娩後の女性や児に対するパートナー（夫）の態度へも注意を図る。児への関心が乏しい，女性の育児行動に関して干渉や批判をするなどの態度が見られる場合には，家族機能の低下が危惧される。

（4）児の状況

出生後の児の健康状態が女性や家族の不安や養育への姿勢に大きく影響を与えることは，周知のとおりである。また，泣くことが多い，あるいは反応に乏しいなどの児の気質や特徴も，母親の愛着や養育態度に影響することがある。

2 妊娠期から育児において支援を要する女性とその家族への支援と評価

1）女性の話を聞き，信頼関係を構築する

厚生労働省が市町村での実施を推進している「産前・産後サポート事業」では，育児経験者など相談しやすい「話し相手」などによる相談支援を行

うこととされている。すなわち，地域での人と人とのつながりが希薄な現代において，妊娠期や育児期を，孤立し，不安の高い状況で過ごすことがないような対応が講じられつつあるといえる。

このような状況の中，助産師は，継続して女性に関わることができる職能として，女性との信頼関係を構築していく必要がある。このためには，「まず，女性の話を聞く」という姿勢で関わることが重要である。

たとえば，女性から，「妊婦健診で，体重増加が多すぎる，食べすぎだと助産師さんに叱られてしまった」といった訴えを耳にすることがある。妊娠中にバランスのよい食事を摂取するのは，妊娠経過を順調に過ごすために必要なことではあるが，長年続けてきた生活習慣を変えることは容易ではない。女性の生活の状況をよく聞きながら，思いを受け止め，健康増進のために行動変容が必要な場合には，実施可能な改善策をともに考えていくような関わりが望ましい。

話を聞き，ともに考えるという関わりは，信頼関係を築くことにつながる。女性は，「何かあったら相談できる存在」として，助産師を認識するようになる。北村[8]は，心と体の健康には実際にサポートを受けたかどうかよりも，その人が必要なときに利用できるサポートがあると思ったかどうかが重要であると述べている。

2) バースプランへの支援

バースプランは従来，出産する際の過ごし方など，女性とその家族の希望を医療者が確認するツールとしてとらえられてきた。しかし，最近は，妊娠に対する思いや妊娠経過の振り返りをする，産後の育児を中心とした生活に備え，家事や育児について，パートナー（夫）とどのように協力し合っていくのか，どのような支援を受けるのかなどを具体的に考えるためのツールとしても活用されつつある。

これはどの女性と家族にも必要な支援ではあるが，不安の強い，支援者がいない女性の場合には，具体的な産後の生活をよりイメージができるように，より継続的に関わり，女性が自分でこれだけ準備ができたと，今後の自信につながるように支援していくことが望ましい。

3) 個別あるいは家族を含めた授乳と育児のガイダンス

授乳がうまくいかない，育児に強い不安を抱えている，といった女性に対しては，個別の授乳支援や育児ガイダンスを行う。また，授乳やそれぞれの育児手技を実施しているときの見守りや，できている事柄の承認が必要である。必要に応じて，パートナー（夫）に対しても育児技術の実際を個別に指導することも考慮する。また，母乳外来や電話訪問，産後2週間健診（産婦健診）などで，フォローを行う。

さらに，女性や家族に「育児には学習が必要であること」「育児開始期か

らうまく育児をすることは，なかなかできるものではないこと」「育児に慣れるには支援を受けることが必要であること」を繰り返し伝えることが必要である。

4）医療チームでの対応，継続支援を図るための地域との連携

支援を要する女性とその家族への支援には，産科医師や助産師だけでなく，さまざまな医療職者との連携が必要であることは周知のとおりである。特に，妊娠期，出産時，産後にさまざまなトラブルが生じ，女性への心理的支援が必要であるとアセスメントした場合には，助産師が女性の話を聞くだけではなく，臨床心理士への対応の依頼，精神科医師への相談などを行うなど，メンタルヘルスに大きな問題が生じる前からのチームでの対応が必要である。さらに，産後の育児に支援が必要と考えられる女性とその家族には，地域のさまざまな育児支援事業の紹介と，その積極的な利用をすすめることも望まれる。

これら支援の評価の視点は，女性とその家族が「必要な支援を受けながら，児が順調な成長・発達ができるような育児環境」が整えられつつあるか，あるいは整えられたか，および，女性の身体的状況とメンタルヘルスがよりよい状況になるような支援となっているか，であると考えられる。

3 産前・産後の支援に関する啓発活動推進の必要性

産後うつなど，周産期および育児期にある女性のメンタルヘルスのトラブルは，誰にでも起こりうることであり，その対応の重要性は，社会的にも認知されつつある。また，女性だけでなく，パートナー（夫）の育児期のうつの問題なども指摘され，2021年度には，産前・産後サポート事業の一部として，「出産や子育てに悩む父親支援事業」が創設された[1]。

助産師は，今後より一層，産前・産後のカップルに対して，その時期のメンタルヘルスの特徴と，メンタルヘルストラブル発生時における早期受診の重要性についての理解が広がるよう，啓発活動を展開していく必要がある。

また，産褥期の女性が，新たに児を迎えた生活に適応していくには，授乳などの育児技術獲得のための支援を積極的に受けることや，出産の疲れを十分回復させること（産後の養生）が必要なことも，併せて理解してもらう必要がある。2021年に，産後1年までの母子に対し，心身のケアと安心して子育てができるための相談支援を提供する産後ケア事業が法制化され，その実施が市町村の努力義務となった。今後，国では女性が産後ケア事業を積極的に利用できるよう，さまざまな取り組みを行っていくと考えられる。そして，産後ケア事業をはじめとする地域のさまざまな育児支援事業の積極的な利用を推進するには，その利用が有用であることを，女性

だけではなく家族にも，妊娠期から理解してもらう必要がある。助産師は，その情報提供を行う中心的役割を担う職能と考えられる。

引 用 文 献
1）厚生労働省：令和 5 年度母子保健対策関係予算案の概要．
〈https://www.mhlw.go.jp/content/001029810.pdf〉
2）新井陽子（2016）：第 1 章　周産期メンタルヘルス概論，3．助産領域．岡野禎治，鈴木利人，杉山隆，新井陽子編，クロストークから読み解く周産期メンタルヘルス，南山堂．p.20-25.
3）立花良之（2016）：母親のメンタルヘルスサポートハンドブック，医歯薬出版．
4）永田雅子（2016）：妊娠中からの心理的サポート．臨床心理学，6（6）：739-744.
5）片岡弥恵子（2005）：女性に対する暴力スクリーニング尺度の開発．日本看護科学会誌，25（3）：51-60.
6）吉田敬子（2013）：妊産婦の精神面の問題の把握と育児支援～多職種による支援ユニットの編成の意義と役割分担～．母子保健情報，67：25-29.
7）厚生労働省（2013）：子ども虐待対応の手引き（平成 25 年 8 月改訂版）．
8）北村俊則（2007）：周産期メンタルヘルスケアの理論，医学書院．p.69.

参 考 文 献
・鈴宮寛子，山下洋，上別府圭子，吉田敬子（2008）：産後の母親とメンタルヘルス支援活動．母子保健事業団．
・宗田聡（2015）：産婦人科における心理的ケア．産婦人科の実際，64（9）：1183-1189.
・小沢千恵（2014）：メンタル面のハイリスク妊婦スクリーニング．周産期医学，44（7）：897-901.

6 女性のメンタルヘルスの支援

1 女性のライフサイクルとメンタルヘルス

　女性の場合は，卵巣や子宮の機能がライフサイクルや社会的役割と密接に関わっているため，そこで生じる問題は女性の人生そのものに直接影響を及ぼす可能性があり，その意味で心理的問題を惹起しやすいことをまず理解しておく必要がある。さらに最近では，社会における女性の役割が複雑化・多様化しているため，女性の抱える問題を画一的にとらえることは難しく，個々の女性の性格や生育歴，現在の状況などを考慮に入れ，問題がその女性にとってどのような意味を持っているのかを考えていく必要がある。

　女性のライフサイクルに伴って起こる身体的変化と心理・社会的課題，およびその時期に起こりやすい産婦人科的問題を表 4-10 にまとめた。ここでは，この中で，思春期の問題として月経と摂食障害，性成熟期の問題として周産期に関するメンタルヘルス，更年期の心理的問題を取り上げ，そのアセスメントと支援について概説する。

2 月経に関するメンタルヘルス

　月経は，思春期から更年期に至る 40 年近くもの間，ほぼ毎月繰り返して起こる生理的現象で，子宮の存在と卵巣の周期的な働き，すなわち，妊孕性を示すものととらえられている。多くの女性は月経の状態を女性とし

表 4-10　女性のライフサイクルに伴って起こりやすい問題

時期	身体的変化	心理・社会的課題	起こりやすい産婦人科的問題
思春期	第二次性徴と月経の開始	・女性性の受容 ・性衝動・性行動のコントロール	・月経不順，摂食障害 ・性行動の逸脱，性感染症，予期せぬ妊娠，中絶 ・性暴力
性成熟期	・月経周期の確立 ・婦人科疾患	・結婚・妊娠・出産・育児の位置づけ ・仕事との両立	・月経随伴症状（月経困難症，月経前症候群） ・妊娠・出産・育児 ・不妊・避妊・DV ・子宮筋腫，子宮内膜症，卵巣腫瘍，悪性腫瘍
更年期	・卵巣機能の低下 ・閉経	さまざまな喪失体験の受容	更年期障害
老年期	加齢に伴う変化	老いと死の受容	老年期うつ病など

ての健康のバロメーターと考えており，その変化や異常に敏感である。

　一方，男性と同様に働き，子どもを産む機会が少なくなっている現代社会の女性たちにとって，月経に伴う心身の変化（月経随伴症状）は，時に大変わずらわしいものとなる。女性が主体的な生活を送るために，月経についての正しい知識を伝え，ライフスタイルに合った月経との付き合い方を支援していくことは重要であり，それはそのまま月経に伴うメンタルヘルスの改善につながっていく。

1）月経の異常と月経随伴症状

　内容については表 4-11 にまとめた。月経の状態は，それぞれの指標が正常範囲にあるかどうかということよりも，子宮・卵巣に器質的異常がないか，排卵しているかどうかが重要である。

　月経随伴症状のうち，月経困難症については，器質的疾患の有無と痛みのコントロールが，また，月経前症候群（PMS）と月経前不快気分障害（PMDD）については，正しい診断と治療についての情報提供が求められる。

表 4-11　月経の異常と月経随伴症状

月経の異常	**周期の異常**（正常では 25～38 日の間にあり，変動は 6 日以内）		
	原発性無月経	満 18 歳になっても月経が起こらないもの	
	続発性無月経	これまであった月経が 3 か月以上停止したもの（ただし，生理的無月経の場合は，この期間にとらわれない）	
	頻発月経	月経周期が短縮して，24 日以内で発来した月経	
	稀発月経	月経周期が延長して，39 日以上 3 か月以内で発来した月経	
	不正周期（月経不順）	正常月経周期（25～38 日）に当てはまらない月経周期	
	量の異常（一般に 20～140 g，平均 50～60 g）		
	過多月経	出血量が異常に多いもの	
	過少月経	出血量が異常に少ないもの	
	持続の異常（正常範囲は 3～7 日）		
	過長月経	月経の持続が 8 日以上のもの	
	過短月経	月経の持続が 2 日以内のもの	
	その他の異常		
	不正出血	月経以外の出血	
月経随伴症状	*月経困難症	原発性月経困難症	器質的疾患がなく，子宮頸管の狭小やプロスタグランディン（PG）過剰による子宮の過収縮が原因とされている。初経後 2～3 年で始まり，出血量の多い時期に強い。年齢とともに軽快する傾向があり，特に出産後は軽快することが多い。
		続発性月経困難症	子宮筋腫，子宮内膜症などの器質的疾患に伴う月経困難症で，月経前から月経後まで持続することが多い。原疾患の進行とともに増強するため，進行性のことが多い。
	月経前症候群（PMS）		排卵後の黄体期に出現し，月経開始後数日以内に消失する心身の不快な症状。精神症状では，抑うつ，怒りの爆発，いら立ち，不安などが多く，身体症状では，乳房痛，腹部膨満感，むくみなどが多い。
	月経前不快気分障害（PMDD）		PMS の中でも精神症状が強く，日常生活に支障が大きいもの（診断は，アメリカ精神医学会の診断基準 DSM-5-TR™ による）。

*：月経中に月経に伴って起こる病的症状：下腹部痛，腰痛，腹部膨満感，頭痛など。

2) 月経についてのアセスメントと支援

　月経についてのアセスメントとしては，基礎体温と婦人科的診察が基本である。過多月経や過長月経がある場合は，貧血検査も行う。性交渉の経験がある場合は，子宮頸がん検診や性感染症の検査をすすめる。

(1) 基礎体温

　図4-5のように，基礎体温と同時に心身の状態を記入する形にすると，月経の状態と月経随伴症状の評価を同時に行うことができる。可能なら，連続する2周期の基礎体温をもとに，月経の状態や排卵の有無，月経随伴症状の状態を確認する。

(2) 婦人科的診察と貧血検査

　月経の状態に異常がある場合や，続発性月経困難症が疑われる場合は，婦人科的診察をすすめる。診察に抵抗を示す患者の場合は，器質的疾患の有無を知るために重要な検査であること，性交渉の経験がない場合は経直腸的に診察することも可能であることを説明する。過多月経はしばしば自覚がないこともあるため，婦人科的診察の際に貧血検査を行うとよい。

(3) 子宮頸がん検診と性感染症の検査

　性交渉の経験がある場合は，定期的にこれらの検査を行うことをすすめる。性感染症の検査は，不正出血の原因検索や月経随伴症状の鑑別診断としても必要であるが，症状が軽微で気づかないうちに感染していることも

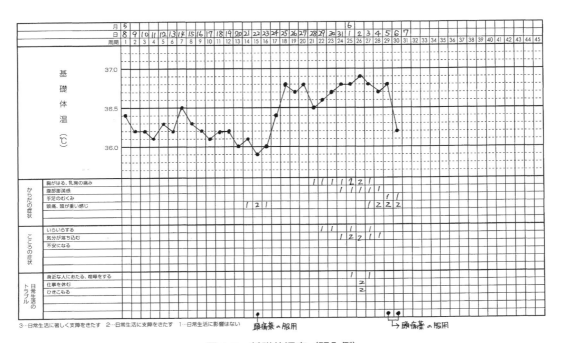

図4-5　基礎体温表（記入例）

少なくないので，子宮頸がん検診と同様に，定期的に検査をしておくことが安心につながる。

（4）月経の異常に対する支援

　基礎体温で排卵周期が確認でき，婦人科的診察で器質的異常がなく，子宮がん検診・性感染症検査・貧血検査で異常がない場合は，問題がないことを保証し，基礎体温の継続記録と定期検診をすすめる。基礎体温で3か月以上の無排卵・無月経が続く場合は，ホルモン検査や治療の必要性があることを説明して婦人科受診をすすめる。器質的疾患が見つかった場合や，諸検査で異常が見つかった場合は，それぞれの治療が必要であることはいうまでもない。

（5）月経困難症に対する支援

　原発性月経困難症は，比較的若年者の場合が多いので，睡眠や食事の改善，体を冷やさない，過労を避けるといった生活面での指導が重要である。その上で，鎮痛薬や漢方薬の使用，それらが無効の場合は，低用量エストロゲン・プロゲスチン（LEP）製剤の使用についての情報を提供する。最近では，黄体ホルモン製剤単独の使用も認められるようになり，月経困難症治療の選択肢が増えているが，この場合は，低エストロゲン状態による骨量減少の可能性があり，注意が必要である。続発性月経困難症の場合は，原疾患の治療をすすめるが，外科的治療の適応がない場合は，原発性月経困難症の治療と同様の薬物療法が選択されることが多い。

（6）月経前症候群（PMS）／月経前不快気分障害（PMDD）に対する支援

　上述のような基礎体温表で，症状の出現時期と周期性を確認することが第一歩である。患者は不快な症状が月経前に繰り返されていると信じて受診するが，前向的に症状の出現パターンを見ると，必ずしもそうではない場合が少なくない。特に，精神症状が主体の場合にその傾向が強い。

　一方，基礎体温表を記録して症状と月経周期との関連が明らかになると，症状の成り立ちが理解され，患者自ら生活改善を行い，それ以上の治療が不要になる場合もある。

　軽症のPMSでは，バランスのよい食事，適度な運動，規則正しい生活といった一般的な生活改善でもかなりの効果が期待できる。中等症以上のPMSやPMDDでは薬物療法が必要になるので，婦人科受診をすすめる。薬物療法としては，選択的セロトニン再吸収阻害薬（SSRI）や低用量ピル（経口避妊薬；OC）などが用いられる。PMDDでは，患者の性格傾向や生育歴，生活環境など，心理・社会的問題の関与が強い場合もあり，このような症例では，精神科との併診も考慮する必要がある。

（7）低用量ピル（OC）と低用量エストロゲン・プロゲスチン（LEP）製剤

　OCとLEP製剤はいずれも低用量のエストロゲン製剤とプロゲスチン製剤の合剤であるが，避妊を目的で使用される場合をOC，月経困難症の治療として用いられる場合をLEP製剤として区別している。いずれも，避妊や月経困難症の改善以外に，過多月経，子宮内膜症，月経不順，PMS/PMDD，ニキビの改善など，多くの副効用が確認されており（ただし，LEP製剤の保険適応は月経困難症のみ），毎月の月経で日常生活に大きな支障をきたしている女性にとっては，大変有用な薬剤である。最近では，月経の回数を減らすために，LEP製剤を長期に持続的に使用することも治療的に認められるようになっている。

　しかし，これらの薬剤には，深部静脈血栓症などの重篤な副作用もあり，禁忌疾患（表4-12）[1]，内服中に注意すべき症状や定期的な検査などについて，正しい知識を持って使用することが重要である。これらの薬剤を使用する女性たちが，副作用についての知識を持ちつつ，主体的に月経をコントロールしているという意識を持つよう支援していく必要がある。

３ 摂食障害

　摂食障害は，若年女性に好発する疾患で，食行動の異常と体重や体形への病的なとらわれおよび身体イメージのゆがみを特徴とする精神疾患である。患者は不適切な食行動に固執して社会機能が低下するが，病識や治療意欲が乏しく，適切な治療につながらないまま，年余に及ぶ経過を辿ることもまれではない。また，やせが極度な場合にはさまざまな身体疾患を合併し，生命に危険が及ぶ場合もある。抑うつや不安，パーソナリティ障害などを合併することも多く，また，最近では，アスペルガー症候群をはじめとする広汎性発達障害の併存が注目されている。

　本疾患の治療については，患者が治療を求めないことが多いというだけでなく，有効な治療薬や確立した治療法がなく，さらに専門的な治療を提供する体制が整備されていないなどの理由で，患者・治療者双方の状況により，心理・社会的側面を重視したさまざまな治療法が組み合わせて行われているのが現状である。また，患者は身体症状を主訴に内科や小児科，産婦人科などの身体科を受診することが多く，2012年に刊行された「摂食障害治療ガイドライン」[2]では，治療の過程でさまざまな職種が連携して患者に関わっていくことの重要性を指摘している（図4-6）。

　摂食障害の患者は，しばしば付随する月経異常（月経不順，無月経）のために産婦人科を受診することが少なくない。また，摂食障害の患者が妊娠した場合には，母体や児に合併症が起こりやすくなるばかりでなく，出産後の児の養育に問題が起こる可能性もある。助産師が摂食障害についての正しい知識と支援方法を知っておくことは重要である。

表 4-12　WHO の低用量ピル（OC）服用の慎重投与と禁忌

	慎重投与	禁忌
年齢	40 歳以上[*1]	初経発来前，50 歳以上[*2] または閉経後
肥満	BMI 30 以上	
喫煙	喫煙者（禁忌の対象者以外）	35 歳以上で 1 日 15 本以上[*3]
高血圧	軽症の高血圧症[*4]，高血圧既往（妊娠中の高血圧既往も含む）	重症の高血圧症[*5]
糖尿病	耐糖能の低下[*6]	血管病変を伴う糖尿病[*7]
脂質代謝異常	ほかに心血管疾患の危険因子（高齢，喫煙，糖尿病，高血圧など）を伴わない	ほかに心血管疾患の危険因子（高齢，喫煙，糖尿病，高血圧など）を伴う
妊娠		妊娠または妊娠している可能性
産褥（非授乳）		産後 4 週以内（WHO 適格基準では産褥 21 日未満）
産褥（授乳中）		授乳中（WHO 適格基準では 6 か月未満）
手術等		手術前 4 週以内　術後 2 週以内[*8]，および長期間安静状態
心疾患	心臓弁膜症，心疾患	肺高血圧症または心房細動を合併する心臓弁膜症，亜急性細菌性心内膜炎の既往のある心臓弁膜症
肝臓・胆嚢疾患	肝障害，肝腫瘤[*9]，胆石症	重篤な肝障害[*10]，肝腫瘍[*11]
片頭痛	前兆を伴わない片頭痛	前兆（閃輝暗点，星型閃光など）を伴う片頭痛
乳腺疾患	乳がんの既往[*12]，乳がんの家族歴，BRCA1/BRCA2変異など[*13]，診断未確定の乳房腫瘤	乳がん患者
血栓症	血栓症の家族歴，表在性血栓性静脈炎	血栓性素因 深部静脈血栓症，血栓症静脈炎，肺塞栓症，脳血管障害，冠動脈疾患の罹患またはその既往歴，あるいは抗凝固療法中
自己免疫性疾患		抗リン脂質抗体症候群
生殖器疾患	子宮頸部上皮内腫瘍（CIN），子宮頸がん[*14]，有症状で治療を必要とする子宮筋腫	診断の確定していない異常性器出血
その他[*15]	ポルフィリン症，テタニー，てんかん，腎疾患またはその既往歴，炎症性腸疾患（クローン病，潰瘍性大腸炎）	過敏性素因 妊娠中に黄疸，持続性掻痒症または妊娠ヘルペスの既往歴

[*1]：WHO 適格基準ではカテゴリー 2 であり，有益性と危険性を検討した上で一般的には投与可能。
[*2]：「50 歳以上禁忌」について WHO 適格基準や添付文書には記載されていない。
[*3]：WHO 適格基準では，35 歳以上で 1 日 15 本未満の習慣的喫煙者はカテゴリー 3，1 日 15 本以上の習慣的喫煙者はカテゴリー 4。
[*4]：収縮期血圧 140〜159 mmHg かつ／または拡張期血圧 90〜99 mmHg，コントロールされた高血圧症も含む。
[*5]：収縮期 160 mmHg 以上または拡張期 100 mmHg 以上，または血管病変を伴う高血圧。
[*6]：血管病変を伴わない糖尿病または耐糖能異常。
[*7]：糖尿病性腎症，糖尿病性網膜症など。
[*8]：45 分以上の手術。
[*9]：限局性結節性過形成など。
[*10]：急性ウイルス性肝炎，重症肝硬変など。
[*11]：肝細胞がん，肝細胞腺腫など。
[*12]：発症後 5 年以上再発がない。
[*13]：WHO 適格基準ではカテゴリー 1，イギリス適格基準ではカテゴリー 3 で記載。
[*14]：添付文書で子宮頸がんおよびその疑いは禁忌に入っているが，WHO 適格基準ではカテゴリー 2 であり慎重投与とした。
[*15]：本ガイドライン 2015 年度版では「耳硬化症」が禁忌のその他項目に入っていたが，2020 年度版では削除した。

（文献[1]，p.103 を一部改変）

1）摂食障害の病型

　アメリカ精神医学会の診断基準である DSM-5-TR™[3]において，「食行動症及び摂食症群」として記述されている病型の中でも，神経性やせ症（anorexia nervosa；AN）と神経性過食症（bulimia nervosa；BN）がその代表的なものである。

　AN と BN の診断基準を表 4-13 に示す。

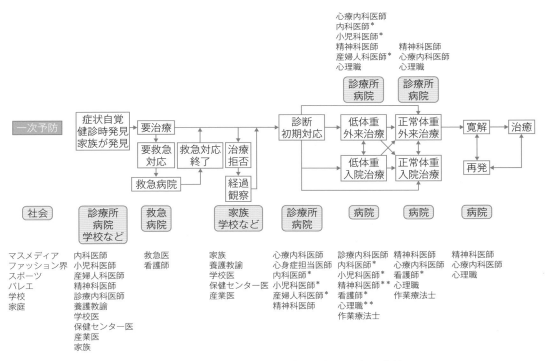

図 4-6　摂食障害の経過と治療に関与する主な職種
＊：摂食障害の知識を有することが特に望まれる，＊＊：リエゾン。
（文献[2]，p.10 より改変）

表 4-13　神経性やせ症（AN）と神経性過食症（BN）の診断基準

神経性やせ症（AN）	神経性過食症（BN）
1. 有意に低い体重（正常の下限を下回る体重） 2. 体重増加または肥満になることに対する強い恐怖，または体重増加を妨げる持続した行動 3. 自分の体重または体形の体験の仕方における障害，自己評価に対する体重や体形の不相応な影響，または現在の体重の深刻さに対する認識の持続的欠如	1. 反復するむちゃ食いエピソード 2. 体重増加を防ぐための反復する不適切な代償行動（自己誘発性嘔吐，緩下薬や利尿薬の乱用など） 3. 週 1 回以上のむちゃ食いと不適切な代償行動が平均 3 か月間持続 4. 自己評価に対する体重や体形の過度の影響 5. AN のエピソードの期間のみに起こるものではない

（文献[3]により作成）

2）疫　　　学[4]

　摂食障害の患者は自ら治療を求めないことが多いため，その疫学については不明な点も多いが，1998 年の厚生省研究班の調査によると，AN 12,500 人（10 万対 8.3～11.9），BN 6,500 人（10 万対 4.3～5.9）であり，10～29 歳の女性に限ると，AN 10 万対 51.6～73.6，BN 10 万対 27.7～37.7 であった。その後の医療機関や学生を対象にした調査では，摂食障害の患者は増加傾向にあり，最近は BN や非典型例の増加が注目されている。

3）アセスメントと支援

　摂食障害の患者は，産婦人科をはじめとする身体科を受診することが多いため，本来は専門ではない身体科領域のスタッフが摂食障害の存在に気づき，専門の医療機関と連携して治療・支援を行っていくための連携指針が作成されている[5]。ここでは，この連携指針をもとに産婦人科領域で注意すべき点についてまとめる。

（1）どのような場合に摂食障害を疑うか

　AN では BMI 18.5 kg/m^2 未満の低体重もしくは急激な体重減少を認める場合，BN では過食，自己誘発性嘔吐，絶食，過剰な運動，緩下薬・利尿薬の乱用のいずれかを習慣的に行っている場合にこれを疑い，専門医への紹介を考慮する。低カリウム血症，唾液腺腫脹，血清アミラーゼ高値，齲歯（虫歯）なども BN を疑う所見である。

（2）無月経への対応

　希発月経や無月経は AN においても BN においても頻度が高く，月経不順を主訴に婦人科を訪れる患者は多い。摂食障害における無月経は視床下部からの性腺刺激ホルモン放出ホルモン（GnRH）の拍動性分泌がなくなることによって起こるため，ホルモン検査では下垂体由来の性腺刺激ホルモン（LH，FSH）および卵巣ホルモンが低下する。また，無月経が長期（1 年以上）に及ぶ場合は骨量減少をきたし，実際に AN の患者では骨粗鬆症による骨折のリスクが増加する。

　摂食障害，特に AN における無月経の治療は，栄養補給と運動制限による体重の回復が基本である。体重が回復しないうちにホルモン療法を行うことは，貧血や低栄養状態を悪化させる可能性があり，また，骨密度の回復に対する効果も確認されていない。したがって，摂食障害が疑われる無月経の患者に対しては，無月経をきたす他の病態を除外した上で，ホルモン検査や骨密度測定を定期的に行い，信頼関係を築きながら早期に専門医と連携することが重要である。

（3）摂食障害患者の妊娠・出産

　摂食障害の既往のある女性は，既往のない女性に比べて妊孕性や不妊治療に対する反応には差がなく，むしろ月経不順や無月経があるため，一般女性より予期せぬ妊娠の頻度が高いことが知られている。また，母体の低体重や妊娠中の体重増加が少ない場合には切迫早産や早産，低出生体重児の頻度が高く，逆に肥満や体重増加が多い場合には妊娠高血圧症候群や妊娠糖尿病，巨大児などに注意が必要である。さらに，産後の栄養摂取が不十分な場合には，母乳育児が継続できなくなったり，児の体重増加が不十分になったりする可能性があるため，出産後も長期に経過を観察し，支援

していく必要がある。

一方，妊娠中には摂食障害の症状が再発・増悪する可能性があり，また，妊娠中から産後にかけて抑うつ・不安症状をきたすことが多く，産後うつ病の頻度が高いと考えられているため，精神的に不安定な状況が見られる場合には，早めに専門医と連携して経過を見ていくことが重要である。

（4）専門医への紹介

摂食障害の患者は病識や治療意欲に乏しいため，専門医に紹介する場合に工夫が必要である。

月経異常で訪れた患者に摂食障害が疑われた場合には，ホルモン検査や骨密度測定を行い，他の疾患を除外した上で，病態について説明し，専門医との併診をすすめる。その際，心療内科や精神科の受診を拙速にすすめても受け入れられない場合が多いため，このような場合には定期的な経過観察を行いながら，摂食障害の心身に及ぼす影響についても説明する。

患者との間に信頼関係ができてくると，患者は自らの食行動について口にするようになるので，その際には体重にはこだわらず，食べられないつらさ，食べることを止められないつらさ，食べ物にこだわって自由になれないつらさを受容する。患者のつらさを共有できるようになったら，それをきっかけに専門医による治療を促す。治療は体重を増やすためだけではなく，患者のつらさを軽減し，生きやすくするためのものであることを伝える。摂食障害の治療は長期に及ぶので，専門医につないだ後も，つかず離れずの距離感で，患者の努力や進歩を評価しながら，長期にサポートしていくことが大きな助けになる。

（5）診療連携・相談窓口

厚生労働省は，2014年に摂食障害治療支援センター設置運営事業を開始し，国立精神・神経医療研究センターに設置された摂食障害全国支援センターを中心に，各都道府県に拠点病院の設置が進められている。2023年現在，国内4か所に拠点病院が指定されているが，その他，摂食障害に関する電話相談「相談ホットライン」の開設や摂食障害を診療している医療機関リストの作成なども行われており，これらは摂食障害情報ポータルサイトに公開されている[4,6]。

4 周産期のメンタルヘルス

日本の周産期医療は，1965年の母子保健法制定以来，先人たちのたゆまぬ努力のおかげで着実な進歩を遂げ，日本は今や世界一安全にお産ができる国になっている。しかしその一方で，児童虐待件数の増加や妊産婦の自殺の問題など，メンタルヘルスへの対応が立ち遅れてきた事実が徐々に明

らかになっている。このような状況は日本に限ったことではなく，現在では世界の周産期医療において，「命」だけでなく「心」を救う医療が求められている。

1）妊産婦の心理

　初めての妊娠を経験した女性は，喜びと不安，つわりの苦しさなどを同時に経験しながら，未知の状態へと適応していく。

　妊娠中期になると，体の状態は安定し，女性は胎動を感じながら，胎児という自分とは別の存在を意識し，話しかけたり，さまざまな空想を描いたりしながら，胎児との絆を結び始める。

　妊娠後期になると，睡眠障害や食欲低下，疲労感などの症状が強まり，同時に，出産やわが子との対面に対する不安や緊張も高まってくる。

　出産は，女性にとっても家族にとっても喜ばしい幸せな出来事であるが，否応なく与えられる母親という役割に対して，女性は人知れず不安や焦りの気持ちを抱えていることも多い。妊娠・出産の経過の中で，夫をはじめとする周囲のサポートを得ることにより，女性は安心して子どもを育てることができ，母親としての自信を深めていく。

2）妊産婦のメンタルヘルスの重要性

　妊産婦のメンタルヘルスは，精神障害の有無によらず，母親が安心して妊娠・出産・育児に臨める状態としてとらえる必要がある。

　最近の研究は，胎児期から出生後1〜2年までの時期に特定の保護者との間に育まれる愛着形成が，子どもの基本的安心感や信頼感の礎になることを示している。この時期に母親が精神的に安定し，ほどよい愛情を持って子どもに接することができると，子どもは精神的に健康で，自分に自信を持ち，困難に打ち勝って，自らの能力を最大限に発揮した豊かな人生を送ることができる。このことは母親にとっても同様で，子どもとの間に自然な愛着形成を育むことができたという経験が，女性としての喜びと自信に満ちた人生につながっていく。

　一方，妊産婦のメンタルヘルスが損なわれる状態は，女性にとっては精神障害や育児不安の原因になり，また，養育機能の低下や愛着形成の障害を通じて，子どもの心理的あるいは神経学的成長・発達にも大きな影響を及ぼすことが明らかになっている。

　妊産婦のメンタルヘルスが損なわれる原因としては，図4-7にあげたように，予期せぬ妊娠，若年妊娠・未婚，サポート不足，DV，アルコールや薬物依存，実母との関係（世代間伝達）などがあり，極端な場合には虐待という形で，子どもの成長・発達のみならず，生命にも危険が及ぶ可能性がある。また，最近では，妊産婦の自殺や心中，子殺しの実態から，周産期うつ病の頻度がかなり高い可能性が指摘されており，妊産婦のメンタ

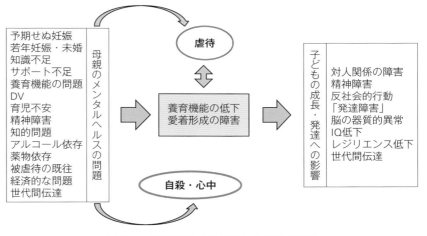

図 4-7　妊産婦のメンタルヘルスの重要性

ルヘルスを考えていく上で重要な課題になっている。

3) アセスメントと支援

　周産期のメンタルヘルスの問題は，妊産婦自らが救いを求めることはまれであり，また，妊娠・出産・育児という状況の中で周囲も気づきにくいという特徴がある。したがって，助産師をはじめとする妊産婦に関わるスタッフが早期に発見して，支援を開始することが重要である。

　日本産婦人科医会では，2016 年にこの問題に取り組むためのプロジェクトを立ち上げ，すべての妊産婦を対象に，共通の方法を用いてスクリーニングを行い，早期に適切な支援に結びつけていくための体制作りを目指している。

　具体的には，妊娠中，出産時および産褥期に産科医療機関において質問票を使った面接によるスクリーニングを行い，メンタルヘルスの状態に応じて，院内での継続的支援，行政と連携した支援，精神科との連携も含めた支援の 3 段階の支援体制を整えるという内容になっている（図 4-8）[7]。

　スクリーニングに用いられる質問票は，吉田ら[8]の 3 つの質問票，すなわち，「育児支援チェックリスト」（表 4-14），「エジンバラ産後うつ病質問票」（Edinburgh Postnatal Depression Scale；EPDS）（表 4-15）[9-11]，「赤ちゃんへの気持ち質問票」（表 4-16）[12,13]が中心になっているが，これらの質問票を組み合わせて行うことにより，妊産婦の抱えるストレス要因やサポートの状況，抑うつ気分の有無と程度，赤ちゃんへの愛着形成の状態を効率よくスクリーニングすることができる。このうち，EPDS は，イギリスの Cox らが 1987 年に作成したものであるが，現在では世界中で使われており，妊娠中の抑うつ症状のスクリーニングにも用いられている。

　日本では，妊娠中のうつ病と不安障害のリスクを評価する簡便な方法と

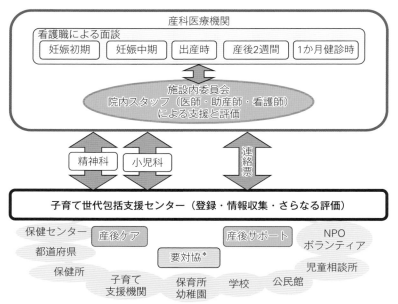

*：要保護児童対策地域協議会。

図 4-8　周産期のメンタルヘルスへのアセスメントと支援
（文献[7]，p.67 による）

して，英国国立医療技術評価機構（National Institute for Health and Care Excellence：NICE）の産前・産後メンタルヘルスのガイドラインに提唱されている「2 項目質問票」（表 4-17）の使用も推奨されている[14]。

　スクリーニングによって支援が必要と判断された妊産婦のうち，すでに精神症状があり，生活機能に障害が出ているがサポートが得られない状況にある場合や予期せぬ妊娠の場合は，早期に行政と連携し，保健師の訪問支援を仰ぐ。生活機能は維持されているが，抑うつや不安がある場合は，産科医療機関で傾聴と共感を主体とした関わりを続けながら経過を観察する。すでに精神科通院中の妊産婦や，精神症状が強く，自立した生活ができない場合，自殺の危険がある場合は，精神科と連携する。

　日本産婦人科医会では，このようなスクリーニングとケアの体制が，全国の産科医療機関や地域の母子保健行政の中で共通の認識になることを目指しており，その実践のための教育プログラム（表 4-18）[7]を作成し，助産師・看護師・保健師・心理職などを対象にした研修会を開催している。この医会の活動や研修会の開催状況については，専用のサイトが準備されているので，参照されたい。

● 日本産婦人科医会「母と子のメンタルヘルスケア」
https://mcmc.jaog.or.jp

表 4-14　育児支援チェックリスト

ID. ＿＿＿＿＿＿＿＿＿＿＿＿＿＿＿＿

あなたへ適切な援助を行うために，あなたのお気持ちや育児の状況について以下の質問にお答えください。
あなたにあてはまるお答えのほうに，〇をして下さい。

1. 今回の妊娠中に，おなかの赤ちゃんやあなたの体について，または，お産のときに医師から何か問題があると言われていますか？
　　　　　　はい　　　　　　いいえ

2. これまでに流産や死産，出産後1年間にお子さんを亡くされたことがありますか？
　　　　　　はい　　　　　　いいえ

3. 今までに心理的な，あるいは精神的な問題で，カウンセラーや精神科医師，または心療内科医師などに相談したことはありますか？
　　　　　　はい　　　　　　いいえ

4. 困ったときに相談する人についてお尋ねします。
　① 夫には何でも打ち明けることができますか？
　　　　　　はい　　　　　　いいえ　　　　　　夫がいない
　② お母さんには何でも打ち明けることができますか？
　　　　　　はい　　　　　　いいえ　　　　　　実母がいない
　③ 夫やお母さんの他にも相談できる人がいますか？
　　　　　　はい　　　　　　いいえ

5. 生活が苦しかったり，経済的な不安がありますか？
　　　　　　はい　　　　　　いいえ

6. 子育てをしていく上で，今のお住まいや環境に満足していますか？
　　　　　　はい　　　　　　いいえ

7. 今回の妊娠中に，家族や親しい方が亡くなったり，あなたや家族や親しい方が重い病気になったり，事故にあったことがありましたか？
　　　　　　はい　　　　　　いいえ

8. 赤ちゃんが，なぜむずかったり，泣いたりしているかわからないことがありますか？
　　　　　　はい　　　　　　いいえ

9. 赤ちゃんを叩きたくなることがありますか？
　　　　　　はい　　　　　　いいえ

　　　　ご記入日　　　　　年　　　月　　　日
　　　　ご出産日　　　　　年　　　月　　　日
　　　　お名前　＿＿＿＿＿＿＿＿＿＿＿＿＿＿＿＿＿＿
　　　　ご連絡先　〒＿＿＿＿＿＿＿＿＿＿＿＿＿＿＿＿
　　　　　　　　お電話番号　＿＿＿＿－＿＿＿＿－＿＿＿＿

※妊娠中は，質問8，9は省いて使用する。
（九州大学病院児童精神医学研究室-福岡市保健所使用版）

5　更年期のメンタルヘルス

　日本では，更年期は閉経を挟む前後5年ずつの10年間と定義され，この時期に現れる器質的変化に起因しない症状を更年期症状，その中で日常生活に支障をきたす病態を更年期障害と呼んでいる。更年期障害の原因は，卵巣機能の低下に加えて，加齢に伴う身体的変化，精神・心理的要因，社会・文化的な環境因子などが複合的に影響しているとされている[15]が，更年期は性成熟期から老年期への移行期という難しい時期にあたり，抑うつ・不安を主とする精神症状が見られることが少なくない。

表 4-15　エジンバラ産後うつ病質問票（EPDS）

ご出産おめでとうございます。ご出産から今までのあいだにどのようにお感じになったかをお知らせください。
今日だけでなく，過去 7 日間にあなたが感じたことに最も近い答えに〇をつけてください。必ず 10 項目全部に答えてください。

例）幸せだと感じた。
　　　（　）はい，常にそうだった
　　　（〇）はい，たいていそうだった
　　　（　）いいえ，あまり度々ではなかった
　　　（　）いいえ，まったくそうではなかった
"はい，たいていそうだった"と答えた場合は過去 7 日間のことをいいます。このような方法で質問にお答えください。

1）笑うことができたし，物事のおかしい面もわかった。
　　　（0）いつもと同様にできた。
　　　（1）あまりできなかった。
　　　（2）明らかにできなかった。
　　　（3）まったくできなかった。

2）物事を楽しみにして待った。
　　　（0）いつもと同様にできた。
　　　（1）あまりできなかった。
　　　（2）明らかにできなかった。
　　　（3）ほとんどできなかった。

3）物事が悪くいった時，自分を不必要に責めた。
　　　（3）はい，たいていそうだった。
　　　（2）はい，時々そうだった。
　　　（1）いいえ，あまり度々ではない。
　　　（0）いいえ，そうではなかった。

4）はっきりした理由もないのに不安になったり，心配した。
　　　（0）いいえ，そうではなかった。
　　　（1）ほとんどそうではなかった。
　　　（2）はい，時々あった。
　　　（3）はい，しょっちゅうあった。

5）はっきりした理由もないのに恐怖に襲われた。
　　　（3）はい，しょっちゅうあった。
　　　（2）はい，時々あった。
　　　（1）いいえ，めったになかった。
　　　（0）いいえ，まったくなかった。

6）することがたくさんあって大変だった。
　　　（3）はい，たいてい対処できなかった。
　　　（2）はい，いつものようにはうまく対処できなかった。
　　　（1）いいえ，たいていうまく対処した。
　　　（0）いいえ，普段通りに対処した。

7）不幸せなので，眠りにくかった。
　　　（3）はい，ほとんどいつもそうだった。
　　　（2）はい，時々そうだった。
　　　（1）いいえ，あまり度々ではなかった。
　　　（0）いいえ，まったくなかった。

8）悲しくなったり，惨めになった。
　　　（3）はい，たいていそうだった。
　　　（2）はい，かなりしばしばそうだった。
　　　（1）いいえ，あまり度々ではなかった。
　　　（0）いいえ，まったくそうではなかった。

9）不幸せなので，泣けてきた。
　　　（3）はい，たいていそうだった。
　　　（2）はい，かなりしばしばそうだった。
　　　（1）ほんの時々あった。
　　　（0）いいえ，まったくそうではなかった。

10）自分自身を傷つけるという考えが浮かんできた。
　　　（3）はい，かなりしばしばそうだった。
　　　（2）時々そうだった。
　　　（1）めったになかった。
　　　（0）まったくなかった。

ご記入日　　　年　　　　月　　　　日
ご出産日　　　年　　　　月　　　　日
お名前　　_____

※実際に使用する場合は，点数の入っていない質問票を使用する。
（文献[9-11]により作成）

1）メンタルヘルスの視点から見た更年期

　更年期は，卵巣機能の低下という視点でとらえられることが多いが，心理・社会的視点から見ると，人生の大きな過渡期としてとらえる必要がある。この時期の女性は，自身を取り巻くさまざまな環境の変化に遭遇し，周囲の人との関係や社会的役割が変化していくことを経験する。すなわち，家庭内では子どもの自立や孫の誕生，夫の定年やそれに伴う経済状況の変化，親の老化や介護問題などがあり，職場では役職の変化や定年，再雇用などの問題に直面する。そしてこのような変化の中で，人生が後戻りできない，やり直しのきかないものであり，自身もやがて老いて死に向かう存在であることに気づいていく。

　このように更年期の女性は，体の変化や環境の変化というさまざまな変化の中で，それまで生きてきた人生を受け入れ，残された時間の有限性を受け止めながら，人生の終末に向けて舵を切り直す地点に差しかかっていると考えることができる。この時期を乗り越えていくには，それまでの価

表 4-16 赤ちゃんへの気持ち質問票

ID. ＿＿＿＿＿＿＿＿＿＿＿＿＿＿

あなたの赤ちゃんについてどのように感じていますか？
下にあげているそれぞれについて，いまのあなたの気持ちにいちばん近いと感じられる表現に〇をつけてください。

	ほとんどいつも強くそう感じる。	たまに強くそう感じる。	たまに少しそう感じる。	全然そう感じない。
1）赤ちゃんをいとしいと感じる。	(0)	(1)	(2)	(3)
2）赤ちゃんのためにしないといけないことがあるのに，おろおろしてどうしていいかわからない時がある。	(3)	(2)	(1)	(0)
3）赤ちゃんのことが腹立たしくいやになる。	(3)	(2)	(1)	(0)
4）赤ちゃんに対して何も特別な気持ちがわかない。	(3)	(2)	(1)	(0)
5）赤ちゃんに対して怒りがこみあげる。	(3)	(2)	(1)	(0)
6）赤ちゃんの世話を楽しみながらしている。	(0)	(1)	(2)	(3)
7）こんな子でなかったらなあと思う。	(3)	(2)	(1)	(0)
8）赤ちゃんを守ってあげたいと感じる。	(0)	(1)	(2)	(3)
9）この子がいなかったらなあと思う。	(3)	(2)	(1)	(0)
10）赤ちゃんをとても身近に感じる。	(0)	(1)	(2)	(3)

```
ご記入日        年     月     日
ご出産日        年     月     日
お名前     ＿＿＿＿＿＿＿＿＿＿＿＿＿＿＿＿
ご連絡先   〒
           ＿＿＿＿＿＿＿＿＿＿＿＿＿＿＿＿
           お電話番号    －      －
```

※実際に使用する場合は，点数の入っていない質問票を使用する。
（文献[12,13]）により作成）

表 4-17 2 項目質問票

(1) NICE（英国国立医療技術評価機構）のガイドラインで推奨されるうつ病に関する 2 項目質問票

> 1. 過去 1 か月の間に，気分が落ち込んだり，元気がなくなる，あるいは絶望的になって，しばしば悩まされたことがありますか？
> 2. 過去 1 か月の間に，物事をすることに興味あるいはしばしば楽しみをほとんどなくして，しばしば悩まされたことがありますか？

質問に対して，1 つでも「はい」という回答があった場合，あるいはうつ病を疑わせるような懸念があった場合には，臨床的評価のために精神科医への受診をすすめるか，精神障害ハイリスク妊産婦と位置づけて観察する。

(2) NICE（英国国立医療技術評価機構）のガイドラインで推奨される全般性不安障害を評価するための質問例（GAD-2）

> 1. 過去 1 か月の間に，ほとんど毎日緊張感，不安感また神経過敏を感じることがありましたか？
> 2. 過去 1 か月の間に，ほとんど毎日心配することをやめられない，または心配をコントロールできないようなことがありましたか？

質問に対して，1 つでも「はい」という回答があった場合，あるいは不安障害を疑わせるような懸念があった場合には，精神科医への受診をすすめるか，ハイリスク妊産婦として観察を行う。

（文献[14]）を改変）

値観や適応様式を変化させていく必要があり，その意味で更年期には大きな心理的課題が存在していることを理解しなくてはならない。

表 4-18　日本産婦人科医会の「母と子のメンタルヘルスケア研修会」プログラム

コース	入門編	基礎編	応用編
目標	・妊産婦の心理的変化を理解する ・質問票を使ったメンタルヘルスのスクリーニングができる	・周産期の精神障害を理解する ・支援が必要な妊産婦に対して「傾聴と共感」を実践することができる	・多職種連携の必要性の判断とその実践を行う ・社会資源についての知識を身につける ・地域での研修会開催や事例検討を行う
内容*	1. 母子の愛着形成について	1. 周産期精神障害についての実践的知識 　① 周産期の精神障害 　② 向精神薬による薬物療法	1. 連携のためのプログラム 　～連携の実際と社会資源の活用～
	2. 周産期メンタルヘルスの重要性と日本産婦人科医会の取り組み		
	3. 周産期メンタルヘルスの基礎知識 　① 母子の関係性と妊産婦の対応の基本 　② 妊産婦のメンタルヘルスの不調と対応	2. 支援が必要な妊産婦への対応 　～メンタルヘルスケアにおける傾聴と共感～	2. 事例検討のためのプログラム
	4. 支援が必要な妊産婦のスクリーニング（3つの質問票の使い方）		
	5. 3つの質問票使用の実際		
	6. 質問票を使った面接のロールプレイ（ビデオ）	3. 傾聴と共感のロールプレイ（全員参加）	3. 事例検討の実際 　～ファシリテーター研修（実習）～
	7. 事例検討（グループワーク）	4. 事例検討（グループワーク）	4. 事例検討（グループワーク）
研修方法	研修会（入門編）	研修会（基礎編）	指導者講習会

*：灰色の欄は e-learning。
（文献[7]，p.65 により作成）

2）アセスメントと支援

更年期女性は多彩な症状を訴えるので，まず器質的疾患を除外し，年齢やホルモン検査で女性が更年期にあることを確認してから，以下のような手順で対応していく。

（1）症状の評価

更年期女性の愁訴を効率よく把握するには，質問紙の使用が有用である。表4-19に，日本産科婦人科学会による「日本人女性の更年期症状評価表」[16]を示す。これは，総得点で判定するものではなく，症状を整理し，どのような症状が問題になっているかを確認することを主な目的として作成されたものであるが，外来受診時のスクリーニングのほか，治療の効果判定にも用いることができる。症状の中で「不安感」や「ゆううつ」などの項目が強い場合には，不安・抑うつをみるための心理テストなどを併用し，さらなる病態の把握に努める。

（2）更年期女性の心理的問題に対する支援

抑うつ・不安の症状を示す更年期女性は，この時期に起こる環境の変化の中で，人間関係の葛藤に直面していることが多い。そしてそれが強い場合には，それまでの人生の選択に対する後悔や，これからの人生に対する絶望的な気持ちにつながっていく。

このような女性に対する支援として何より重要なことは，時間をかけて女性の気持ちに耳を傾ける傾聴と共感である。抑うつ・不安に陥るきっか

表 4-19　更年期症状評価表

症状	症状の程度		
	強	弱	無
1.　顔や上半身がほてる（熱くなる）			
2.　汗をかきやすい			
3.　夜なかなか寝付かれない			
4.　夜眠っても目をさましやすい			
5.　興奮しやすく，イライラすることが多い			
6.　いつも不安感がある			
7.　ささいなことが気になる			
8.　くよくよし，ゆううつなことが多い			
9.　無気力で，疲れやすい			
10.　眼が疲れる			
11.　ものごとが覚えにくかったり，物忘れが多い			
12.　めまいがある			
13.　胸がどきどきする			
14.　胸がしめつけられる			
15.　頭が重かったり，頭痛がよくする			
16.　肩や首がこる			
17.　背中や腰が痛む			
18.　手足の節々（関節）の痛みがある			
19.　腰や手足が冷える			
20.　手足（指）がしびれる			
21.　最近音に敏感である			

（文献[16]，p.887 より）

けとなった出来事のみならず，その背景にある女性の考え方や価値観などにも耳を傾け，それらに対して肯定的に共感する。更年期に抑うつ・不安を訴える女性は，この時期に至るまでの社会適応は良好だった場合が多く，女性の思いをしっかり受け止めることによって，女性が自ら問題を整理し，新しい価値観や適応様式を見出していくことが多い。

引 用 文 献
1）日本産科婦人科学会，日本女性医学学会編集・監修（2021）：CQ701：服用禁忌の説明は？　OC・LEP ガイドライン 2020 年度版，p.100-104.
2）日本摂食障害学会監修，「摂食障害治療ガイドライン」作成委員会編（2012）：摂食障害治療ガイドライン，医学書院.
3）日本精神神経学会日本語版用語監修，髙橋三郎，大野裕監訳（2023）：10.　食行動症及び摂食症群．DSM-5-TR™ 精神疾患の診断・統計マニュアル，医学書院，p.370，376.
4）摂食障害情報ポータルサイト（専門職の方）.
　〈https://www.edportal.jp/pro〉
5）平成 29 年度〜令和元年度 AMED 障害者対策総合研究開発事業（精神障害分野）「摂食障害の治療支援ネットワークの指針と簡易治療プログラムの開発」（研究開発代表者：安藤哲也），分担研究課題「身体科領域における摂食障害の連携指針の作成」（研究開発分担者：吉内一浩）：身体科領域の摂食障害の連携指針.
　〈https://www.edportal.jp/pro/pdf/medical_cooperation_02.pdf〉
6）摂食障害情報ポータルサイト（一般の方）.
　〈https://www.edportal.jp〉
7）日本産婦人科医会編（2021）：Ⅳ．MCMC 母と子のメンタルヘルスケア研修会，1.　母と子のメンタルヘルスケア研修会がめざすもの．妊産婦メンタルヘルスケアマニュアル，中外医学社，p.67-75.
8）吉田敬子監修，吉田敬子，山下洋，鈴宮寛子執筆（2005）：2.　質問票の活用の目的と留意点．産後の母親と家族のメンタルヘルス，母子保健事業団，p.10-15.

9）Cox, J. L., Holden, J. M., Sagovsky, R.（1987）：Detection of postnatal depression. Development of the 10-item Edinburgh Postnatal Depression Scale. *British Journal of Psychiatry*, 150：782-786.

10）岡野禎治, 村田真理子, 増地聡子, 他（1996）：日本版エジンバラ産後うつ病自己評価票（EPDS）の信頼性と妥当性. 精神科診断学, 7（4）：525-533.

11）山下洋, 吉田敬子（2003）：産後うつ病の母親のスクリーニングと介入について. 精神神經學雜誌, 105（9）：1129-1135.

12）Yoshida, K., Yamashita, H., Conroy, S., Marks, M. N., Kumar, C.（2012）：A Japanese version of Mother-to-Infant Bonding Scale：factor structure, longitudinal changes and links with maternal mood during the early postnatal period in Japanese mothers. *Archives of Women's Mental Health*, 15：343-352.

13）鈴宮寛子, 山下洋, 吉田敬子（2003）：出産後の母親にみられる抑うつ感情とボンディング障害. 精神科診断学, 14（1）：49-57.

14）日本産科婦人科学会, 日本産婦人科医会編集・監修（2020）：CQ011：妊娠中における精神障害ハイリスク妊産婦の抽出法とその対応は？　産婦人科診療ガイドライン―産科編 2020. p.49-51.

15）日本産科婦人科学会編（2018）：産科婦人科用語集・用語解説集（改訂第4版）. p.74-75.

16）日本産科婦人科学会生殖・内分泌委員会（2001）：「日本人用更年期・老年期スコアの確立と HRT 副作用調査小委員会」報告―日本人女性の更年期症状評価表の作成―（平成11年度―平成12年度検討結果報告）. 日本産科婦人科学会雑誌, 53（5）：883-888.

産前からの子育て支援による胎児を含む子どもの虐待予防の支援

最近の母子保健分野における学会・論文発表，研修会における枕詞に「妊娠期からの…」「切れ目ない…」「子育て支援」「児童虐待予防」というような文言がある。聞こえがよい言葉ではあるが，学術的に証明されていない部分も多く残されている。そこで，ここではできるだけ，実証的に解説を加えていくことを心がける。

1 | 産前からの子育て支援

これは，「切れ目ない」ということにつながる言葉である。では，人生には「切れ目」があってはいけないのか，というとそうでもない。成長過程を見ても，新生児・乳児・幼児から小児期を経て，思春期・青年・中年・老年という区切りがある。学習過程には，保育所・幼稚園・小学校・中学校・高等学校・大学・専門学校，また，趣味・サークル活動などがある。その他，就職・起業・定年・結婚等々，さまざまな段階があり，切れ目になっている。人生においては，切れ目という舞台を挟んで，大きな飛躍・成長・挫折・反省などの経験を積むことはよくあるし，切れ目そのものが悪いことばかりではない。さらに，切れ目の後段階から対応しても，手遅れにはならないことも多い。

われわれ産婦人科医師・助産師は，妊娠・出産を扱い，出生後は小児科医師に主導権を委ねればよいともいえる。しかし，ではなぜ，「産前からの子育て支援」をしなければならないのか考えてみたい。言い方を変えると，出産後からの子育て支援強化では，多くの母児には遅いことがあるならば，妊娠期からの子育て支援の重要性は増すことになる。

「健やか親子21」（2001〜2014年）は，母子の健康水準向上のための国民運動計画であった。第2次は2015〜2024年が予定されており，図4-9に示すような項目があげられている[1]。そして，この中で「切れ目ない」「妊娠期からの児童虐待防止」という文言が使用され，周知されていった。

1) 子どもの成長・発達と養育環境

人間の脳発達については，1歳くらいまでに多くの神経回路が構築されることが報告されている[2]。また，ブカレスト早期介入プロジェクト（BEIP）では，施設養育群（CAUG）・里親養育群（FCG）・家庭養育群

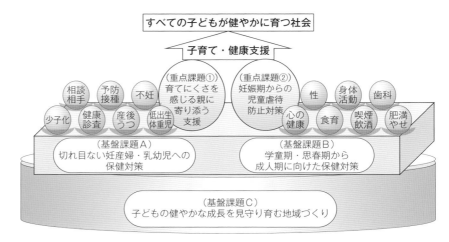

図 4-9 「健やか親子 21（第 2 次）」のイメージ
（文献[1]による）

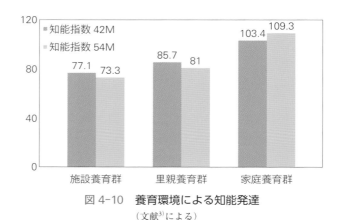

図 4-10 養育環境による知能発達
（文献[3]による）

（NIG）における幼児発達を報告している[3]。図 4-10 は，知能指数発達を見ているが，施設養育の子どもたちが最も低く，家庭養育が最も高かった。さらに，里親養育においても，24 か月までに施設を出た子どもは家庭養育に近かった。その後，脳の活動電位についても報告している[4]が，結果は同じく，家庭養育の子どもの脳活動電位が最も高かった。24 か月までに里子になった子どもは，家庭養育の子どもと同等であった。

Fujiwara[5]らは，子ども期の逆境体験（adverse childhood experience；ACE）と将来の疾病発症をライフコース疫学の視点から報告している（表 4-20）。Tani ら[6]は，日本老年学的評価研究（JAGES）のデータを用いて，3 つ以上の ACE を持つ高齢者は，認知症を発症する確率が 1.78 倍高くなることを報告している。

これらの報告から推察されることを，以下に示す。

・子どもの脳は，生後 1〜2 年で大きな影響を受ける。

・子どもの養育には，家庭が必要である。

表 4-20　子ども期の逆境体験(ACE)と日本
における ACE を持つ人の有病率

ACE の項目	一般的な人口における割合(%)
親の喪失（死亡または離婚）	11.4
親の精神疾患	1.1
親の薬物乱用	1.2
父親の母親への暴力	4.3
心理的虐待	2.8
身体的虐待	1.4
性的虐待	0.6
ネグレクト	0.3
子ども期の貧困	8.6
いじめ	8.2
慢性疾患による入院	2.6
自然災害	0.9
ACE 0	72.8
ACE 1	18.6
ACE 2	5.2
ACE 3＋	2.6

（文献[5]による）

・子ども期の負の経験は，将来にわたり影響する。

　日本における乳幼児健康診査（以下，健診）は，母子保健法によって，
1 歳 6 か月児健診と 3 歳児健診は義務である。実際，多くの乳児は，生後
1 か月は産科取り扱い機関で健診を受け，4 か月も受診している。しかし，
これだけで十分であろうか。

　前述のデータから考えれば，4 か月児健診から 1 歳 6 か月児健診までに
1 年以上の間隔が空いてしまう。もし，この間に子どもに ACE が起こって
しまえば，知らぬ間に消しがたい影響を残してしまうことになる。われわれ
周産期医療関係者が妊娠期・新生児期に不適切な養育環境が懸念されたな
らば，行政とともに支援に参加することが求められるのではないだろうか。

　ここで，特に大切な成長時期である生後 1 年までの子育て状況をよりよ
くするには，「切れ目ない」連携が重要になると思われる。乳幼児健診・小
児科医療の中で，関係者が不適切な養育（マルトリートメント；maltreat-
ment）をいち早く察知できるようになるには，妊娠期からの情報共有が非
常に重要である。

　児童虐待を考えてみると，身体・性的虐待は，家族以外であっても物理
的・客観的に把握しやすい。一方で，心理的虐待・ネグレクトは，家族以
外は把握しにくい。マルトリートメントが行われるならば，子ども自身の
望ましい成育を得ることが困難となってしまうであろう。個々の子どもに
見合った成長への環境提供がなされていない状況は，（外部から児童虐待
とは認識されないかもしれないが）問題視すべきと考える。

2) 妊婦健康診査

妊娠・出産における妊婦健康診査（妊婦健診，妊健）は，ポピュレーションアプローチであり，健康診断である。すなわち，保健事業としての位置づけであり，健康保険の対象とはなっていないため，自費である。そこで，助産師が妊婦健診を行うことも可能となる。最近は，経済的にも妊婦健診補助が拡大しており，母児に医学的問題が見つけられれば，医師・看護師・関係者とともに保険診療（ハイリスクアプローチ）が開始されることになる。

妊婦健診は広範な保健指導であり，尿検査，血圧測定，超音波検査によって，母児の疾病を見つけることが大きな役割として組み立てられてきた。しかし，核家族，少子化，孤立化などの社会変化の中で，妊婦はメンタルヘルス不調とともに出産・子育てへの不安が大きくなっている。そうした状況で，家庭環境を中心とした個人情報を医療関係者（特に，看護職員）が得る機会も格段に増えている。それらの背景を把握した場合には，「気になる妊婦」の存在が見えてしまう。

また，以前であれば，「気になる妊婦」と児童虐待を直接的に結びつけなかったかもしれないが，現在はそうではなく，「不適切な養育」「愛着障害」などを懸念することはたやすい。

3) 妊娠期からの児童虐待予防

児童虐待を取り巻く社会的要請から，以下のような法制定・改正が行われてきた。

児童虐待関連の法整備

2000 年	児童虐待防止法の制定（11 月〜）
2004 年	児童虐待防止法・児童福祉法の改正：要保護児童対策地域協議会（要対協）の規定
2005 年	「子ども虐待による死亡事例等の検証結果等について」（第 1 次報告）
2008 年	児童虐待防止法・児童福祉法の改正
2009 年	児童福祉法の改正：「特定妊婦」の規定
2010 年	臓器移植法の改正
2012 年	民法・児童福祉法・家事審判法・戸籍法の改正
2016 年	児童福祉法・母子保健法等の改正

児童虐待防止法が 2000 年 11 月に制定されたことから，毎年 11 月は「児童虐待防止推進月間」として全国で啓発活動が行われるようになった。さらに，2004 年の改正により，全市区町村に要保護児童対策地域協議会（要対協）が設置され，その翌年からは，児童虐待による死亡事例等について，厚生労働省の専門委員会により「子ども虐待による死亡事例等の検証結果等について」が毎年取りまとめられている（2022 年に第 18 次報告）。この報告書により，出生当日の虐待死亡（生後 0 日児死亡）事例の多さが注目を集めた。

その後も，母子を取り巻く環境の変化に応じて，幅広く法改正が行われ

ている。児童虐待が周産期医療との法的な関与を持つようになったのは，2009年の「特定妊婦」の規定からである。ここで強調しておきたいのは，特定妊婦を規定している法律は児童福祉法であって，児童虐待防止法ではないということである。筆者の私見ではあるが，「特定妊婦」はあくまでも「出産後の養育について出産前において支援を行うことが特に必要と認められる妊婦」であって，「児童虐待予備軍」ではない。

2016年の児童福祉法改正においては，「全ての児童が健全に育成されるよう，児童虐待について発生予防から自立支援まで一連の対策の更なる強化等を図るため，児童福祉法の理念を明確化するとともに，母子健康包括支援センターの全国展開，市町村及び児童相談所の体制の強化，里親委託の推進等の所要の措置を講ずる」と規定されている。ここにおいて，母子保健事業と児童虐待対策が法的に関連づけられたことになる。

上記条文中に登場する，母子保健法において「母子健康包括支援センター」と表記される組織は，「子育て世代包括支援センター」である。元来，医療は治療をする，保健は疾病予防を目指す，福祉は起きたことに対処する，という立場が主体であったため，児童福祉法に「予防」の概念が取り上げられたことは，まさに医療・保健・福祉の連携を牽引する方向性を示したものである。

「予防」は「因果関係のある原因」に対応して初めて達成される。たとえば，糖尿病の場合，やがて失明・腎不全に至ってしまうこともあるが，たとえ眼・腎臓管理を行ったとしても対処療法にすぎない。血糖管理ができてこそ，治療につながるのである。母親のメンタルヘルス不調，妊産婦の自殺，子育て困難，児童虐待，マルトリートメントなどが危惧された場合であっても，同様である。当該母児の環境・背景に潜む根本要因に対応しなくては，解消につながらない。産婦人科医師，新生児科医師，精神科医師，助産師，看護師，保健師，医療ソーシャルワーカー（MSW）やケースワーカーなどが専門的に対応したとしても，その要因に対応できていなければ，対応不十分となってしまう。

また，後述の社会的ハイリスク妊娠を引き起こしている要因は個別であり，さらに多岐にわたる。このような要因に辿り着くには，関係者による「妊産婦との信頼関係構築」を達成できることにかかっている。そして，妊娠・出産・子育ての場面において，妊産婦に最も近い立場にいるのは，助産師である。

4）妊産婦のメンタルヘルス不調

妊産婦に限らず，現代人には多くの場面でメンタルヘルス不調が見られる。妊産婦のメンタルヘルス不調によって引き起こされる重篤な転帰は，自殺と子育て困難である。

以前は，日本の妊産婦死亡統計には自殺が含まれていなかったため，正

確な集計は現在でも得られない。池田ら[7]は，2005～2014年の東京都23区内の妊産婦自殺は63例（妊産婦死亡率：出生10万対8.7）であったと報告している。現在の年間出生数は約80万件であるので，約70人に相当する。これは，実際の年間母体死亡数が約30例の現代において，見逃すことのできない数である。

「子ども虐待による死亡事例等の検証結果等について」[8]においては，心中事件も検証しており，第5～第17次報告の虐待死事例における心中以外698人，心中（未遂含む）464人を検証している。このうち，心中では生後0日死亡が1例（0.2%），0歳死亡が56例（12.1%）であった。心中は母親の自殺であり，出産後1年以内に57人（13年間）の母親が自殺していたという結果である。私見ではあるが，年間5例の心中事件があるならば，母親単独の自殺は10倍規模であっても違和感は少ない。

このような背景を受け，2017年から以下のような取り組みが進んでいる。

・妊産婦死亡統計への自殺の追加
・自殺総合対策大綱への妊産婦自殺の追加
・子育て世代包括支援センターの設置開始
・産婦健康診査（EPDS：表4-15参照）の開始
・産前・産後ケア事業の展開

また，メンタルヘルス不調を抱えた妊産婦の多くは，自殺するわけではないが，子育て困難にはなりやすい。Kawaguchiら[9]は，施設入所児童の母親の母子健康手帳で得た情報から，父母の年齢・婚姻関係，母親の精神疾患，児の健康状態（低出生体重児，先天性疾患）などが養育困難の有意なリスク因子になっていることを報告している。精神疾患合併妊娠においては，2021年に日本精神神経学会と日本産科婦人科学会の協働で「精神疾患を合併した，或いは合併の可能性のある妊産婦の診療ガイド：総論編」「同：各論編」[10,11]が作成されているので，参照されたい。

5）社会的ハイリスク妊娠

ここでは，筆者らの研究班が，特定妊婦の養育状況などを検証した結果[12]を紹介する。

特定妊婦72人からの出生児童の転帰が，1年から2年後においても，要保護児童21人（29.2%），要支援児童13人（18.1%），終結21人（29.2%），転出17人（23.6%）であった。特定妊婦から出生した要保護・支援児童継続（生後1年以上）は34/72（47.2%）であり，その他の妊婦からの64/2,852（2.2%）に比して有意に高頻度であった。

このようなデータからも，特定妊婦が出産した児童は，出生後も少なくとも数年単位での追跡・支援が必要であることがうかがえる。なお，特定妊婦の頻度は正確な統計はないものの，5%程度と推察されている。

表 4-21　SLIM 尺度

	項目	0 点	1 点	2 点	重み付け
1	年齢はいくつですか？	25 歳以上	20～24 歳	19 歳以下	×1
2	今回の妊娠がわかったとき，どんな気持ちでしたか？	嬉しかった	予想外だが嬉しかった	予想外で戸惑った，困った，なんとも思わない	×1
3	精神疾患の既往がありますか？	ない	以前にあった 病名（　　　　）	現在，通院している 病名（　　　　）	×2
4	対人関係でうまくいかなくなってトラブルになることはありますか？	ほとんどない	ときどきある	よくある	×3
5	経済的なゆとりはありますか？	ある	あまりない	ほとんどない	×2
6	生活の場所は一定していますか？	はい	ときどき変わる	よく変わる	×2
7	本当に困ったときに相談できる人はいますか？	何人かいる	1 人いる	1 人もいない	×3
8	自分の親との関係に満足していますか？	満足している	あまり満足していない	まったく満足していない	×2
9	パートナーとよくケンカしますか？	しない	ときどきする	よくする	×1

＊該当する項目の点数を重み付け掛け算をし，合計点を出してください。

合計点　0-4 点：　　　リスク　なし～低度
　　　　5-10 点：　　　リスク　中等度
　　　　11 点以上：　　リスク　高度

（文献[14]による）

　　　特定妊婦は法的に規定されてはいるが，実際には「気になる妊婦」も多数存在する。これらの妊娠を「社会的ハイリスク妊娠」と呼ぶことが増えている。筆者らは定義として，「さまざまな要因により，今後の子育てが困難であろうと思われる妊娠」という文言を提案した[13]。今後のご意見を賜りたいと考えている。

　　　Okamoto ら[14]は，社会的ハイリスク妊娠を把握するためのアセスメントツールとして，前向き研究により，SLIM 尺度（Social Life Impact for Mother scale：表 4-21）を報告した。社会的ハイリスク妊産婦に対する要因は，国や年代によって影響を受けるため，現在の日本の妊婦を取り巻く状況を反映したツールを使用することが重要である。この SLIM 尺度を用いた妊婦健康診査のありようは，今後の課題である。

　　　第 5～第 17 次報告の虐待死事例[8]のうち，心中以外 698 人，心中（未遂含む）464 人の行政機関の関与を確認したところ[9]，児童相談所および市区町村（虐待対応担当部署）の「いずれも関与なし」が心中以外は 461 人（66.0％），心中は 298 人（64.2％）で，ともに最多であった。次いで，「どちらも関与」が，心中以外は 107 人（15.3％），心中は 36 人（7.8％）で

あった。これらのうちどの程度が（産科）医療機関が情報共有できていたかは不明であるものの，医療・保健・福祉の連携が当面大きな課題であるのは疑いもないことであろう。

2 | 助産師の関与

近年，健康格差を生む社会的決定要因（social determinants of health；SDH）対応を医療の業務と見なすようになってきている。

以下に，American Academy of Family Physicians による社会的ニーズのスクリーニング項目を示す[15]。

> 社会的ニーズのスクリーニング項目
> ・住まい：安定した住まいがあるか，建物に問題はないか
> ・食料：経済的理由で十分に食べられない可能性はないか
> ・交通手段：来院方法は確保できているか
> ・ライフライン：電気・ガス・水道が止められたことはないか
> ・育児支援：支援が得られず仕事や学業が中断する可能性の有無
> ・雇用：仕事があるか
> ・教育：高校卒業以上の教育を受けられたか
> ・経済状況：日々の支払いで困ることはないか
> ・個人の安全：身体的暴力や精神的虐待を受けていないか
> ・支援の必要性：何らかの助けを必要としていないか

（American Academy of Family Physicians：Social Determinants of Health—Guide to Social Needs Screening より改変）

表現は異なるが，SLIM 尺度と似通った設定がなされている。今までは，保健・福祉の仕事であり，医療は直接関与・対応はしてこなかった部分である。したがって，医療の中でどの職種がどのような関与をすればよいのかは，今後の課題ではあるが，少なくとも医療従事者も当事者になるべき

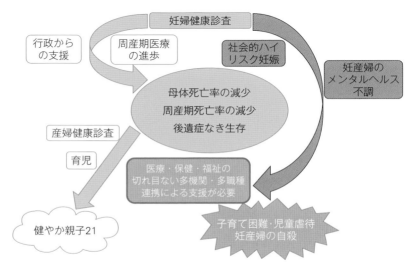

図 4-11　虐待予防支援においてカギとなる現行母子保健事業と課題

という考え方である。今までの母子保健事業で多くの成果が母児に与えられたものの，今後の課題対応には変革が求められていると考える。

　前項で述べてきた事項，すなわち，「健やか親子21（第2次）」「妊婦健康診査」「妊産婦のメンタルヘルス不調」「社会的ハイリスク妊娠」などを，図4-11にまとめてみた。多くの産婦人科医師は，これらのことを念頭に置き，今後も周産期予後の改善を目指して取り組んでいくと考える。

　一方で，これらの事項や関連する事項，すなわち，産後ケアやそれにつながる産婦健康診査，子育て支援といった分野の実務的主担当者としては，医療機関においては助産師があげられる。もちろん，一般看護師，保健師，MSWやケースワーカーなどとの協働作業が欠かせない。

　また，今まで，母児の健康を得るための過程は母親と子どもとでおおむね一致していたが，社会的ハイリスク妊娠への対応においては，母児の目指す方針は別であることもある。たとえば，特別養子縁組，里親委託，一時保護，いわゆる「内密出産」などは，多数ではないものの，きわめてまれというわけでもない。そのような場合に，母親の立場に立てるのは助産師であろう。もちろん，子どもの立場を否定する立場に立つわけではないが，母親の自殺や児童虐待を防ぐには，母児の方向性を分けて考えざるをえない場面も出てくる。

　このような極端なハイリスクへの支援もおろそかにはできないが，まずはポピュレーションアプローチによるすべての母児の健康状態の底上げが重要である。より多数の母児の目指す方向は同一であるからだ。私見であるが，手厚い支援によって「健やか親子」が実現される手伝いを業務として行える立場にいるのが助産師ではないだろうか。

　福井ら[16]は，大阪府小児救急電話相談（#8000）に寄せられる新生児の相談と育児不安について報告している。#8000は本来，子どもの急病に関しての相談電話である。しかし，そうであるにもかかわらず，一定数は母親自身に関する相談であり，最多は，生後2週間の時期である。この時期は，1か月健診はまだであり，出産した病院に問い合わせてもよさそうなものだが，#8000を頼っているのである。「妊産婦との信頼関係構築」が出産までにできていなかったと考えるのは飛躍であろうか。

　もちろん，多数ではなく，年間4万件の相談のうち500件程度である。しかし，このような母親が子育て困難，メンタルヘルス不調に陥りやすいとしたら，大阪府だけで年間数百人の母親が不安をつのらせていることを真摯に受け止めたい。

　成育過程にある者及びその保護者並びに妊産婦に対し必要な成育医療等を切れ目なく提供するための施策の総合的な推進に関する法律（成育基本法）の制定，こども家庭庁の発足に伴い，「妊娠期からの子育て支援」にも経済的後押しを期待したい。そのためには，現時点からしっかりと充実した有効性の高い母児支援の実績を積み上げてほしいと考える。

妊娠・出産の約99％は医療機関で行われる現状では，多くの母児は1か月健診で終診となっている現実がある。しかしながら，新しい支援課題が出現しているわけであり，たとえ病院勤務助産師であっても，分娩後1年程度の産後ケア・子育て支援への参画期待は増していると考える。

＊

以上，現行の母子保健事業と新たな課題に主眼を置き，虐待予防支援について述べた。医学的な関与によって，後遺症なき母児予後が得られたとしても，その後の時間経過で母児の健康が大きく損なわれるとしたら，大変残念である。助産師がすべての母児の健康に，一層の主体性を持って関与できる門戸が開かれていることを願っている。

引 用 文 献

1) 厚生労働省，健やか親子21推進協議会：健やか親子21（第2次）．
〈https://www.mhlw.go.jp/file/06-Seisakujouhou-11900000-Koyoukintoujidoukateikyoku/0000067539.pdf〉
2) Nelson, Charles A.（2000）：Neural plasticity and human development：the role of early experience in sculpting memory systems. *Developmental Science*, 3（2）：115-136.
3) Nelson 3rd, Charles A., Zeanah, Charles H., Fox, Nathan A., Marshall, Peter J., Smyke, Anna T., Guthrie Donald（2007）：Cognitive recovery in socially deprived young children：The Bucharest early intervention Project. *Science*, 318（5858）：1937-1940.
4) Vanderwert, Ross E., Marshall, Peter J., Nelson 3rd, Charles A., Zeanah, Charles H., Fox, Nathan A.（2010）：Timing of intervention affects brain electrical activity in children exposed to severe psychosocial neglect. *PLoS ONE*, 5（7）：e11415.
5) Fujiwara, T.（2022）：Impact of adverse childhood experience on physical and mental health：a life-course epidemiology perspective. *Psychiatry Clin. Neurosci.*, 76：544-551.
6) Tani, Y., Fujiwara, T., Kondo, K.（2020）：Association between adverse childhood experiences and dementia in older Japanese adults. *JAMA Netw Open*, 3：e1920740.
7) 池田智明（研究責任者）（2018）：平成30年度厚生労働科学研究費補助金成育疾患克服等次世代育成基盤（健やか次世代育成総合）研究事業総括研究報告書（平成30年度）「産婦死亡に関する情報の管理体制の構築及び予防介入の展開に向けた研究」．
〈https://mhlw-grants.niph.go.jp/system/files/2018/182011/201807009A_upload/201807009A0003.pdf〉
8) 社会保障審議会児童部会児童虐待等要保護事例の検証に関する専門委員会（2022）：子ども虐待による死亡事例等の検証結果等について（第18次報告）．
9) Kawaguchi, H., Fujiwara, T., Okamoto, Y., *et al.*（2020）：Perinatal determinants of child maltreatment in Japan. *Front. Pediatr.*, 8：143.
〈https://doi.org/10.3389/fped.2020.00143〉
10) 日本精神神経学会，日本産科婦人科学会監修（2022）：精神疾患を合併した，或いは合併の可能性のある妊産婦の診療ガイド：総論編，第1.3版．
〈https://fa.kyorin.co.jp/jspn/guideline/sALL_s.pdf〉
11) 日本精神神経学会，日本産科婦人科学会監修（2022）：精神疾患を合併した，或いは合併の可能性のある妊産婦の診療ガイド：各論編，第1.3版．
〈https://fa.kyorin.co.jp/jspn/guideline/kALL_s.pdf〉
12) 光田信信（研究代表者）（2017）：平成28年度厚生労働省科学研究費補助金（成育疾患克服等次世代育成基盤研究事業）「A市要保護児童対策地域協議会における特定妊婦の支援について」．
〈https://mhlw-grants.niph.go.jp/system/files/2017/172011/201707001B_upload/201707001B0004.pdf〉
13) 倉澤健太郎（研究分担者）（2019）：平成30年度厚生労働科学研究費補助金成育疾患克服等次世代育成基盤研究事業（健やか次世代育成総合研究事業）分担研究年度終了報告「社会的ハイリスクの位置づけ及び取り扱いに関する研究」．

〈https://mhlw-grants.niph.go.jp/system/files/2018/182011/201807011A_upload/201807
011A0005.pdf〉

14）Okamoto, Y., Doi, S., Isumi, A., Sugawara, J., Maeda, K., Satoh, S., Fujiwara, T., Mistuda, N.（2022）：Development of Social Life Impact for Mother（SLIM）scale at first trimester to identify mothers who need social support during postpartum：a hospital-based prospective study in Japan. *International Journal of Gynecology and Obstetrics*, 159（3）：882-890.

15）武田裕子（2023）：健康の社会的決定要因（SDH）―国際的視点を踏まえて．日医雑誌，151（10）．

16）福井聖子，三瓶舞紀子，金川武司，川口晴菜，和田聡子，光田信明（2017）：大阪府小児救急電話相談（#8000）に寄せられる新生児の相談と育児不安の検討．母性衛生，58（1）：185-191.

8 食育

1 食育とは

　近年の日本の食をめぐる状況の変化に伴い，「食」を大切にする心の欠如，栄養バランスの偏った食事の増加や，伝統ある食文化の喪失などが課題になっている。その中で，2005年7月に「食育基本法」が施行された。同法では，食育は，生きる上での基本であり，さまざまな経験を通じて，「食」に関する知識と「食」を選択する力を習得し，健全な食生活を実践することができる人間を育てるものとして推進が求められている。第4次食育推進基本計画（2021～2025年度）では，3つの重点事項を柱に，取り組みと施策を推進している（表4-22）。

　家庭の食生活は往々にして，大人の考えや行動によって決まり，親の食生活が子どもに伝わる。親となる妊婦の食生活は重要であり，女性の一生に関わる助産師が，妊婦を中心としたその家族に食教育を行うことは，有用であり，有効でもある。

2 ライフステージ別の食と栄養の課題

　発育・発達段階に応じた食の体験を重ねていくことによって，生涯にわたって健全な生活を送るための食習慣が形成される。このため，ライフステージに応じた食行動や食と栄養の課題を理解することが重要である（表4-23）。

表4-22　第4次食育推進基本計画（2021～2025年度）

重点事項	取り組み・施策
生涯を通じた心身の健康を支える食育の推進	高齢化が進む中で，「人生100年時代」に向けて，国民一人一人が生涯にわたって生き生きと過ごせることを重視し，健康寿命の延伸や多様な暮らしに対応した食環境作りを推進。
持続可能な食を支える食育の推進	健全な食生活を送るためには，持続可能な環境が不可欠。食を支える環境の持続に資する取り組みを推進。
「新たな日常」やデジタル化に対応した食育の推進	体験的な活動が多く，接触機会も多い食育において，新型コロナウイルス感染症（COVID-19）の感染拡大防止上必要な「新しい生活様式」への対応として，デジタル技術を上手に活用し，「新たな日常」の中で高まる食への関心を活かした食育を推進。

1）「食生活指針」

食習慣の乱れを解消し，肥満や生活習慣病を予防し，健康的な暮らしを目指す目的で，農林水産省により「食生活指針」[1]が策定された。その内容は，以下の 10 項目である。

食生活指針[1]
・食事を楽しみましょう
・1 日の食事のリズムから，健やかな生活リズムを
・適度な運動とバランスのよい食事で，適正体重の維持を
・主食，主菜，副菜を基本に，食事のバランスを
・ごはんなどの穀類をしっかりと
・野菜・果物，牛乳・乳製品，豆類，魚なども組み合わせて
・食塩は控えめに，脂肪は質と量を考えて
・日本の食文化や地域の産物を活かし，郷土の味の継承を
・食料資源を大切に，無駄や廃棄の少ない食生活を
・「食」に関する理解を深め，食生活を見直してみましょう

妊娠期は，「お腹の赤ちゃんのために何を食べるとよいのか」と考えるなど，モチベーションが高く，食生活を見直すよい機会である。また，一般に母親は家庭の食生活への影響力が強いため，この時期に食育を学ぶことが子どもに食の大切さを伝え，次世代の健康を担うことになる。

一方で，妊婦の低栄養による低出生体重児の割合の増加が指摘され，生涯を通じた健康への影響が懸念されている。こうしたことを踏まえ，厚生労働省は，「妊娠前からはじめる妊産婦のための食生活指針」[2]を策定した。その内容は，以下の 10 項目である。

妊娠前からはじめる妊産婦のための食生活指針[2]
・妊娠前から，バランスのよい食事をしっかりとりましょう
・「主食」を中心に，エネルギーをしっかりと
・不足しがちなビタミン・ミネラルを，「副菜」でたっぷりと
・「主菜」を組み合わせてたんぱく質を十分に
・乳製品，緑黄色野菜，豆類，小魚などで，カルシウムを十分に
・妊娠中の体重増加は，お母さんと赤ちゃんにとって望ましい量に
・母乳育児も，バランスのよい食生活のなかで
・無理なくからだを動かしましょう
・たばことお酒の害から赤ちゃんを守りましょう
・お母さんと赤ちゃんのからだと心のゆとりは，周囲のあたたかいサポートから

2）妊婦への食育

妊娠前・妊娠中の栄養状態が，生まれる子どもの健康や疾病リスクに強く関係していることが明らかになってきた。

イギリスの Barker らは，低出生体重児がその後，心筋梗塞や高血圧，2 型糖尿病，肥満といった成人病を発症するリスクが高いことを疫学調査で明らかにし，「成人病の胎児期起源説」（バーカー仮説）を提唱した[3]。

表 4-23　ライフステージ別

	胎児期（妊娠期）	乳児期	幼児期
食行動の特徴	〈妊婦〉 ・妊娠初期：悪阻（つわり）による食欲減退が起きやすい。 ・妊娠中期：食欲が増進する傾向が見られる一方で，体形の変化を恐れて食事量を抑えすぎる妊婦もいる。 ・妊娠末期：食欲不振，食後のもたれやむかつき，胸やけなどが起きやすい。	〈乳児〉 ・4か月ごろまで：哺乳が主。 ・5～6か月ごろ：舌や上顎，歯茎での咀嚼へと変化。 ・7～8か月ごろ：味覚が発達し，味のあるものを好む。 ・10か月ごろ：前歯で嚙む，手づかみ食べ，スプーンを握るなど，自力で食べる意欲が芽生える。 〈母親〉 ・質のよい母乳を多く出すことを願って，栄養面に注意を払う。 ・妊娠中に増加した体重を無理に減少させるために，極端な食事制限をする母親もいる。	・遊び食い，むら食い，偏食，小食などの悩みが増加。 ・スプーン，コップ，箸などが使えるようになる。 ・食事前後のあいさつや食事マナーなどのしつけができるようになる。
食・栄養の課題	＊エネルギー，葉酸，ビタミンA，鉄など，多くの栄養素必要量が増加。 ・エネルギー：初期（＋50 kcal），中期（＋250 kcal），末期（＋450 kcal）。 ・鉄：鉄欠乏性貧血が多い。 ・カルシウム：推奨量の摂取を目指す。 ・ビタミンA：初期に過剰摂取すると，胎児の形態異常のリスク。 ・葉酸：不足は胎児の神経管閉鎖障害のリスク増加，過剰摂取も神経障害のリスク。 ＊注意すべき感染症，有害物質：リステリアによる食中毒，魚介類摂取によるメチル水銀。 ＊低栄養，やせ，妊娠中の適正体重増加不良：低出生体重児，子宮内胎児発育遅延，切迫早産。 ＊肥満：妊娠高血圧症候群，妊娠糖尿病。 ＊アルコール：胎児性アルコール症候群，流産・死産。 ＊煙草：流産，早産，周産期死亡，低出生体重児。	〈乳児〉 ＊母乳または人工乳（ミルク）が離乳期までの主栄養源。 ＊5～6か月ごろ：離乳を開始。 ＊7～8か月ごろ：1日2回，舌食べを覚える時期。 ＊9～11か月ごろ：1日3回，歯茎食べを覚える時期。 ＊12～18か月ごろ：朝昼夕の3回食，歯食べを訓練する時期。 〈母親〉 ＊授乳婦はエネルギー（＋350 kcal），n-3系脂肪酸，ビタミンやミネラルなどの必要量が増加。 ＊産後6か月を目安に標準体重に戻す。 ＊菜食中心：ビタミンB_{12}，ビタミンDの欠乏。 ＊アルコール：母乳に検出される。 ＊カフェイン：母乳分泌量を減らしたり，乳児を興奮させたりする。 ＊煙草：乳幼児突然死症候群のリスク。	＊1日の食事3回だけでは必要なエネルギーや栄養素量がとれないため，間食1～2回で補う。 ＊咀嚼の発達の配慮。 ＊食欲不振，小食，偏食の対策。 ＊加工食品，インスタント食品，外食や中食への依存：成長期の味覚形成や心身の発達に影響。肥満や生活習慣病の要因。 ＊朝食欠食，遅い夕食，不規則な間食時間：正常な発達の妨げ。 ＊孤食，個食：精神不安定やコミュニケーション能力が育たない。 ＊食物アレルギーへの注意。

● **エピジェネティクス（epigenetics）**
DNAの塩基配列変化を伴わない遺伝子発現を制御・伝達するシステム。

そしてこれは，その後のさまざまな研究により，胎芽期・胎生期から出生後の発達期における種々の環境因子が，成長後の健康や疾病発症リスクに影響を及ぼす[4]という DOHaD 説（developmental origins of health and disease）に発展した。胎児期環境を手がかりにエピジェネティックな制御機構が発現し，出生時表現型が決定されるため，出生後の環境が胎児期環境とマッチしていれば健康を維持できるが，栄養過多や運動不足などのミスマッチがある場合，生活習慣病などの非感染性疾患（non-communicable diseases；NCDs）のリスクが上昇するという[5]。

エピジェネティックに影響する栄養素としては，炭水化物，葉酸，ビタミンB_{12}，ビタミンD，脂肪酸など多くのものがあり[6]，バランスのとれた

学童期	思春期	成人期	老年期
・学校給食で集団での食事を楽しむ。 ・自分の意思で食物を選択する機会が増える。 ・ファストフードやスナック菓子，清涼飲料水などのとりすぎ。 ・朝食の欠食や夜遅い食事の摂取などの食生活リズムの乱れ。 ・女子では，やせ願望や偏食。	・ファストフード，コンビニ食，菓子などが増える。 ・夜型生活，朝食欠食。 ・やせ願望，神経性やせ症が増加（女子）。	・中食，外食，飲酒の機会が増える傾向。 ・朝食欠食，夜遅い飲食が増加。 ・ラーメン，丼物などの糖質，脂肪主体の料理が好まれる（男性）。 ・やせ願望，食事制限（女性）。	・味覚が鈍感になる。 ・咀嚼・嚥下機能が低下。 ・高齢者世帯は単調な食事になりがち。 ・独居男性は食生活管理が困難になりがち。
＊カルシウム摂取不足：骨形成の妨げ，骨折しやすい。 ＊鉄摂取不足：初経後の女子。 ＊加工食品，インスタント食品，外食や中食への依存：成長期の味覚形成や心身の発達に影響。肥満や生活習慣病の要因。 ＊朝食欠食，遅い夕食，不規則な間食時間：正常な発達の妨げ。 ＊孤食，個食：精神不安定やコミュニケーション能力が育たない。 ＊食物アレルギーへの注意。 ＊やせ願望：骨や筋肉の弱化，妊娠や出産に影響（女子）。	＊初経後の女子は鉄の必要量増大。 ＊ファストフード，コンビニ食，菓子などへの依存：肥満や生活習慣病の要因。 ＊受験勉強などで夜食が増加：朝食欠食を招き，肥満や生活習慣病の要因。 ＊孤食，個食：拒食，過食，精神不安定，コミュニケーション不足などの要因。 ＊やせ願望による食事制限：骨や筋肉の弱化，貧血，妊娠や出産に影響（女子）。	・過度の飲酒：肥満，肝障害などの要因。 ・脂質，食塩などのとりすぎ。 ・外食や中食への依存。 ・ビタミン，ミネラル不足。 ・朝食欠食，遅い夕食。 ・ストレス過多，運動不足。 ↓ ＊肥満，生活習慣病，メタボリックシンドローム，過敏性腸症候群，うつ病などの要因。 ＊やせ願望：骨や筋肉の弱化，貧血，骨粗鬆症，妊娠や出産に影響（女性）。	＊脂質，食塩などのとりすぎ：生活習慣病の要因。 ＊咀嚼・嚥下機能や消化吸収機能の低下：誤嚥，低栄養の要因。 ＊骨粗鬆症，脱水予防。 ＊中食・市販食品の利用増：栄養の偏り。 ＊食塩過剰：生活習慣病，骨粗鬆症，低栄養などの要因。

必要で十分な量の栄養素を摂取することが重要である。

　栄養バランスのとれた理想的な食生活とは，「PFC 熱量比」で見た場合，三大栄養素の P（protein；蛋白質），F（fat；脂質），C（carbohydrate；糖質（炭水化物））が，P 12～13％，F 20～30％，C 57～68％の割合であるといわれている[7]。この比率は，「一汁三菜」を基本とする日本の伝統的食事スタイルと一致する。

　妊婦への食育の目的は，① 妊娠中の望ましい体重増加を理解し，望ましい食生活を送ることができること，② 妊娠中の食事の大切さを知り，必要な栄養の知識や妊娠中の注意事項を理解できること，③ 食を次世代に伝承する重要な役割が自分にはあることを認識できること，である。

望ましい食生活の実践には，目標設定と，セルフモニタリング，継続支援が必要である。目標設定は SMART（specific＝具体的，measurable＝測定可能，achievable＝達成可能，realistic＝現実的，timely＝タイムリー）の活用が効果的であり，指導する際には動機づけ理論や健康行動理論を活用してアプローチするとよい。

以下に，指導のポイントを示す。

（1）BMI を算出し，妊娠中の体重増加量を理解してもらう

自分の実際の体格と，イメージしている体形が一致していない妊婦がいる。特に，やせの妊婦は，「自分は普通か太っている」とイメージしている割合が高い[8]。非妊時の BMI（やせ・普通・肥満）区分によって，妊娠中の体重増加量を決定する。「産婦人科診療ガイドライン―産科編 2020」では，「厳しい体重管理を行う根拠となるエビデンスは乏しく，個人差を配慮してゆるやかな指導を心がける」とされている[9]。

（2）具体的な食生活を聞き取る

妊娠中期の妊婦は，食は胎児の発育や妊娠合併症の予防，母乳分泌に直結しており，必要な栄養素を意識してバランスのよい食事をとるべきであるということは理解している。しかし，エネルギー摂取量は，妊娠全期を通じて非妊時と変わらない[10]。厚生労働省の「国民健康・栄養調査」（2019年）[11]によると，20 代女性の朝食欠食率は 18.1％，30 代は 22.4％と高い。生活様式は大きく変化しているため，食事の時間・食事回数・食事内容など，個々の食生活について詳しく聞き取り，対象に合った具体的な指導を行うことが必要である。

● 何も食べない，錠剤などのみ，菓子・果物などのみの場合の合計。

（3）自炊することを強制しない

働く女性のうち，「毎日自炊している」のはわずか 17％であり，未婚女性の 4 人に 1 人が自炊の習慣が全くないという調査結果がある[12]。また，外食や中食（出来合い品を買ってきて食べること）の割合が増えていることから，料理を作ることを前提に指導しないことが望ましい。たとえば，コンビニ弁当を買う場合のバランスを考慮した工夫の仕方や，電子レンジで作ることのできる簡単なレシピなど，対象に合わせたレベルから指導を開始し，徐々にハードルを上げる。

（4）食生活改善取り組み時の注意

目標を達成したときの「ごほうび」を用意すると，モチベーションは向上する。しかし，注意したいのは，食べ物を「ごほうび」にしないことである。

セルフモニタリングの方法として，現在は，食べたものを記録できる食

事管理アプリケーションが多数ある。食べたものをチェックすると，過剰な体重増加の予防には効果があるが，妊娠中はダイエットを目標にしたチェックではないため，カロリー計算はすすめない方がよい。

(5) 食を次世代につなぐ役割を伝える

前述の DOHaD 説によって，妊娠中の体重増加や栄養管理が，妊婦自身だけではなく，子どもの長期予後にも影響することを，妊婦に理解してもらうことが重要である。また，子どもの食習慣には母親の影響が強いため，子どもの食や栄養の課題も理解してもらうことが求められる。

引用・参考文献

1) 農林水産省：食生活指針（2016 年 6 月一部改正）.
〈https://www.maff.go.jp/j/syokuiku/attach/pdf/shishinn.html〉
2) 厚生労働省（2021）：妊娠前からはじめる妊産婦のための食生活指針～妊娠前から，健康なからだづくりを～.
〈https://www.mhlw.go.jp/content/000776926.pdf〉
3) デイヴィッド・バーカー（福岡秀興監修，藤井留美 翻訳）（2005）：体内で成人病は始まっている—母親の正しい食生活が子どもを未来の病気から守る，ソニーマガジンズ.
4) 日本 DOHaD 学会：日本 DOHaD 研究会立ち上げのお知らせ.
〈http://square.umin.ac.jp/Jp-DOHaD/index.html〉
5) 佐田文宏（2016）：DOHaD と疫学. 日本衛生学会誌，71（1）：41-46.
6) 福岡秀興（2016）：妊婦の栄養は足りているか？ 胎生期の低ビタミン D 環境と出生後の身体発育（胎児プログラミング）. 周産期医学，46（12）：1441-1447.
7) 日本食育インストラクター協会：食育インストラクター養成講座 4，がくぶん，p.21.
8) 宇野薫，武見ゆかり，林芙美，細川モモ（2016）：妊娠前 BMI 区分やせの妊婦の栄養状態・食物摂取状況の特徴. 日本公衆衛生雑誌，63（12）：746.
9) 日本産科婦人科学会，日本産婦人科医会編集・監修（2020）：産婦人科診療ガイドライン—産科編 2020，p.46.
10) Kubota, K., Itoh, H., Tasaka, M., *et al.*（2013）：Changes of maternal dietary intake, body-weight and fetal growth throughout pregnancy in pregnant Japanese women. *J. Obstet. Gynaecol. Res.*, 39（9）：1383-1390.
11) 厚生労働省：令和元年国民健康・栄養調査結果の概要.
12) 旭化成ホームプロダクツ（2013）：働く女性の料理に関する意識調査について.
〈https://www.asahi-kasei.co.jp/asahi/jp/news/2013/li130910.html〉
13) 桑守豊美，志塚ふじ子編著（2015）：ライフステージの栄養学理論と実習，みらい.
14) 林進，飯田和子，他（2015）：ライフステージ別食の課題とアドバイス—牛乳・乳製品を活用して—，女子栄養大学出版部.
15) 妊娠食育研究会（2012）：妊婦食堂，ダイヤモンド社.
16) 杉山隆，滝本秀美編著（2021）：はじめてとりくむ妊娠期・授乳期の栄養ケア—リプロダクティブステージの視点から（「臨床栄養」別冊），医歯薬出版.

4

專門的自律能力

1 教育

1 〈専門的自律能力〉としての教育

　日本助産師会の示す「助産師のコア・コンピテンシー」の一つ、〈専門的自律能力〉は、自律性のある専門活動を維持し向上させるために必要な能力と位置づけられている。専門職能団体を組織して社会的な活動を行い、情報を発信することや、助産領域の研究に参画すること、助産師間やケア対象者、医師、他の専門職との相互交流を通じて、助産ケアの改革や質の向上を目指すこととともに、後輩助産師を育成することや、継続的に自己研鑽することが必要とされている[1]。また、同会の示す「助産師の声明」における「専門職としての自律を保つための役割・責務」にも、「自ら研鑽し助産師としての資質を高める責任」や、「後輩助産師の育成に努める責務」を持つことが明記されている[1]。

　日本看護協会が開発した助産実践能力習熟段階（クリニカルラダー：CLoCMiP®）では、〈専門的自律能力〉における【教育】を、「教育・指導」と「自己開発」に区別し、他者への働きかけと、自分自身に対する働きかけに関する2側面の実践力が示されている。上記「専門職としての自律を保つための役割・責務」との関連を整理すると、「教育・指導」は、「後輩助産師の育成に努める責務」であり、「自己開発」は、「自ら研鑽し助産師としての資質を高める責任」に関連しているといえる。

2 専門職を育成するための教育・指導

　助産師は、専門職として後輩や学生の教育・指導に関わる責務を持つが、組織においては、その立場や場面により、具体的な実践内容が異なる。

1）組織において、助産師の育成責任者として行う教育・研修の企画・運営

　組織において、助産師の育成に責任を持つ立場には、研修責任者や教育担当者などがある。

(1) 研修責任者として：組織に必要な教育内容の明確化・教育計画の立案と関係者への指導

研修責任者は，組織内で行われる助産師の育成（研修などの企画，運営，評価など）について責任を持ち，組織理念を踏まえ，所属施設の周産期医療機能を果たすために必要となる助産師教育方針を明確にする。また，策定した教育方針に基づいた教育・研修が企画・実施されるよう指導し，教育担当者などを支援する。

助産師の教育方針の作成については，看護部長などとの十分な検討・調整を必要とする。助産師育成方針に基づいた教育・研修を企画するためには，所属施設の助産師の状況を分析し，必要な教育計画を明らかにする。

具体的には，下記のような手順である。

> **教育計画の手順**
> ① 所属する助産師集団の人員構成（年齢・経験年数・教育背景など）と，助産師集団としての実践力の現状を把握する。
> ② 所属施設の周産期医療機能を果たすために必要な助産実践能力と①の差異を明らかにする。
> ③ 所属施設における助産師のキャリアパスを考慮し，必要な教育内容をいつ（経験年数や実践レベル），どのような方法（OJT，院内の集合研修，院外の集合研修，その他）で教育するかなどについて検討する。
> ④ キャリアパスに連動した教育計画と，それに基づく研修プログラムなどを作成する。

教育計画の適切な実施のために，助産師教育に携わる関係者とそれぞれが担う役割を明確にし，関係者間で役割を共有することも重要である。また，助産師の育成においてはOJT（on the job training；職場内研修）が重要であることから，仕事を通した指導場面や事例などについて検討し，計画できるよう，指導者のための教育・研修を企画するなど，助産師教育の関係者への指導や支援を行うことも必要である。

(2) 教育担当者として：部署に必要な研修の企画・運営

教育担当者は，助産師教育の方針に基づき，所属部署に必要な研修の企画・運営について中心的な役割を担う。所属部署の助産師の実践能力レベル別または経験年数別に必要な教育内容を明確にするとともに，それぞれの教育に関わる者を明らかにし，十分な連携・調整を図った上で教育・研修を実施する。

たとえば，新人助産師の教育については，プリセプターや，プリセプターを支援する立場の助産師や看護師長などとともに教育・研修を検討する必要がある。2年目以降の教育については，それぞれの役割において，教育対象者別に関係者と十分な連携・調整のもとで行う。

所属部署における教育では，OJTが重要となることから，助産業務の実践を通して助産師が学習できるよう，関係者と検討・計画した上で実施・評価する必要がある。

5

2）指導者として行う対象者（学生，後輩，その他）の「指導・支援」

　国際助産師連盟（ICM）の示す「助産師の倫理綱領」には，助産師が助産師の継続教育に貢献することや，助産師間の相互評価・研究など，さまざまな過程を通じて，助産の知識を発展させ，共有することなどが明記されている[2]。

　また，日本助産師会の示す「助産師の倫理綱領」においても，「助産師は，助産師学生の教育ならびに後継者の育成を積極的に行い，助産師の専門的能力の伝達・習得のための支援をする」ことが明記されている[1]。これらのことからも，すべての助産師は，学生および後輩に対する指導や学習支援に積極的に関わることが求められている。

　対象者が異なっていても，指導の際にポイントとなることは共通しており，下記が参考になる。

指導時のポイント
① 対象者が目指す目標を明らかにし，関係者で共有する。
② 目標達成に向けた具体的な方法を明確にし，対象者と共有する。
③ 目標達成のための方法を実施する。
④ 実施した内容を振り返り，フィードバックする。
⑤ フィードバックの反映状況を確認する。

　対象者のレディネスや現状を把握し，それに応じた指導方法を用いることが必要となる。知識の不足があれば，参考文献の紹介や研修への参加を促し，技術の未熟性があれば，実務経験を通して学習する機会を提供する。学生の実習指導の際には，教員や実習責任者などと情報を共有し，実習における目標を把握し，実習内容や実習方法に沿って指導する。また，新人助産師の指導において，実地指導者となる際には，関係者と連携し，新人助産師が目指す目標を達成できるように支援する。

　実務経験を通して行う教育，すなわちOJTでは，計画的な実施が必要であり，実施した後のフィードバックも重要である。フィードバックする際には，その方法・伝え方などについて配慮が必要であり，対象者の学びを支援するためには，コーチングスキルの活用が求められる。

　また，実務経験からの学びを深めるためには，振り返りが不可欠である。日常の振り返りに加え，定期的な事例検討などによる振り返りも効果的である。対象者が自ら振り返りを行えるように指導することも必要であり，指導者としては，成人学習理論や経験学習理論，コーチング，OJTについて理解しておく必要がある。

3 　助産ケアとしての教育・指導

　助産ケアとしての妊産褥婦などの対象者に行う保健指導などでは，個別に指導する場合や，小集団を対象に指導する場合がある。

(1) 個別に指導する場合

　個別に指導する際には，対象者の個別性を考慮して行う。対象者の個別の状況を把握することは，対象者のニーズに沿った指導の実施につながる。

(2) 小集団を対象に指導する場合

　小集団を対象に指導する際には，小集団の特性を把握することで，必要な指導内容を明確にする。また，小集団に参加する対象者の状況についても把握し，参加者全員が自分のこととして理解できるような方法を工夫する。集団でのグループダイナミクスを活用することも効果的である。

4　自ら研鑽し助産師の資質を高めるための自己開発

　「教育・指導」における自己への働きかけについては，ICM の「助産師の倫理綱領」において，自己の成長や知的・専門的成長を積極的に目指すことが明記され，日本助産師会の「助産師の倫理綱領」で，人格を陶冶（引き出し，育て上げること）し，専門職として必要な技術的成長のみならず，人間的な成長も求められている。そのためには，専門職である助産師として，どのような経験と学習を積み重ね，その専門性をどのように発揮していくかについて考える必要がある。さらに，そのためには，将来ビジョンを明確にし，計画的に学習すること，専門分野を深めるため自己課題を明確にすること，経験から学ぶことなどが不可欠である。

(1) 自己の将来ビジョンを明確にし，計画的に学習すること

　専門職としての自己のキャリアをデザインし，それに基づき必要な実践能力などの獲得および習熟を図る。将来的に目指す方向性が異なる場合であっても，すべての助産師は CLoCMiP® におけるレベルⅢの実践能力を保持していることが望ましい。

　将来的に目指す方向性として，病院などでの就業を継続する場合，助産所の開業を目指す場合，教員や研究者になることを目指す場合，その他の場合があり，CLoCMiP® レベルⅢの実践能力の上に，それぞれに必要な能力の獲得につながる学習が必要となる。いつごろ，どのようになりたいかを目標として掲げることで，その目標を達成するために必要な学習内容が明確になり，将来的な学習計画を考えることができる。

　たとえば，病院で定年まで勤務した後に，助産所の開業を目指す場合には，分娩介助技術を習得するのみならず，ウィメンズヘルスケアについても十分に指導できるよう，病院に就業している間に計画的に学習を進めておく必要がある。

（2）専門分野を深めるため，自己課題を明確にすること

　日本助産師会の示す「助産師のコア・コンピテンシー」には，〈倫理的感応力〉〈マタニティケア能力〉〈ウィメンズヘルスケア能力〉〈専門的自律能力〉の４つがある。これらの能力を熟達させていくためには，計画的・意図的に学習する必要があり，そのためには臨床実践能力が段階的に示されたクリニカルラダーなどのツールの活用が有用である。

　助産師のクリニカルラダーとしては，CLoCMiP®を活用することができる。CLoCMiP®では，上記「助産師のコア・コンピテンシー」に関する評価指標が示されている。これを活用することで，現状の実践能力を把握し，自己課題を明確にすることができるとともに，次に目指すべき目標を設定し，目標達成のための学習を継続することができる。これを繰り返すことが，自己の成長につながる。

（3）経験から学ぶこと

　学習は，読書や研修を受講する以外にも，他者の行動を見習うことや自分自身が経験したことからも可能である。経験から学ぶためには，実践後に行う振り返りが不可欠であり，個人や同僚・先輩などと行うことで，さまざまな側面のフィードバックを得ることができ，次の実践へとつながる。

　専門職の学習は，その後の実践に活用されることが求められており，振り返りにより得た教訓を次の実践に活用する必要がある。また，学習の主体は自分自身であることを認識し，振り返りを習慣化することが望ましい。個人で行う振り返りの方法として，業務での経験内容や気づき・ひらめき，発見した課題などを記録しておくことや，ポートフォリオを作成することなどがある。

　経験する内容については，問題意識を持って，高い目標や新たな課題に取り組むために，新しい経験にも挑戦することが重要である。

引用・参考文献
　1）日本助産師会（2021）：助産師の声明・綱領.
　　〈https://www.midwife.or.jp/midwife/competency.html〉
　2）国際助産師連盟（ICM）（2014）：助産師の倫理綱領.
　　〈https://www.nurse.or.jp/home/publication/pdf/rinri/icm_ethics.pdf〉
　3）日本看護協会（2022）：助産実践能力習熟段階（クリニカルラダー）活用ガイド2022.

2 研究

1 コクランレビューやガイドラインの活用

　助産のケアで疑問が生じたときに，最新のエビデンス（科学的根拠）を検索するには，コクラン系統的レビュー（systematic review）を，そのホームページ（cochrane. org）で検索するとよい。現在，コクラン日本支部では，日本語の要旨（アブストラクト）の翻訳を進めており，翻訳されたものはすべて日本語版サイトに掲載され，無料で閲覧することができる。

　コクランとは，1992年にオックスフォードで設立された国際的な非営利団体であり，研究者，医療従事者，医療消費者，介護者，活動家，保健・医療に関心のある人々の独立した世界的なネットワークである。コクランによって，系統的レビューと呼ばれる，同じ研究課題に関して検討した研究を網羅的・系統的に検索し，その結果を質に応じて吟味した上で，必要に応じて統計学的な統合を行う手法が確立された。

　コクランは，研究を通して得られた膨大な量のエビデンスを，医療に関する意思決定に役立てるという課題に応えている。2023年現在までに190か国以上の研究者・医療者が参加し，9,000以上に上るレビューが作成され，世界保健機関（World Health Organization；WHO）をはじめ，世界中の保健・医療分野に影響している。

　コクランの始まりは，イギリスの産婦人科・助産の分野のエビデンスが少ないことから，産婦人科医師の Iain Chalmers が，妊娠・出産領域の系統的レビューを実施し，網羅的にまとめたことであった。そのため，コクラン全体の中でも，妊娠・出産グループが最も系統的レビューの数が多く，助産ケアのエビデンスが多く掲載されている。

　コクラン系統的レビューは，2年ごとに新しいランダム化比較試験（randomized controlled trial；RCT）を追加し，アップデートされていくので，なるべく最新のものを検索し，参照するようにする。助産師がよく見ておくべきコクラングループは，妊娠・出産グループ（pregnancy and childbirth group）と新生児グループ（neonatal group）である。

　国外の助産に関連するケアのガイドラインで，参照するとよいものを以下にまとめる。

国外の助産に関連する助産ガイドライン，看護ガイドライン，診療ガイドライン
・WHO recommendations on antenatal care for a positive pregnancy experience
・WHO recommendations on interventions to improve preterm birth outcomes
・WHO recommendations for prevention and treatment of maternal peripartum infections
・WHO recommendations for the prevention and treatment of postpartum haemorrhage
・WHO recommendations for prevention and treatment of pre-eclampsia and eclampsia
・Antenatal and postnatal mental health：clinical management and service guidance（NICE guideline）

　WHO ガイドラインは，90％以上がコクラン系統的レビューに基づき作成されており，日本の助産ケアにも必要な，最新のエビデンスを参照することができる。

　また，英国国立医療技術評価機構（National Institute for Health and Care Excellence；NICE）が発行している産後うつに関する診療ガイドラインは，量的研究および質的研究の系統的レビューに基づく結果を記載しており，助産ガイドラインの未来の進むべき方向性を示している。

　ただし，国外の助産に関連したケアのガイドラインを参照するときには，日本と異なる文化や社会保障制度などに鑑みて解釈する必要がある。

2 研究発表

　研究とは，英語で"research"というが，re（再び）-search（新しい知識を探し出す）というプロセスである。

　助産師が行う研究とは，助産の実践に役立つ科学的な知識体系の中に，新しい知識（エビデンス）を積み重ねていく営みである。他の研究者の論文に引用されて初めて，その積み重ねに寄与し，その知識は継承されていく。そして，この知識体系の中に積み重ねていくことで初めて，多くの人へ継承され，助産実践の役に立てる知識となる。この知識の伝達，つまり研究発表がなされてこそ，新しい知識や発見を，他の助産の専門家たちに伝え，実践に役立ててもらうことができるのである。

　研究発表の種類には，報告書や，学内・院内発表，研究会や学術集会（学会）での「ポスター発表」や「口演発表」などの発表のほかに，「論文」として，学術雑誌や看護関連雑誌などに掲載される誌上発表の形がある。

　研究発表を知識体系の中に積み重ねていくには，他の研究者が検索したときに，実施した研究が引用されるように学会発表や学術雑誌への投稿を行い，公の場に発表していく必要がある。学会発表は，医学中央雑誌や，Google Scholar などで検索すると，誰でもタイトルと要旨を調べることができる。また，論文として掲載されることで，前述のように同様の分野の研究をしている人々に検索や引用をしてもらえることになるため，知識体

●　論文の構成
①論文のタイトル，②要旨（アブストラクト），③研究の背景（緒言），④目的，⑤方法，⑥結果，⑦考察，⑧結論，⑨引用文献，⑩謝辞。

系や実践に貢献することができる。

　学会とは，同じ学術分野に属している研究者や実践者が，知識や情報の交換や，研究成果の発表を行うために組織された団体である。助産や看護の学会を探すには，日本看護系学会協議会に登録されている 49 学会（2023年現在）を参照するとよい。

⊙ https://www.jana-of-fice.com/member/index.html

　なお，一般的に，学会で発表を行うには，その学会の会員になり，演題登録を行う必要がある。演題登録は，学術集会が開催される数か月前には締め切られるため，早めの準備が必要となる。

3 実践への応用

1) 助産ガイドライン適用の意義

　助産ガイドラインを臨床で使用することは，妊産婦や女性たちのケアの質やアウトカムの改善に貢献するであろうか。

　Thomas ら[1]は，看護職者（助産師を含む）が，ケアに看護や助産のガイドラインを導入した場合と，通常ケアを比較した系統的レビューを実施している。

　その結果によると，看護ガイドラインを導入した方が，看護職者のプロセスと，対象となる妊産婦（女性）のヘルスアウトカムの向上が見られている。ただし，同研究の限界として，ガイドラインがエビデンスに基づいているかどうかの確認がないということと，サンプルサイズが少なく，主なアウトカムの有意差が出ていないものもあったということを述べている。

　質の高い助産ガイドラインを作成するには，系統的レビューに基づき，エビデンスの質（エビデンスレベル）について，アウトカムごとに，医療者以外のメンバーも含む構成委員で合意をとり，推奨レベルを表示する必要がある。また，その後に助産ガイドラインに基づいたケアをどのように普及させていき，女性の健康のアウトカムを向上させていくかというのが，今後の課題である。

2) 研究結果の批判的吟味

　論文として発表されている研究であっても，情報をそのまま鵜呑みにはできない。論文の批判的吟味を行い，結果の内容と限界を理解した上で，実践ケアに活かす必要がある。手引きとして，『JAMA 医学文献の読み方』[2]，『医療系研究論文の読み方・まとめ方—論文の PECO から正しい統計的判断まで』[3]や，CASP（Critical Appraisal Skills Programme）Japan の示すチェックポイントを参照しながら，論文の批判的吟味をするのが有効である。

　実践では，論文の環境，状況と，実際の妊産婦や女性の相違を識別して応用する必要がある。また，論文から得た知見（有効性があるかどうか）

を，妊産婦や女性に説明できることが重要になる。相手の女性の希望を十分に引き出せたか，説明は適当だったか，医療者と対象となる妊産婦や女性とで判断を共有できたかということを，もう一度振り返って考えてみよう。

　医療者として，選択するケアの有効性があるかどうか，エビデンスの質はどのくらいかということに対して常に注意を払い，理解し，対象となる患者，妊産婦や女性，その家族にわかりやすく伝えていくことが重要な役割である。

　看護や助産のケアの中には，エビデンスの質の低いものも含まれているが，研究が活発化して，研究が増えない限り，エビデンスの質は上がっていかない。助産師として，研究を実施し，そして，系統的レビューの結果を解釈して，有効性のある実践ケアを推進していってほしい。

3）GRADE アプローチによる診療（看護・助産）ガイドラインの実践への応用

　これまで，個別研究のデザインでエビデンスの格付けを行っていたが，質の低いランダム化比較試験であっても質が高いと評価されたり，質の高い観察研究であっても質が低いと評価されたりすることや，アウトカムが重要でなくとも有意差があれば効果があると解釈されるという問題点があった。

　そこで，系統的レビューのアウトカムごとにエビデンス総体を評価する手法として，The Grading of Recommendations Assessment, Development and Evaluation（GRADE）システムを紹介する。系統的レビューによって，複数の研究を統合した重要なアウトカムを総体エビデンスとして評価するという GRADE アプローチという手法が，マクマスター大学の Gordon Guyatt らにより開発された。GRADE は，WHO やコクラン，NICE など，100 以上の専門学会やガイドライン作成機関で採用され，診療ガイドライン作成の国際的な標準手法となっている。

　GRADE アプローチは，それぞれの臨床疑問（clinical question；CQ）を明確に PICO の形で設定し，それに基づき系統的レビューを行う。PICO とは，臨床疑問をより具体的に整理するためのもので，patients（対象者，患者），intervention（介入方法），comparison（比較方法，比較対照），outcomes（主要なアウトカム）の頭文字をとったものである。

　GRADE においては最大 7 つのアウトカムを選択することを基本とし，各アウトカムの重要性の評価を，ガイドライン作成委員会内の合意のもとに，患者にとって，重大（7～9点），重要（4～6点），重要でない（1～3点）の 9 段階に分類した。このうち，重要でないアウトカムはエビデンス総体の質評価の対象にはならず，患者にとって重大あるいは重要なアウトカムが推奨決定のための対象とされる。系統的レビュー実施後，各アウト

カムに関するエビデンスの質を決定する。

　GRADE は，「効果推定値の確信性」を，以下の 4 つのエビデンスのレベルに分けている[4]。

① 高（high）：今後の研究によって効果推定値の確からしさが変わる可能性が低い。

② 中（moderate）：今後の研究によって効果推定値の確からしさに重大な影響が及ぶ可能性が高く，推定値が変わる可能性がある。

③ 低（low）：今後の研究によって効果推定値の確信性に重大な影響が及ぶ可能性が非常に高く，推定値が変わる可能性が大きい。

④ 非常に低い（very low）：あらゆる効果推定値が不確実である。

4）エビデンスから推奨へ

　推奨レベルは，GRADE 表記の 2 段階（強い，弱い）に分類される。推奨の強さは，アウトカム全般にわたるエビデンスの質，望ましい効果と望ましくない効果のバランス，患者の価値観や好み，コストや資源の利用の 4 要因を考慮し，診療の推奨の方向性（する，しない）と推奨の強さ（強い推奨，弱い推奨）が策定される。

　強い推奨（We recommend；推奨する）とは，介入による望ましい効果（利益）が望ましくない効果（害，負担，コスト）を上回る，または下回る確信が強いことを示す。妊産婦，女性（または患者）のほぼ全員が，その状況下において推奨される介入を希望し，希望しない人がごくわずかである。医療従事者のほぼ全員が推奨される介入の実施を受け入れる。政策作成者にとっては，ほとんどの状況下で推奨事項をパフォーマンス指標として政策に採用することが可能である。

　弱い推奨（We suggest；提案する）とは，介入による望ましい効果（利益）が望ましくない効果（害，負担，コスト）を上回る，または下回る確信が弱いことを示す。妊産婦，女性（または患者）の多くが，その状況下において提案される介入を希望するが，希望しない人も少なくない。助産師が，女性が意思決定できるように介入を提案するために，GRADE のエビデンスの質は，ケアの質の基準やパフォーマンス指標として利用できるだろう。

引 用 文 献
1）Thomas, L. H., McColl, E., Cullum, N., Rousseau, N., Soutter, J., Steen, N.（1998）：Effect of clinical guidelines in nursing, midwifery, and the therapies：a systematic review of evaluations. *Quality in Health Care*, 7（4）：183-191.
2）開原成充，浅井泰博監訳（2001）：JAMA 医学文献の読み方，中山書店.
3）対馬栄輝（2010）：医療系研究論文の読み方・まとめ方―論文の PECO から正しい統計的判断まで，東京図書.
4）相原守夫（2018）：診療ガイドラインのための GRADE システム，第 3 版，凸版メディア.

3 コミュニケーション(対人関係)

1 コミュニケーションとは

　コミュニケーションとは，「社会生活を営む人間の間に行われる知覚・感情・思考の伝達」(『広辞苑』)といわれている。助産ケアの場面にとっては，コミュニケーションは情報が伝達されるだけで成立するとは考えられていない。齋藤[1]は，コミュニケーションを「意味や感情をやりとりする行為」としている。助産ケアの本質が女性とともにあることを目指しているため，コミュニケーションも，女性の情報(意味)と女性の気持ち(感情)を受け取り，助産師との相互作用を行うことが重要ととらえられる。

　助産師は，対象者とコミュニケーションを通じてその人の情報とともに感情を理解し，ニーズを把握してケアを提供するのであるが，さまざまな助産場面においては，情報の側面が重視される場合もあれば，感情面のケアが優先される場合もある。助産師にとっても情報提供ということで情報のみ伝達しても，相手の思いに沿わなければ情報の意味が届かないこともある。

　コミュニケーション(対人関係)能力は，助産実践能力の基盤となる能力であり，日本助産師会の示す「助産師のコア・コンピテンシー」において，〈専門的自律能力〉の一つにあげられている[2]。コミュニケーション能力は，助産の対象となる女性や家族との信頼関係の構築にとって必須の能力であり，助産ケアの質に影響を与えるものである。助産実践においてコミュニケーション能力は，対象へのケアの質そのものに関係する直接対象へ関わる能力と，助産実践をチームで行い，さらに管理能力や多職種多機関との連携や協働に関わる実践能力も意味している。

2 コミュニケーションの種類

　コミュニケーションには，言語コミュニケーションと非言語的コミュニケーションがある(表5-1)。2者間の対話では，言葉によって伝えられるメッセージは，全体の35％にすぎず，残りの65％は，話しぶり，動作，ジェスチャー，相手との間のとり方など，言葉以外の手段によって伝えられる，と分析されている[3]。

　看護職は，非言語的コミュニケーションの重要性を認識し，五感をフル

表 5-1　コミュニケーションの種類

言語コミュニケーション	口頭の言葉，文面
非言語的コミュニケーション	・口頭の言語においての声の張りや高低・強弱，イントネーション，話す速度，言葉遣いなど ・言語を伴わない表情・顔色・外見・身だしなみ，身振り手振り，姿勢，視線，対人距離，身体接触など

に活用して観察し，看護を実践している。助産師においても，対象者に対して「何となく気になる」を大切にして対象のニーズや問題に気づくことができる。また，助産師は，分娩期のケアや乳房ケアなどで身体接触によるケアを援助技術として用いることも多く，そのようなケアがさらに対象者との関係を深めていくことになるという特質がある。

3　パートナーシップを築くためのコミュニケーション

1）対象となる女性や家族とともにある助産実践

　助産師にとって，女性や家族と信頼関係を築くためには，その対象の置かれた状況や体験している世界をその人の立場になって理解することが必要である。助産師は，コミュニケーションによって対象理解を深めていくことが求められるのであるが，言葉によるコミュニケーション以上に，非言語的コミュニケーションによって対象との信頼関係を深めていくことができる。

　助産師に求められるのは，女性への深い理解に基づいたパートナーシップを築くことである。女性の言動や非言語的情報を手がかりに潜在するニーズや問題に気づき，理解できなければならない。コミュニケーションは相互作用であるため，助産師は「気になる」ことを確かめ，対象の思いを理解することが必要となる。対象の経験している世界を観念的に追体験することである。

　『ケアの本質』を著したメイヤロフ[4]によると，「自分以外の人格をケアするには，私はその人とその人の世界を，まるで自分がその人になったように理解できなければならない」という。さらに，「彼が困惑していることを認識するには，私が困惑しなければならないというのではなくて，私が内面的に彼の困惑を『感じる』がゆえに，私は彼をその状態から助け出すことができる位置にいるのである」とも述べている。

　助産ケアの現場では，女性や家族の性と生殖に関わるさまざまな困難や悲痛な思いが渦巻いていることも多い。女性の体験は，助産師個人の体験を超えて存在している。助産師が女性や家族の認識や生活の実際を知ろうとしなければ，対象のニーズは見えてこない。そのためのコミュニケーションスキルが必要である。そして，対象理解のコミュニケーションの基

本的な技法として，傾聴がある。

2）傾　　　聴

　対象のニーズを把握するために，まず相手の立場に立って思いを「聴く」姿勢が求められる。「傾聴」は，助産実践において基盤となるケアである。

　アメリカの臨床心理学者・ロジャーズは，「積極的傾聴」(active listening) を提唱しており，聴く側の 3 要素として「共感的理解」「無条件の肯定的関心」「自己一致」をあげている[5]。「来談者中心療法」のカウンセリングの基本は，助産ケアにおいても学ぶところが多い。

(1) 傾聴の基本的な態度

　傾聴とは，相手に関心を持って積極的に関わろうとする行為とされている。助産の対象となる女性や子どもは，不安を抱えていたり自分の思いをうまく表現できなかったりしていることも多い。社会の中においても弱い立場に置かれていることも多く，安心できる環境が何より重要である。また，助産師は対象の「指導者」となってはならないので，相手のありのままを受け入れる態度で聴くことが必要である。

(2) 傾聴スキル

① うなずき，相づち

　対象の話に関心を持って聞いていることを示すには，相手の話にうなずいたり，積極的な傾聴を示すような相づちを打ったりすると，相手が自分の話を受け入れてくれているという実感を持つ。相づちについても，否定や非難を意味する言葉ではなく，相手を受け入れる言葉を返すことで話を遮らずに聴くことができる。

② アイコンタクト

　相手と眼を合わせることである。相手の眼を見て話を聞くことで，相手は自分に意識を向けられているという感覚を持つ。

③ 同じ言葉で返す

　相手の表現を受けて助産師がその内容を繰り返すことで，理解や共感を伝える。

【例】「初めての出産でとても心配です」という妊婦に対して：
　　　「出産が心配なのですね」

④ 言い換え

　別の言葉で言い換えたり，要約したりして理解を伝える。

【例】「……つまり，出産後，ご実家のお母さんにどの程度お手伝いに来てもらえるかわからないのですね」

⑤ 「開かれた質問」

　「オープンクエスチョン」ともいわれるが，相手が比較的自由に答えられ

る質問の形式である。「はい」「いいえ」などの答え方が限られている質問は，答えやすいが，相手の思いを引き出すことは難しい。しかし，正確な情報が知りたい場合には有効な質問形式である。コミュニケーションが進むと，「開かれた質問」により対象者が自分の言葉で語ることができるようになる。それにより，対象者の状況や思いがより明らかになる。

【例】「出産後，自宅に帰ってからどんなことが心配ですか」

3）自己決定を促すコミュニケーション

　対象者と助産師との関わりにおいて共感的理解が進み，前述の「開かれた質問」ができるようになると，対象者は自らの課題が整理でき，自分の言葉で自分自身を語ることができるようになる。日本助産師会の示す「助産師の声明」によると，助産とは，「女性と子どもおよび家族が本質的に持っている能力を最大限に発揮させる行為」である[2]。助産師とのコミュニケーションは，女性の自己決定を促し，エンパワーメントにつながっていく。

4　医療現場におけるコミュニケーション

1）心理的安全性

　助産実践は多くの場合，チームで実践される。チームでのコミュニケーションを円滑に進めるには，その組織の中で「心理的安全性」が保障されていることが重要であると指摘されている。つまり，組織やチームの中で，自分の考えや気持ちを誰に対しても安心して発言できる環境のことである[6]。

　医療現場では，施設の規模にかかわらず，助産師や医師をはじめ他の医療専門職，他の職員など多くの職種が働いており，また，それぞれの職種の中でも上下関係があり，複雑な関係となっている。そのような環境では，「こんなことをいったらおかしいと思われる」「私の立場では医師に意見はいえない」「間違っていることをいうと恥ずかしい」など，対等な関係で正直にものがいえる職場でなくなっていることも多い。さらに，罰を受けるのが怖いのでミスも隠してしまう。このような萎縮した組織には，活発で統一感のある創造的なチームは育ちにくいであろう。

　また，ビジネスの世界では，「心理的安全性」はチーム内での生産性を最も高める要因であることが明らかにされ，注目されているが，医療現場においても，医療の質の向上につながることが示されている。「心理的安全性」を可能にするコミュニケーションとは，「1人の人として尊重された対等な関係性」の実現である。特に，上司や先輩，専門職との関係において，重要だと考えられる。目標に対して妥協的でただ仲のよさを強調するだけのチームではなく，チームの目標を目指してさまざまな意見や考えを出し合いながら学習し，切磋琢磨していく組織を作るために，部下の建設的な

意見や独創的な考えも受け入れられる組織風土のことである。

2) 自己表現と「アサーティブなコミュニケーション」

このような「対等な関係性」を作っていくための有益な技法として，「アサーティブなコミュニケーション」の考え方やスキルを取り入れる組織が，医療現場に限らず増えてきている。

「アサーティブなコミュニケーション」とは，1950年代に開発された「行動療法」の一つであるが，その後，アメリカの人権回復運動の中でコミュニケーションの訓練法として広まったとされている。

「アサーティブなコミュニケーション」は，一言でいうと，「自分も相手も大切にする自己表現」のことである[7]。チーム医療や多職種と協働での実践活動において，「自分が考えたこと，感じたことを率直に相手に伝えることができる」「自分を抑えたり自分を責めたりすることなく，事実に基づいて表現できる」「チームの中で意見の違いや価値観の相違があっても，それを認め納得がいくように話し合うことができる」など，相互の立場を尊重したコミュニケーションが有益である。

自己表現には，次の3種類の形がある。これらの自己表現は，チーム内のみならず，対患者であっても同様である。

(1) 攻撃的な自己表現

相手を尊重せず自分のいいたいことを通す自己表現。自己中心的なコミュニケーションパターンとなるので，相手を萎縮させ，相手から避けられてしまう。また，相手に反発心を抱かせる。

(2) 非主張的な自己表現

自分を抑えて相手を優先させてしまう自己表現。はっきりと自分の意思表示ができない。相手との関係性を心配したり，周囲の目を気にしすぎたりするあまり，自分の感情や意見を抑えてしまうことで，ストレスや不満がたまることとなる。また，本人だけでなく，相手にもストレスを与える。

(3) アサーティブな自己表現

相手を尊重し，互いの意見や立場を大切にした自己表現。相手や自分を責めることなく，自分の感情や考えを示すこと。自分と相手の意見が違う場合には，相手の意図を理解し，誠実な態度で受け入れて，自分の考えを表現することが重要である。また，相手とは対等な立場であることが基本であり，相互理解を心がけ，前向きな表現ができることが望ましい。主語を「私」とする「I（自分）メッセージ」で伝えることで，自分の思いを明らかにでき，相手を尊重した関係を作ることができる。

【例】 受け持ちの A さんへのケアの準備をしているとき，別の仕事を依頼された場合：

「今から A さんのケアがあるので，忙しくて手が回りません」

「今は無理です」

➡ (1) **攻撃的な自己表現**をする助産師の思い：自分の状況をはっきり伝えることがよい。自分の意見を伝えたい。相手の言いなりにはなりたくない。

「はい……わかりました……」

➡ (2) **非主張的な自己表現**をする助産師の思い：断れない。自分の意見を伝えられない。手伝うのが正しいと思う。困っているのだから助けなくては……。

「今から A さんのケアがあるのですぐには行けませんが，○時ごろなら手伝えます」

➡ (3) **アサーティブな自己表現**をする助産師の思い：自分の状況や意見を伝え，相手の意見も聞いて自分のできることを返答する。

5 医療安全のためのコミュニケーションツール（SBAR）

　医療事故の調査・研究によると，コミュニケーションエラーが医療事故・インシデント（未然事故）の重要な原因であることが明らかになっている[8]。医療現場はチームで動いており，チーム内でのコミュニケーションが円滑に進んでいることで，患者安全は守られる。チーム内コミュニケーションにおいて，助産師は医師に報告することも多く，助産師の判断をどのように伝えるかは，医療の質に関わってくる。

　コミュニケーションツールとしての SBAR とは，2005 年にアメリカで開発された Team STEPPS® という医療安全対策のプログラムの一部で，患者安全を高めるために提唱された[9]。状況（situation），背景（background），評価（assessment），提案（recommendation）の頭文字をとったもので，重要性・緊急性を確実に伝えるため，状況報告する際に，これら 4 つの要素に分けて伝達する方法のことである。

　最初に I（identify）を付け加えることもあるが，これは，自分の所属と氏名，患者の氏名をまず伝えることである。

SBAR の要素

・situation（状況）：患者に何が起こっているか
・background（背景）：患者の臨床的背景は何か
・assessment（評価）：問題に対する自分の考えは何か
・recommendation（提案）：問題に対する自分の提案は何か

【例】

I：identify（自分の氏名・所属等と患者の氏名）

「産科病棟の助産師の○○です。患者は●●さんです」

S：situation（状況）

（患者に何が起こっているのか，異常と判断した状態や緊急性が高い情報を最初に伝える）

「分娩後1時間値の出血が400gです。出血が持続しています」

「遅発一過性徐脈が見られます」

B：background（患者背景）

（患者の臨床的背景は何か，患者の今までの経過，検査データ）

「3,200gの児を正常分娩した経産婦です」

「妊娠高血圧症候群の産婦で，現在の血圧は130/80mmHgです」

A：assessment（アセスメント，評価）

（問題に対する自分の考えは何か，何が問題だと思っているのか，心配なことは何か）

「出血が止まらず，弛緩出血ではないかと思います」

「何かおかしいように思います」

「状態がよくなりません」

R：recommendation（提案）

（問題に対する自分の提案は何か，相手に何をしてもらいたいのか）

「すぐに来てください」

「ルート確保の準備をしておきます」

「患者さんとご家族に説明をしてください」

　助産師は常に妊産婦のそばにいて観察やケアに当たっているため，対象の異常や変化に最も早く気づくことができる。産科病棟では，分娩進行中はもちろんだが，状態が急変する場合も多い。異常の早期発見だけでなく「何か変だ」という気づきを的確かつ迅速にチーム内に伝える必要がある。

　特に医師への連絡について，助産師がアサーティブな表現ができることが重要である。SBARにおいては，自分の判断だけでなくアセスメントも伝達するので，「自分の判断に自信がない」「こんなことで医師を呼んでいいのか」「根拠を示せない」などの思いが交錯して，的確に伝えられないことも多い。

　SBARは，患者の安全を守るための情報伝達ツールであるため，このツールをチームで学び，訓練することにより，施設内のコミュニケーションの改善に効果的であることが示唆されている。また，助産師が自分のアセスメントや判断を表現する習慣をつけることは，助産師自身の実践能力の向上に有用である。医療安全と患者ケアの質向上に向けて，助産師のコミュニケーション能力の習得は重要な課題である。

引 用 文 献

1）齋藤孝（2004）：コミュニケーション力（岩波新書），岩波書店，p.2-6.
2）日本助産師会（2021）：助産師の声明／コア・コンピテンシー，日本助産師会出版.
3）M・F・ヴァーガス（1987）：非言語（ノンバーバル）コミュニケーション（新潮選書），
　新潮社．p.15.
4）ミルトン・メイヤロフ，田村真，向野宣之（1987）：ケアの本質—生きることの意味，
　ゆみる出版，p.93-94.
5）諸富祥彦（2021）：カール・ロジャーズ—カウンセリングの原点—（角川選書），
　KADOKAWA.
6）エイミー・C.エドモンドソン（野津智子訳，村瀬俊朗解説）（2021）：恐れのない組織—
　「心理的安全性」が学習・イノベーション・成長をもたらす，英治出版，p.13-14.
7）平木典子，他（2002）：ナースのためのアサーション，金子書房，p.1.
8）嶋森好子，福留はるみ，他（2003）：コミュニケーションエラーによる事故事例の収集
　分析—看護現場におけるエラー事例の分析からエラー発生要因を探る—（2001 年度厚
　生労働科学研究報告書），p.13-28.
9）東京慈恵会医科大学付属病院看護部・医療安全管理部（2017）：Team STEPPS® を活用
　したヒューマンエラー防止策，日本看護協会出版会，p.42-44.

参 考 文 献

・諏訪茂樹（2019）：看護のためのコミュニケーションと人間関係，中央法規，p.60-83.
・戸田久美（2022）：アサーティブ・コミュニケーション（日経文庫），日本経済新聞出版
　社，p.31-45.

5

4 倫理

　助産実践能力習熟段階（クリニカルラダー：CLoCMiP®）では，〈専門的自律能力〉における「倫理」を，「社会性」と「助産倫理」に分け，各レベルに応じた教育目標や教育内容を示している。

　そこで，ここでも，「助産倫理」と「社会性」に分け，それらの側面から〈専門的自律能力〉について解説することとする。

1）助産倫理と〈専門的自律能力〉

(1) 助産師が感じる倫理的ジレンマ

　助産師は，日々の実践の中で，新しい命の誕生を通して，母と子という双方の命に向き合い，その個別の事象において，家族や周囲の人間関係などにも配慮しながら，時には複雑かつ重大な意思決定場面に遭遇することがある。女性ばかりの専門家集団であること，個人の体験や価値観とのギャップから，目の前にする事象に対して，倫理的ジレンマに悩むことも少なくない。

　助産師とは，英語では mid-wife，つまり，「女性のそばにいる」「ともにある」という意味を有する言葉で表現されている。

　一方，日本語ではこれを表現する漢字が「助産」，つまり，「出産を助ける」であるため，実践内容がどうしても「出産」が中心であるかのような印象が強い。しかし，① 妊娠に至らなければ妊婦にもならず，② 妊娠中のケアが行き届かなければ，よりよい出産には辿り着かず，③ 無事に出産を経なければ育児期に移行することもない。この一連の経過のすべてに助産師が関わることは必須なのである。

　たとえば，① について，不妊に悩む女性や家族を対象とした場面を考えてみよう。

　医療を専門としない彼らは，最新の不妊治療の種類や方法，それぞれの妊娠率，出産率など，どのように情報収集しているだろうか。そして，そうした人たちを目の前にしたとき，私たち医療者は，彼らのこれまでについて，どのような治療段階を経験し，夫婦間で経済的，心理的負担についてどのように考え，話し合いを経ているか，さらには，必ずしも妊娠に至らない場合もあることなどに思いをはせ，声をかけているだろうか。彼らの心情を受け止め，時には流産の不安におびえている状況を，まずは出産まで支えることができているだろうか。また，その女性自身は妊娠・出産を

経ることができたとしても，不妊治療中にともに励まし合った仲間が今なお治療中だということもあるだろう。そうした場合，自分だけそこから抜けてしまったという後ろめたさがあり，連絡できずに孤独感を感じているということもあるかもしれない。そうしたことに，気づいているだろうか。

　たとえば，②について，高齢であることを気にして，妊娠初期に出生前検査を考えている女性などを対象とした場面を考えてみよう。

　今や出生前検査を受けるのは当たり前のことと考えている妊婦も多く，非侵襲的出生前遺伝学的検査（non-invasive prenatal testing；NIPT）を受けようと思ってインターネットなどで調べ，どこで受検するのがよいのかわからなくて困っているということもあるかもしれないことを，医療者は知っているだろうか。やっとの思いで助産師に聞いたのに，「皆さん自分で考えていますよ」といわれ，「こんなことをわざわざ誰かに相談する自分はおかしいのだろうか」などと悩んでいるかもしれないと考えたことがあるだろうか。女性自身は，自分は高齢なので検査を受けた方がよいと思っていても，夫婦で意見が合わずに緊張状態が生じているということもあるかもしれない。そうしたことを考えたことがあるだろうか。

　誰もがインターネットなどで検索して得た出生前検査の情報について，その結果の意味するところや限界など，十分な知識を持っているのかということ，また，結果を待つまでの揺れ動く気持ちや葛藤に配慮して，まずは声をかけて相談に乗るということをしているだろうか。

　たとえば，③について，無痛分娩を試みて，結局は緊急帝王切開になった褥婦と家族を対象とした場面を考えてみよう。

　自身の頑張りが足りなかったせいで，胎児の心音が落ちてしまい，苦しめてしまったなどという自責の念を抱いているのではないか，あるいは，胎児の心音の低下した時間が長く，出生した児の状態を心配するあまり，なぜもっと早くに帝王切開に切り替えてくれなかったのかなどと，分娩担当者に対する不信感を持ったりしていないか，などと褥婦の心情に思いを巡らせ，十分に出産についてレビューできているだろうか。女性が出産をどうとらえるかによって影響を受ける，児への愛情や親としての感情などに，助産師としてどのように向き合ってケアを実践しているだろうか。

　女性や家族は，妊娠にまつわるさまざまな時期に，周囲からの影響を多大に受けることが容易に推察される。しかも，彼らはそれらの結果を自身で受け止めていかなければならない。特に女性は，パートナーや家族との間に葛藤・緊張状態が生じても，なお自身の胎内に宿る命と共存しているため，逃れることのできない宿命を負っている。女性は自身の価値観や人間としての器の大きさ，パートナーと家族との相違に向き合わざるをえない状況となるのである。

　出産や母乳育児などに関しては，時代背景によって考え方が異なる場合も多い。そのため，対応する助産師にも感情の揺れ動きが生じ，自身の価

値観に向き合うことになって，倫理的ジレンマを感じることも多いと予想される。

(2) 専門職として求められる判断

　専門職として考えた場合に，たとえ倫理的ジレンマが生じても，ケアを必要とする対象を目の前に，そのままにしておくことは倫理上問題である。しかし，助産師自身の価値観では決断しないような選択をする相手に出会うこともあるだろう。

　たとえば，「出生前検査でダウン症があるとわかったら，人工妊娠中絶を考えても仕方ないよね」と勝手に考えていないだろうか。あるいは，「子どもを育てるって，いろいろなことがあるんだし，すべてを受け止めていくべきよ。それが親になることだもの」という先輩助産師の言葉に対し，心の中で「そうかなあ……」と異議を唱えたことはないだろうか。

　パートナーや双方の家族，友人などの間で「今回は仕方ない，諦めようよ。また次に頑張っていこう」という意見が大半を占めたとしても，妊婦は自身の意見を優先して「産むこと」を決断できるだろうか。そして，そのような状況にある妊婦に助産師が遭遇したとする。日本では母体保護法上，胎児の染色体異常を理由とする人工妊娠中絶は認められていないが，そのことに鑑みると，助産師が「育てていくのは大変だから，中絶も仕方ないわよね」と同情するようにいったとしたら，それは専門職として妥当な発言といえるだろうか。

　このように考えてみると，助産師が専門職であるためには，自身の価値観と向き合い，それが対象の価値観と相違があったとしても，心身ともにつらい状況にある彼らに，必要とされるケアを十分に提供できることこそが求められている。つまり，物事の是非をジャッジするのではなく，それらによって派生する事象に対して，個別にケアすることが重要なのである。これこそが，「女性とともにある」助産師たるゆえんである。

2）社会性と〈専門的自律能力〉

(1) 専門職としての責務

　日本では現在，助産師は女性が独占する職業である。実際に妊娠・出産・育児を経験している者が従事していることも多く，たとえ経験がなくとも，わが事のように感じるのは比較的容易である。しかし，それゆえに，発言やアドバイス，ケアの基準が自身の価値観を反映するものとなっていないだろうか。

　社会人として，助産師として，各種規定に基づき行動することは，専門職としては当然のことである。したがって，各種施設で求められている役割を遵守し，さまざまな医療処置やケアを実施することも必要である。しかし，一方で，たとえば，新型コロナウイルス感染症（COVID-19）陽性

の妊婦の出産方法について，帝王切開を見直す活動に注目し，世界保健機関（WHO）の勧告や諸外国のエビデンスといった情報を収集し，アドボケーター（権利擁護者）として自身の施設で検討を重ねることも必要である。

「自身の価値観や経験」が，「助産師としての言動」になっていないか，自身でも点検する必要があるのだ。「助産師という専門職」の立場で出会っている女性や家族に対しては，これらの客観的根拠を確かめた上での発言でなければ，専門職の姿勢とはいえない。また，自身の妊娠・出産・育児経験を通してさまざまなことに気づかされ，より思考が深まることはある。しかしそれは，妊婦や家族の言動や表情，彼らとのこれまでの会話を通して，何を大切だと感じ，生きている人たちなのか，専門職として思いをはせるために役立つことはあっても，根拠にはならないことは，肝に銘じておきたい。

よく，妊婦や家族に，「助産師さんならどうしますか」と問われることがある。そこで求められているのは，助産師の意見を聞き，それが彼らの考えに賛同するものか否かを確認することである。自分たちと同意見であれば，「知識のある専門家もこう言っているのだから」と，周囲を説得するために使い，異なる意見であれば，「助産師さんにとってはしょせん他人事だから，模範的なことをいうのよね」と処理するために使うかもしれない。

助産師が自身の価値観をもとにアドバイスをしたとして，相手のその後の生涯にわたる育児に，どのように責任を持てるだろうか。ここからも，「女性や家族が自身で考え，受け止め，向き合うことを支援する」以外に，専門職としての責務はないということが理解される。

(2) 現代の「臨床知」の創出

こうした専門職の責務を果たすために最も重要なことは，実践データを蓄積し，評価結果を反映させ，臨床知を創出することである。いつまでも「新しいこと」はないのは当然である。一方で助産師は，分娩介助方法一つとっても，生涯現役である先輩助産師の伝統や経験に圧倒されるという経験を持つため，最新の技術や知識よりも経験から編み出された「知恵」のような側面に惹かれることもある。しかし，実はこうした「知恵」は，経験を積んだ助産師が専門職としての責務を果たすための「臨床知」なのである。

したがって，現代の助産師は，時代に即した技術に習熟し，それを利用し，現代の妊婦や家族に根拠を持ってケアを提供する中で，現代の「臨床知」をまた創出する必要がある。このことが繰り返されれば，助産ケアの水準を向上することにつながることが期待される。

たとえば，「新しい技術」という感覚がある，出生前検査について考えてみる。

1999 年，当時は母体の採血による出生前検査の実施に関して十分な説明がなく，その結果が確率で提示されることから，医療者にも妊婦にも結果の解釈に関して混乱が生じ，社会的に問題となった。そこで，当時の厚生省から，「母体血清マーカー検査に関する見解」が発出され，事実上，「出生前診断に関しては，積極的に情報提供しない方向」とされた。その後，新しい検査として NIPT が話題になったのは 2013 年のことであるが，「遺伝カウンセリング体制に関する臨床研究」ということで開始されたため，一定の基準にある認定施設でのみ，妊婦が研究に参加する形で実施された。しかし，検査方法が採血のみで簡便であることと，また，そのために認定施設外でも実施可能であったことから，結局は認定外の産科専門外の施設でも実施する状況が広がった。そこで，2021 年に厚生労働省では検討ワーキンググループが立ち上がり，厚生科学審議会科学技術部会「NIPT 等の出生前検査に関する専門委員会報告書」が発出されることになった。しかしその内容は，適切な情報提供を全妊婦に実施する，妊婦や家族の不安や葛藤に寄り添う相談支援体制を作っていくというものであった。つまり，1999 年当時の混乱の経験があまり活かされず，20 年以上経ってようやく，出生前検査に向き合う状況となったといえる。

　出生前検査に関しては，1999 年の上記「見解」の影響もあり，遺伝カウンセリングが重要であるとの啓発活動が盛んであったことも相まって，助産師は，「遺伝の専門職が関わる事項」ととらえてきていた。しかし，胎児の健康や障がいを心配することは，妊婦や家族にとって「普遍的なこと」である。妊婦健康診査で，胎児の成長や発達を超音波検査で確認するのは，あまりにも当たり前であるが，いったん画像上に「何か気になること」が

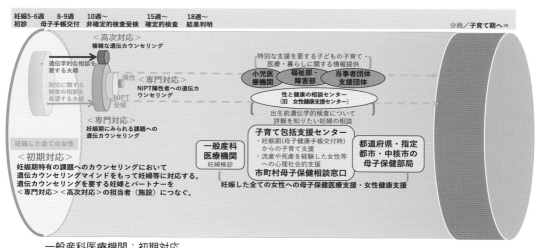

一般産科医療機関：初期対応
　　　　連携施設：初期対応・専門対応
　　　　基幹施設：初期対応・専門対応・高次対応

図 5-1　出生前検査認証制度等運営委員会による出生前検査に関わる包括的妊婦支援体制案[1]

発見されれば，通常の「赤ちゃんに会える検査」から，「出生前遺伝学的検査」として実施されることに変化する。したがって，妊娠中の「何か気になること」だけを誰かに委託するのではなく，包括的に妊婦や家族のケアをする中で，他の専門職に依頼する事項がある場合にはそこにつなぎ，その結果に関しても声をかけ，フォローしていく姿勢が重要である（図5-1）。

　すべての情報が国内だけでなく，全世界で同時に発信される時代となったことは，専門職にとっては自己研鑽に関する質・量が大幅に増加し，しかもスピードが要求されるようになったことを意味している。しかし，先延ばしにすることなく，専門職の責務として理解しなければならない事項を整理し，効率的な情報収集をもとにまた実践を繰り返していくことが，助産師の倫理として求められる能力である。

　「女性とともにあること」「女性のそばにいること」は，助産師の理念として変わることはない。だからこそ，時代による変化に柔軟に対応し，この普遍的な責務を果たしていくことが，先輩助産師から受け継いだ伝統を後進へと引き継いでいくことになると，筆者は確信する。

引 用 文 献
1）日本医学会（2022）：第2回出生前検査認証制度等運営委員会会議資料「遺伝カウンセリングと支援の流れ」．
　　〈https://jams.med.or.jp/news/061.html〉

5

ケーススタディで学ぶ意思決定支援

1 周産期医療における意思決定の特徴

　周産期医療では，母親（女性）と児の健康状態に対して，同時に支援していくことが求められる。「母親がいて児がいる」という生命の原則が，周産期の生命倫理の特徴である。そのため，母親やパートナー，医療者の価値観や社会的背景，地域性などが大きく影響し，助産師が業務を行う上で「葛藤」（コンフリクト）が生じやすい。

　葛藤が生じる状況として，以下が考えられる。

① 個別の女性と子どもや家族との間
② 医療職間（職種間や同職種間）
③ 女性・家族とガイドラインなどの社会のルールとの間

　このような状況においては，助産師自身が葛藤を抱えながらも，女性とともに「決める」こと（意思決定）を支援していくことが求められる。

　助産に関わる意思決定の特徴として，胎児が刻々と成長していくため，妊娠の中断や治療の時期を決定するのに時間的制約を受けること，子どもの医療処置など，さまざまな決定を親が決定するという「（子どもの）代理意思決定」を行うこと，カップルの合意形成が必要となること，などがあげられる。

　ここでは，意思決定に用いられるプロセスやツールを紹介するとともに，周産期医療の現場で遭遇しうる状況を例示し，助産師としていかに女性や家族の意思決定支援を行えばよいかを考察する。

2 意思決定支援のプロセスとツール

1）共有意思決定（SDM）

　意思決定支援は，決めるまでの「過程」（プロセス）にいかに納得するかに着目した支援である。

　共有（協働）意思決定（シェアードディシジョンメイキング；shared decision making，SDM）とは，医療者と医療を受ける人が現時点で利用できる最善のエビデンスを共有して，一緒に治療方針を決定していくプロセスのことである[1]。

　SDM の 4 つの要素は，下記のとおりである[2]。

① 少なくとも医療者と患者が関与する。

② 両者が情報を共有する。

③ 両者が希望の治療について，合意を形成するステップを踏む。

④ 実施する治療について合意に達する。

2）ディシジョンガイド

意思決定支援には，信頼関係を構築した上で，① 決めることに必要な最新のエビデンスに基づいた知識・情報の提供（ディシジョンエイド；decision aid），② 決め方の支援（ディシジョンガイド；decision guide）の両方が必要である。

ディシジョンガイドは，選択肢が 2 つ以上あって，そこから選択するという意思決定の場面において，対象者が十分に情報を理解し，何を大切にして決めるかをはっきりさせ，その価値観と一致した選択ができるように支援することを目的としたツールである。

特に，妊婦とパートナーという価値観の違う 2 人が，子どもに関する意思決定をする際に，互いの知識や価値観をすり合わせ，納得しながら決定していくプロセスは重要であり，これらを可視化するのにディシジョンガイドが役立つ。ディシジョンガイドの使用の効果は，通常のケアと比較して，より多くの知識や情報を得る，自分の価値観が明確になる，意思決定により積極的な役割を果たす，より価値観に合った選択をする，などが示唆されている[3]。

3）「オタワ意思決定ガイド」

「オタワ意思決定ガイド」（Ottawa Personal Decision Guide；表 5-2）は，① 決めることの明確化，② 知識と価値観の整理，③ 準備状況の確認，④ 次の一手を考える，という 4 つのステップから構成される意思決定支援ツールである。

対象者がこれら段階的なステップを踏むことで，選択肢について正しい情報を得て，よく考え，納得のいく自分らしい決定に辿り着くプロセスを医療者と共有することができる。

3 ケース 1：出生前診断を検討する妊婦

A さん，33 歳，3 妊 0 産。不妊治療を 2 年間続け，過去に胎児心拍確認前に 2 回の自然流産を経験している。

妊娠 8 週のころに出生前検査について情報提供されたが，悪阻がつらく，出生前検査について深く考えることはできなかった。

妊娠 10 週のころに，パートナーや実母から非侵襲的出生前遺伝学的検査（non-invasive prenatal testing；NIPT）を受けることをすすめられたが，「不妊治療をしてやっと授かった命なのに，もし障がいがあることがわかったら，妊娠継続を諦

表 5-2 [オタワ意思決定ガイド（個人用）]

オタワ意思決定ガイド（個人用）

健康、あるいは社会的な意思決定をする方々のために

❶ 決めるべきことを明らかにしましょう

決めなければならないことは何ですか？

なぜ決めなければならないのですか？

いつまでに決める必要がありますか？　　　□ まだ考えていない　　　□ もう少しで決められる
今どんな段階ですか？　　　　　　　　　□ 今考えている　　　　　□ もう決めている

❷ 決めるべきことを検討してみましょう

知識

選択肢を挙げ、それぞれの長所、短所を記入してください

価値観

それぞれの長所や短所はあなたにとってどれくらい重要ですか？
星（★）の数で評価してください

	長所・メリット（その選択肢を選ぶ理由）	重要度：0★（全く重要でない）～5★（大変重要）	短所・デメリット（その選択肢を避ける理由）	重要度：0★（全く重要でない）～5★（大変重要）
選択肢 1				
選択肢 2				
選択肢 3				

現時点では、どの選択肢がよいと思いますか？　　選択肢 1　　選択肢 2　　選択肢 3

サポート

決めるにあたって、あなた以外にこの選択肢が関わっていますか？　　はい　　いいえ

その人たちはどの選択肢がよいと思っていますか？

その人たちはあなたに対してプレッシャーを与えていますか？　　はい　　いいえ

その人たちはあなたにどのようなサポートをしていますか？

あなたはどのような決め方をしたいと思いますか？　　□ の意見を聞いてから自分で決めたい　　□ と一緒に決めたい　　□ に決めてもらいたい

（有森直子氏、他訳）

---

❸ 決めるにあたって必要なことを確認しましょう

知識

あなたは、それぞれの選択肢の利益とリスク（危険性）を知っていますか？　　はい　　いいえ

価値観

あなたにとって、どの利益とリスク（危険性）が最も重要であるかはっきりしていますか？　　はい　　いいえ

サポート

選択をするための十分な支援と助言を得ていますか？　　はい　　いいえ

自信の程度

あなたにとって、最も良い選択だという自信がありますか？　　はい　　いいえ

いずれかの質問に「いいえ」と回答した場合、❸や❹に行って、もう一度検討してみましょう
※上記の質問で1つでも「いいえ」を選んだ方は、決断が遅れたり、決断で気が変わったり、後で後悔したり、よくない結果になったりすると、ときに他の人を責めたりするなど決めにくくなりやすいと言われています

❹ 必要に応じて次のステップを考えましょう

意思決定に必要なこと　　☑ 試してみてもよいこと

知識

十分な情報が得られていないと感じる場合…
- □ 各選択肢についてもっとよく考え、長所・短所を短期・長期に挙げてどのことが実際に起こる可能性について調べてみましょう
- □ 疑問に思った点を書き出してみましょう
- □ どこで答えを見つけられるか調べてみましょう（例えば、図書館で調べる、専門家、カウンセラーに聞くなど）

価値観

どの長所・短所が気になるかはっきりしていない場合…
- □ ❷で最も気になる要素は何か、一番気になる要素を再確認しましょう
- □ 長所と短所が起こった場合にどうなるのか、実際に知っている人に聞いてみましょう、考えてみましょう
- □ 以前に同じような意思決定をしたことのあること話し合ってみましょう（専門家、カウンセラー、家族、友人、など）
- □ 他の人が何を重要視したのか、について書かれたものを読んでみましょう
- □ あなたにとって何が一番重要か、他の人と話し合ってみましょう

サポート

十分なサポートが得られていないと思う場合…
- □ あなたの選択肢について信頼する人と話し合ってみましょう（例えば、専門家、カウンセラー、家族、友人、など）
- □ あなたの選択肢のサポートを依頼しましょう（例えば、金銭的な補助、交通手段の確保、子供の預かり先、など）

自信の程度

どの選択肢が一番よいのか確信が持てない場合…
- □ あなたにとって重要だと思う人たちに、このガイドに記入してもらいましょう（どの部分が異なっているか一緒に確認しましょう）もし考えや事実について理解が違うときは、もう少し調べてみましょう／あなたと重要視するポイントが違う場合は、そのよりなぜそう思っているかについて考えてみましょう／他の人が重要視するポイントを順に聞いて回ってみましょう
- □ あなたにとって重要だと思う人たちと、一緒にこのガイドに記入してみましょう
- □ 聞いてもらう第三者をみつけましょう
- □ ❸や❹に戻って、もう一度確認しましょう
- □ 他に取り組めそうなことがあれば書き出してみましょう

原典：Ottawa Personal Decision Guide For People Making Health or Social Decisions（2015）。開発者の許可を得て翻訳。
原典の開発者：O'Connor, Stacey, Jacobsen. Ottawa Hospital Research Institute & University of Ottawa, Canada.
日本語版として承認された訳：有森直子・大坂和可子、2017年8月（August 2017）（2019年10月に The SURE test の部分を修正）
＊意思決定ガイド（オタワ）のダウンロード先：https://decisionaid.ohri.ca/decguide.html
＊意思決定ガイド使用の際の原典、有森直子までご連絡ください。連絡先：arimorik@lg.niigata-u.ac.jp

The SURE Test © 2008 O'Connor & Légaré

めることになるかもしれない」と，出生前検査を受けるかどうか決めきれず，助産師に相談した。

【倫理的課題】

Aさんは，胎児の生命を尊重したいと思う一方で，Aさんとパートナー，家族の価値観の違いから，意思決定に葛藤が生じている。

【倫理的視点】

出生前検査を受けるかどうかの意思決定支援においては，検査の結果がカップルの期待とは違った場合，「人間の生命，人間としての尊厳及び権利を尊重する」（日本看護協会「看護職の倫理綱領」1項）ことに関して，妊婦・パートナーの権利を尊重することと，胎児の生命・尊厳を尊重することとの間に葛藤が生じる。また，妊婦と胎児という2人（双方）の「対象となる人々に平等に看護を提供する」（同2項）ことは両立できないことから，葛藤が生じる。

【支援におけるヒント】

日本助産師会の示す「助産師のコア・コンピテンシー」では，「コンピテンシー2：マタニティケア能力」に，助産師は，「2.19 出生前診断に関わる意思決定および精神的支援を医師や他の専門職と協働し行う」とある（出生前診断の詳細は，第6章の2を参照）。

本ケースにおける意思決定支援のポイント

出生前検査を受ける前の支援

カップルが出生前検査を受ける前に，助産師は以下のことを確認することで，カップルの思いや考えを整理する。

①検査を受けたいと思ったきっかけは何か。

②子どもの病気について，具体的にどのようなことを心配しているか。

③検査を受けることで，その心配は払拭できるか。

出生前検査の結果告知を受けた妊娠の中断／継続判断のいずれについても，その後の継続的な心理支援は必要である。検査結果が陽性と告知されたカップルは，妊娠を継続するか，中断するかを限られた期間で判断しなければならない。相談窓口を明確にし，迷ったときには相談するように伝え，中立な立場で話を聴き，意思決定していくプロセスを支援する。具体的には，情報は十分に理解しているか，母体・胎児・家族への影響をどのようにとらえているか，気がかりなことは何か，今の状況を誰と共有し，誰と一緒に決めていきたいか，妊婦・パートナーそれぞれの価値観を確認していくとよい。

　Ｂさん，35 歳，3 妊 2 産，妊娠 27 週。羊水過多，子宮内胎児発育不全を認め，食道閉鎖疑い，三尖弁閉鎖不全症疑いで，羊水検査を受けた。

　妊娠 30 週の羊水検査結果で，ある致死的な染色体疾患の診断が確定となった。「この疾患を持つと，出生後 1 歳までに約 90％の児が死亡する可能性が高い」と医師から説明を受けた。

　Ｂさんカップルは，この羊水検査の結果を受けて，助産師に次のように話した。

　「私たちは子どもに苦しい，痛い思いをしてほしくないので，緩和ケアを選びたい。しかし，親としてこの選択が本当によいのかどうか揺れています。出産方法をどうするか，どこまで医療介入をするかを決めることに葛藤があります。赤ちゃんがどういう状態なのか想像しながら，決めていかなければならないことがとてもつらいです。」

【倫理的課題】

　親は子どもの状態が不確実な中で，医療介入について代理意思決定をする必要があり，子どもにとっての最善のケアを考える過程で，緩和ケアと積極的治療の選択の間で葛藤が生じている。

【倫理的視点】

　助産師は，妊婦とパートナーという「人々の権利を尊重し，人々が自らの意向や価値観にそった選択ができるよう支援する」（日本看護協会「看護職の倫理綱領」4 項）。そして，意思決定をするプロセスでは，妊婦と子どもという 2 人（双方）の対象に対して，「人間の生命，人間としての尊厳及び権利を尊重する」（同 1 項）ことをしながら，「平等に看護を提供する」（同 2 項）ことが求められるが，これらを両立させることが困難な状況にある。

【支援におけるヒント】

　親は，重篤な疾患を持つ子どもとの限られた時間を「何を大切にして過ごしたいのか」などを決めていくことになる。子どもとの過ごし方の決定には，時間的・期間的制約があるため，親の意向に沿った方針を妊娠中から家族とともに考え，医療者間で共有していくことが必要である。

本ケースにおける意思決定支援のポイント

(1) 周産期緩和ケア

　周産期緩和ケア（perinatal palliative care）は，生命を脅かす状態にある胎児・新生児の痛みと苦痛の予防，および家族の心理的，社会的，感情的なサポートに重点を置いている[4]。緩和ケアにおいては，短い間でも，家族が望む環境・状況で，親子がともに過ごすことで，子どもだけでなく，親の苦痛も少なくなる。

(2) 子どもの「最善の利益」

　重篤な疾患を抱える子どもの医療において，子どもにとって「何が最善であるか」を問いかけ，悩み，決定していくプロセスを踏むことは重要である。子どもの「最善の利益」は常に明確とは限らず，唯一絶対の答えを探すことは難しい[5]。実際の現場においては，何が真に子どもにとっての最善の利益かをめぐり，家族間や医療者との間など，立場の違いによる意見の対立が生じることがある。

　疾患によっては，「治療を行うことが子どもの最善」と考える医療者と，「治療を控えることが子どもの最善」と考える家族との間に対立が起こることもあるだろう。親と医療者の意見が一致しない場合においては，子どもの「最善の利益」のみに焦点を当てた議論を行っていても限界が来るため，別の倫理的アプローチが必要となる。

(3) 「親の裁量権の範囲」の考慮

　胎児・新生児のように，自分自身の意見を持つことができない場合，家族の希望に沿ったとしても，それが医療者の考える「子どもの最善の利益」ではない場合もある。

　親の決定が「子どもに著しく危害を及ぼす」ことがないのであれば許容するという「親の裁量権」（zone of parental discretion；ZPD）を認めるべきであるという考え方が，最近の臨床倫理学で提唱されてきている[6]。親子関係という特別に強い関係においては，医療者が考える「子どもの最善の利益」よりも，「親の裁量権の範囲」を考慮していくことは，今後受け入れていくべき考え方となるかもしれない。

　このようなケースにおける意思決定プロセスでは，将来の子どもの「最善の利益」，母体の健康上の利益，家族の利益のバランスをとりながら決定していくことになる[7]。

　子どもには「緩和ケア」をしてやりたいと決めていても，具体的に決定していく事項は多く，その一つ一つを決定するプロセスは，親にとっては心理的負担を伴う[7]。また，子どもが出生した後の状態が不確実であることや，個別性が高いためにエビデンスが不足している場合などにおいては，情報提供や話し合いを重ねても意思決定が困難なこともある[7]。

　また，妊婦や家族ごとにさまざまな反応がある。たとえば，子どもとの関係を大切にしたいと考える家族もいれば，心身的痛みから自分自身を守ろうと感情的に引きこもる家族もいる[7]。助産師は，そのようなさまざまな反応について判断をすることなく，ありのままを受け入れ，「今ある感情」に応じる必要がある。

(4) 具体的な方針内容の決定

　出生時の蘇生処置の方法について，出生後の治療方針だけでなく，もし

表 5-3　妊娠中に決めておくとよいケアとすぐに決めなくてよいケアの例

妊娠中に決めておくとよいケアの例	すぐに決めなくてもよいケアの例
・分娩時に胎児心拍数波形で胎児機能不全の徴候が見られた場合に帝王切開術をするか ・新生児蘇生処置をどの程度，何分実施するのか（吸引，マスク＆バッグ，挿管など） ・蘇生に反応しなかった場合には，どのように過ごしたいのか（カンガルーケア，授乳など）	・胃管挿入 ・点滴ルートの確保 ・胃瘻造設術の実施

治療に反応しない状況ならば，どのように過ごしたいかなどについて，以下のような場面を想定して，親とともに意思決定支援を行うことが重要である[6]。

　・出生後早期死亡の際の緩和ケア

　・生存した場合の継続的ケア

　・積極的な治療・ケアから緩和ケアへの移行（またはその逆）

　そして，① 妊娠中に決めておいた方がよいこと，② 少し時間的余裕があり，今すぐに決めなくてもよいこと，に分けて（表 5-3），治療の選択肢の長所／短所を明確にし，家族の「大切にしたいこと」（価値観）に沿った選択を支援していく。一度決めた内容であっても，時間経過とともに何度も変わる可能性があるため，いつでも変更してよいことを伝える。

　子が重篤な疾患であると診断された親は，「どうして自分の子だけがこのような運命を背負わなければならないのか」といったネガティブな感情を持つ一方で，「この子のことをいとおしく思う」など，ポジティブな感情も同時に持っているとされている[8]。医療者には，最後まで親と向き合い，状況・情報を確認し合い，親の価値観・想いに触れ，時に矛盾しているようにも思えるさまざまな想いの間で揺れ動く心情を承認しながら，ともに意思決定のプロセスを踏んでいくことが期待されている。

引用・参考文献
1）全国在宅療養支援医協会作成，日本在宅ケアアライアンス監修（2022）：適切な意思決定支援の指針作成におけるポイント.
2）Charles, C., Gafni, A., Whelan, T.(1997)：Shared decision making in the medical encounter：what does it mean?（or it takes at least two to tango?）. *Social Science of Medicine*, 44（6）：681-692.
3）Stacey, D., Legarem F., Lewis, K., Barry, M. J., Bennett, C. L., Eden, K. B. *et al.*(2017)：Decision aids for people facing health treatment or screening decisions. *The Cochrane Database of Systematic Reviews*, 4：CD001431
4）星野一正（2002）：バイオエシックス誕生の背景. 時の法令，1682 号：44-48.
5）World Health Organization（2002）：WHO Palliative Care.
6）余谷暢之（2021）：出生前診断症例と看取り. 小児外科，53（7）：754-757.
7）Denney-Koelsch, E. M., Côté-Arsenault, D. eds.(2020)：5　Interdisciplinary perinatal palliative care coordination, birth planning, and support of the team. Jones, Emilie Lam-

berg and Leuthner, Steven R. eds., Perinatal Palliative Care, Springer, p.333-355.

8）仁志田博司（2020）：周産期をめぐる生命倫理の特徴．周産期医学，50（6）：897-901.

9）守山正樹（2018）：生命倫理／医の倫理：意味と考え方の原則，日本赤十字九州国際看護大学．

10）British Association for Perinatal Medicine（2010）：Palliative Care A Framework for Clinical Practice in Perinatal Medicine.

11）Kaye, E. C., Kiefer, A., Blazin, L., *et al.*（2020）：Bereaved parents, hope, and realism. *Pediatrics*, 145：e2019-2771.

12）笹月桃子（2018）：Reconsidering, shared-decision-making to act in the best interest of children（子どもの最善の利益をめぐる両親と医療者の協働意思決定について再考する）．脳と発達，50（Suppl.）：S182-182.

13）豊島勝昭，勝又薫（2021）：出生前診断に基づく新生児緩和ケア．日本周産期・新生児医学会雑誌，56（4）：632-636.

5

6 管理（マネジメント）

　助産実践を行うためには，働き方の違いがあっても，また，どの実践レベルにおいても，管理的能力を求められる。管理には，主に安全，経済性，リーダーシップの視点が含まれる。以下，その各項目について述べる。

1 安全

　安全には，安全管理，感染予防管理，災害・防災管理，情報管理が含まれる。

1）安全管理

　医療施設では，医療法施行規則により，医療機関の特性に応じて，医療安全管理体制の確保が義務づけられている。病院および有床診療所においては，医療に係る安全管理のための指針の整備，委員会の開催，職員研修の実施，改善策を講ずることとされている。また，各施設には医療安全の手引きや事故報告ルートが定められ，職員は年2回以上の医療安全研修を受けることが義務化されている。

　2014年，再発防止目的として，医療法に医療事故調査制度が定められた。その中で，医療に起因する予期せぬ死亡または死産発生時の対応として，「関係者への対応」「関係者のために医療機関が行うこと」「現場の保全・事実経過の記録」「遺族への対応」の要点がまとめられている。医療事故が発生した場合は，初期対応として，①患者の安全確保，②患者に使用した薬剤・器具などの保管，③事故が発生したときの状況をそのまま保存する現場保全が臨床現場では重要であり，事実を経時的に記録する必要がある。

　産科では，「産科診療ガイドライン」や「助産業務ガイドライン」，周産期・新生児学会からの提言に沿った医療を遵守しなければならない。ガイドラインは原則3年ごとに改訂されるので，最新版を使用し，各施設での手順書も改訂する必要がある。

　産科医療補償制度は，分娩に関連して発症した重度脳性麻痺児とその家族の経済的負担を速やかに補償し，再発防止に関する情報を提供するものである。産科医療補償制度再発防止委員会から毎年発出される「再発防止に関する報告書」には，これまでの産科の医療事故の集積から，下記のよ

うなテーマに沿った分析がなされ，提言が出されているので活用していただきたい。

産科医療補償制度再発防止委員会からの提言内容（文献[2]による）
① 胎児心拍聴取：間欠的胎児心拍聴取，胎児心拍モニタリングの判読
② 新生児蘇生：新生児の蘇生法アルゴリズムの遵守
③ 子宮収縮薬：子宮収縮薬の正しい使い方，分娩誘発・促進のインフォームド・コンセントと同意書
④ 臍帯脱出予防：メトロイリンテル使用，人工破膜実施のフローチャート
⑤ 吸引分娩・子宮圧迫法（クリステレル胎児圧出法）
⑥ 常位胎盤早期剝離：常位胎盤早期剝離の保健指導，リスク因子の管理，常位胎盤早期剝離の診断と対応
⑦ 子宮破裂：既往帝王切開の管理，TOLAC（既往帝王切開後の経腟分娩）希望者へのインフォームド・コンセントと分娩管理
⑧ 子宮内感染：前期破水・母体発熱の管理
⑨ 妊娠高血圧症候群：妊娠中の母体管理と胎児管理
⑩ 診療録の記載：診療録・助産録の記載
⑪ 搬送体制：搬送基準の明確化
⑫ 母子早期接触：ガイドラインの遵守

　また，安全に医療を実施するためには，患者にインフォームド・コンセントを行うことが重視されており，薬剤や医療機器の使用に関しても，ガイドラインや添付文書に沿って適切に使用する必要がある。

2) 感染予防管理

　感染予防管理とは，医療施設内での感染症流行の予防を目的とした取り組みを指し，医師や看護師，薬剤師，臨床検査技師などからなる感染対策チームが中心となって，感染予防対策の推進や，医療関連感染サーベイランス，各種情報提供，啓発などの活動を行っている。
　感染予防対策には，標準予防策（standard precautions）と感染経路別予防策，職業感染対策がある。

(1) 標準予防策

　標準予防策とは，感染源の有無にかかわらず，血液・体液，分泌物，排泄物，創傷のある皮膚・粘膜を介する，微生物の伝播リスクを減らすために，すべての患者に対して下記の具体策を行うことである。
　　・医療環境では，すべての患者との接触に対して手洗い（手指衛生），手袋，ガウン，マスク，ゴーグル，鋭利器材の取り扱いを標準的な感染予防策として適用する。
　　・すべての医療従事者に対して標準的な感染予防策について教育訓練を実施する。また，その遵守状況を継続的にモニタリングし，その結果を職員教育に活用する。
　産科では，分娩時の血液の飛沫予防として手袋，ガウン，マスク，キャップに加えてゴーグルやフェイスシールドを使用することが標準になってい

る。また，乳房ケアでも乳汁は体液として扱うこと，搾母乳の保存に関しても基準があることを知っておかなければならない。

（2）感染経路別予防策

感染経路別予防策は，標準予防策だけでは感染を予防することができない感染性の強い，または疫学的に重要な病原体による感染の防止策である。感染経路別に空気感染隔離予防策（結核，麻疹，水痘），飛沫感染予防策（アデノウイルス，インフルエンザ，髄膜菌炎性髄膜炎，マイコプラズマ肺炎，乳幼児の A 群溶血性レンサ球菌（溶連菌）感染症，百日咳など），接触感染予防策（空気感染をしない多剤耐性菌など）となっている。感染経路別に個人用防護具（personal protective equipment；PPE）を適切に使用する必要がある。

（3）職業感染対策

職業感染対策として，HBV，HCV，HIV など感染患者由来の血液や体液に曝露した場合の対策や院内感染対策担当者への報告，各種ワクチン接種の推奨，感染性廃棄物と非感染性廃棄物の分別処理の実践，結核に係る定期の健康診断の実施などがある。また，感染予防管理には，抗菌薬の適正使用に関する内容も含まれている。

3）災害・防災管理

災害においては，自分の安全は自分で確保することを最優先しなければならない。自分自身の安全が確保されて初めて患者の安全を守ることができる。地域の防災対策やハザードマップなどにも関心を持ち，日ごろから情報を収集しておく必要がある。

地震などの大規模災害が発生した際，医療活動の中心となるのが被災地域の医療機関である。限られた医療資源の中で，効率的になるべく早く復旧させ，医療活動を継続するには，事前に「事業継続計画」（business continuity plan；BCP）を作成する必要がある。BCP では，スピーディな意思決定，職員の招集，3 日分の医薬品，医療材料，水と食糧の確保・備蓄が必要とされている。医療機関には，災害拠点病院，災害拠点連携病院，災害医療支援病院，専門的医療を行う診療所，その他診療所がある。まず，自施設の役割や施設連携を確認する必要がある。

年に 1 回以上の防災訓練，防災教育が義務化されているが，平常時から施設や各部署の災害時マニュアルの確認，防火防災設備・避難経路確認，安否確認方法などを熟知しておくことが重要であり，災害対策訓練への参加など災害対策を怠らないようにする。飛沫感染者などの災害時の避難隔離についてのマニュアルも必要である。細かいことだが，災害時のエレベーターの使用方法，使用可能電源の確認，断水時のトイレの使用方法な

ども確認しておくとよい。

　産科の場合は，母子が安全に避難するための方法や物品の準備，避難経路など各施設での母子の災害対策マニュアルが作成され，入院中の母親にも避難方法の指導をする必要がある。

4) 情報管理

　2020年改正の個人情報の保護に関する法律（個人情報保護法）が2022年4月に施行され，漏洩，紛失などが発生した場合，個人の利益を害するおそれが大きい事態については，行政機関への報告および本人への通知が義務化された。

(1) 個人情報とは

　個人情報とは，生存する各個人を識別することができる情報で，氏名，診察券番号・学籍番号・職員番号などのID番号，性別，生年月日など，個人を識別する情報に限らず，個人の身体，財産，職業，肩書などに関して，事実，判断，評価を表すすべての情報が該当する。生体情報（指紋など）や音声，電子カルテに記載する情報（診療録，処方せん，手術記録，助産録，看護記録，検査所見記録，エックス線写真，紹介状など）も含まれる。また，暗号化などによって秘匿化されているか否かを問わない。

　法人など，団体そのものに関する情報は，個人情報に該当しない。生存していない個人の情報も該当しないが，情報の取り扱いに当たっては，生前の意思や名誉を尊重する必要がある

(2) 個人情報の取り扱い・管理

　個人情報の漏洩・紛失は，個人情報を含む機器や記録媒体の外部への持ち出しに加え，電子メールの誤送信，ソーシャル・ネットワーキング・サービス（SNS）からの情報漏洩など，インターネットの普及によって起こることも多いため，各施設のルールを守らなければならない。

　標的型攻撃メールは，特定の組織や個人をねらって行われるため，身に覚えのない電子メールが届いてもすぐに添付ファイルを開いたり，リンクをクリックしたりせず，情報管理責任者に報告する必要がある。また，他人に自分のユーザアカウントを不正に利用されないために，適切なパスワードの設定と定期的な変更が必要である。

　万一，情報の紛失や漏洩の疑いがあった場合は，各施設のルールに沿って報告と対応を行わなければならない。

2 経済性

　助産所を含む医療機関は非営利組織ではあるが，医療者が「最善の治療，最善のケアを提供する」ためには，また，施設の存続と成長のためには，最低限の利益が必要である。助産ケアは自由診療であるが，妊産婦はケアの質と分娩費やケア料金などのバランスから価値を判断するため，質の保証と満足の得られるケアを提供できるように努力をしなければならない。妊産婦に選ばれる施設になることが重要である。

　一方で，材料費（医薬品費，診療材料費，医療用消耗備品），医療機器などの消耗品にかかる費用を削減する必要もある。たとえば，無駄な診療材料費がかからないように適切に使用する。これは，対象者の負担を減らすことにもなる。また，医療機器をていねいに扱う，診療材料や医薬品のストック数や使用頻度の少ないものを減らすなど，スタッフとしても医療経営に関わることができる。

　さらに，無駄な時間を使わないような動線の工夫やケア時間の組み立て，タイムリーに記録を行うことなど，タイムマネジメントも医療経済には重要である。

3 リーダーシップ

　リーダーシップは，目的や目標の達成に向けてメンバーを導くためのプロセスである。一方，マネジメントは，目標達成のための手段を立案，管理する仕事を意味する。どちらも「目標達成」が目的であるが，リーダーシップには，「導く」意味合いがより含まれる。

　管理者だけではなく，施設で仕事をするどのスタッフも，施設や部署でチームリーダーとして活動する可能性がある。まず，施設や看護部の理念，組織の使命や役割，目標を知り，各個人がどのように貢献することができるかを考える必要がある。チームができれば，リーダー，メンバーがいて，リーダーはリーダーシップを発揮するが，メンバーはリーダーを補佐しながら主体的に活動し，一丸となって目標達成する姿勢が重要である。

　リーダーシップには，下記のような型がある。

・ビジョン型リーダーシップ：リーダーがビジョンを示し，方向性をメンバーに示す
・コーチ型リーダーシップ：リーダーがメンバーの能力を引き出す
・関係重視型リーダーシップ：リーダーがメンバー間の関係性や，信頼関係を重視する
・民主型（調整型）リーダーシップ：リーダーが各メンバーの意見を聞き入れ，組織活動に反映する
・ペースセッター型（実力型）リーダーシップ：リーダーが率先して難

しい仕事をこなす

- ・強制型リーダーシップ：リーダーが強制的に命令してメンバーを追従させる

また，リーダーシップ理論の変遷も続いている。近年では，下記のような理論が注目されている。

- ・リーダーシップ交換・交流理論（1970年代〜）：リーダーとフォロワーの相互関係がもたらす影響に着目したアプローチ
- ・サーバント・リーダーシップ理論（1970年代〜）：従業員・顧客・組織に奉仕する姿勢で，人々が望む目標や社会を実現するリーダーシップ理論
- ・変革型リーダーシップ理論（1980年代〜）：変革を推し進めるリーダーシップ理論
- ・倫理型リーダーシップ理論（1980年代〜）：倫理観や精神性に軸足を置くリーダーシップ理論

どのようなリーダーシップが適切なのか，チームの特徴とその場の状況で使い分けていくことが重要である。

リーダーシップは，必要なスキルを身につけることで，後天的に習得が可能である。たとえば，下記のようなスキルである。

- ・方向を示す力：目標や行うことを明確化し，メンバーへ正しく伝達する力
- ・誠実さ：一貫した考えと価値観を持ち貫くこと，正直，倫理的であること
- ・行動力：指示出しばかりでなく，率先して実行する力
- ・コミュニケーション能力：対人スキルやコミュニケーションスキル，傾聴力があること
- ・問題解決能力：どのような状況でも意思決定ができる思考力と決断力があること
- ・教育や指導する力：メンバーの個性を理解し，動機づけや指導力，ほめて伸ばす姿勢があること
- ・信頼関係を築く能力：思いやり，相手を理解する想像力，メンバーを信頼し，任せられること

リーダーシップのスキルは，学習や経験，上司や同僚からのフィードバックなどを積み重ねることで習得できるのである。

引用・参考文献
1）日本医療安全調査機構（医療事故調査・支援センター）：医療事故調査制度について．
　〈https://www.medsafe.or.jp/modules/medical/index.php?content_id=2〉
2）日本医療機能評価機構：産科医療補償制度再発防止に関する報告書・提言．
　〈http://www.sanka-hp.jcqhc.or.jp/documents/prevention/index.html〉
3）厚生労働省（2014）：医療機関における院内感染対策について．
　〈https://www.mhlw.go.jp/content/10800000/000845013.pdf〉

5

4）荒川宜親（主任研究者）：平成 18 年度厚生労働科学研究費補助金（新興・再興感染症研究事業）「薬剤耐性菌等に関する研究」（H18-新興-11）「医療機関における院内感染対策マニュアル作成のための手引き（案）（070413 ver. 3.0）」.
〈https://www.mhlw.go.jp/topics/bukyoku/isei/i-anzen/hourei/dl/070508-5.pdf〉

5）日本病院協会：病院の防災対策.
〈https://www.ajha.or.jp/guide/15.html〉

6）厚生労働省（2013）：BCP の考え方に基づいた病院災害対応計画作成の手引き.
〈https://www.mhlw.go.jp/file/06-Seisakujouhou-10800000-Iseikyoku/0000089048.pdf〉

7）個人情報保護委員会（2022）：個人情報の保護に関する法律についてのガイドライン（通則編）.
〈https://www.ppc.go.jp/files/pdf/230401_guidelines01.pdf〉

8）ロビンス，スティーブン・P.（高木晴夫訳）（2011）：新版組織行動のマネジメント─入門から実践へ，ダイヤモンド社.

9）センゲ，ピーター・M.（守部信之，他訳）（2010）：最強組織の法則─新時代のチームワークとは何か，徳間書店.

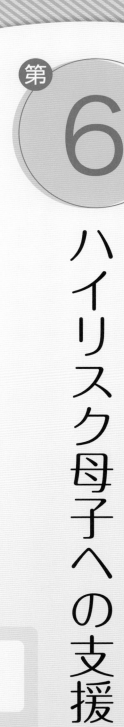

第6章

ハイリスク母子への支援

ハイリスク新生児への支援

1 ハイリスク新生児とは

1) 定　　義

　ハイリスク新生児について，馬場[1]は，「在胎期間あるいは出生体重にかかわらず，その子宮内生活が多くの因子によって危うくされ，またそのために特殊な養護を必要とする新生児」，山内[2]は，「出生数日以内の新生児で生命に対する危険性が特に高いと考えられる児」，仁志田[3]は，「その既往及び所見から児の生命及び予後に対する危険が高いと予想され，出生後のある一定期間観察を必要とする新生児」と，それぞれ定義している。

　新生児集中治療管理室（NICU）に収容される早産児や低出生体重児はもちろん，在胎週数，出生体重にかかわらず，胎児の時点の子宮内環境，すなわち母体合併症による影響を受ける可能性のある新生児も含まれる。また，今は明らかな異常は求められず正常新生児に見えるが，今後何らかの異常が起こりうる可能性があり，リスクに応じた観察が必要な新生児も含まれる。

2) ハイリスク新生児となる因子

　図6-1に示すように，ハイリスクに該当しない新生児は一部である。したがって，ハイリスクでない新生児にも，在胎週数，出生体重以外の因子を持って生まれる児が含まれることを念頭に置き，新生児への慎重な観察を行うことが必要である。

(1) 在胎週数および出生体重からのハイリスク因子

　在胎週数が37週未満の早産児は呼吸機能のリスクがあり，42週以降の過期産児は胎盤機能不全に伴うリスクがある。出生体重が2,500g未満の新生児は低出生体重児として，4,000g以上の新生児は巨大児としてリスクを有しており，ハイリスク新生児として治療，観察が必要である。

(2) 母体の疾患および服用した薬物に伴うハイリスク因子

　母体の糖尿病などの内分泌疾患や自己免疫疾患などは，経胎盤的にホルモンや自己抗体が胎児に移行し，新生児に影響を及ぼす。感染症では，トキソプラズマや風疹，サイトメガロウイルスなどのTORCH症候群に妊娠

● 表6-1の註を参照。

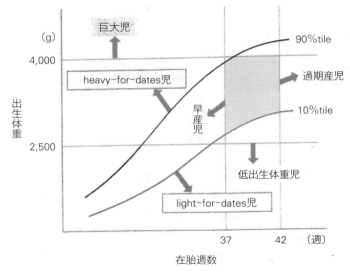

図 6-1　在胎週数と出生体重によるハイリスク児（文献[3]，p.76 より）

表 6-1　母体の疾患および服用した薬物に伴うハイリスク因子

母体疾患・服用薬など	新生児に起こりうる問題
糖尿病	低血糖，低カルシウム血症，多血症，呼吸窮迫症候群，黄疸，心筋肥大，巨大児，先天奇形など
甲状腺機能亢進症	甲状腺機能亢進症
特発性血小板減少症	血小板減少症
全身性エリテマトーデス（SLE）	不整脈，血小板減少症，発疹
重症筋無力症	重症筋無力症（呼吸障害，筋緊張低下）
遺伝性疾患保因者	その遺伝性疾患の発症
TORCH 症候群*	新生児感染症，形態異常（奇形）
B 型肝炎	B 型肝炎ウイルス感染症
B 群溶血性レンサ球菌（GBS）感染症	新生児 GBS 感染症（敗血症，髄膜炎，中耳炎など）
喫煙	胎児発育不全
飲酒	胎児アルコール症候群
向精神薬，てんかん，麻薬，覚醒剤	易刺激性，傾眠傾向，新生児薬物離脱症候群

*：T（トキソプラズマ），O（other：B 型肝炎，パルボウイルス B19，コクサッキーウイルス，EB ウイルス，水痘・帯状疱疹ウイルス，梅毒など），R（風疹），C（サイトメガロウイルス），H（単純ヘルペスウイルス）。
（文献[3]，p.76 より改変）

中に罹患すると，発育障害や新生児感染症，奇形が発生する。

　母体が服用する薬物やアルコール，煙草の成分も経胎盤的に移行する。薬物において，麻薬，覚醒剤などはもちろん新生児へ影響を及ぼすが，服用している妊産婦が多くなっている向精神薬も胎児へ移行し，新生児期の一定期間に観察が必要となるものもある（表 6-1）。

表 6-2　妊娠および分娩に起因するハイリスク因子

過去／現在の妊娠・分娩時の問題	新生児に起こりうる問題
新生児死亡，奇形，重症黄疸などの既往	同様な疾患・問題の再発
母体の高齢	染色体異常
多胎	多血症，貧血，双胎間輸血症候群
妊娠高血圧症候群	胎児発育不全
羊水過多症	上部消化管閉鎖，中枢神経系の奇形
羊水減少症	腎疾患，腎奇形，肺低形成
切迫早産	早産となり呼吸未熟性障害，感染症
胎児機能不全	新生児仮死，中枢神経系異常
前期破水	羊水感染症
羊水混濁	羊水感染症，胎便吸引症候群
帝王切開分娩	呼吸窮迫症候群，新生児一過性多呼吸
鉗子分娩	分娩外傷
吸引分娩	帽状腱膜下血腫
前置胎盤，胎盤早期剝離	新生児仮死，貧血

（文献[3]，p.77 を参考に作成）

（3）妊娠および分娩に起因するハイリスク因子

　過去の妊娠・分娩歴に形態異常や染色体異常などの遺伝性疾患を疑わせる既往のある場合や，35 歳以上の高齢出産である場合は，リスクが高まる。また，血液型不適合などによる重症新生児黄疸の新生児の出産既往がある母体から生まれる児も，同様な疾患が起こりうる可能性の高いハイリスク児として観察される（表 6-2）。

（4）新生児自身に起因するハイリスク因子

　分娩期に NRFS（non-reassuring fetal status）が出現し，急速遂娩となり，また，羊水混濁の状態で出生し，挿管などの蘇生術を受けた児はアプガースコアが低いことが多い。蘇生術後などの治療により，アプガースコアは回復するが，しばらくの間はハイリスク児として観察が必要である。

　しばしば見られる新生児の異常として，胎児循環から体外循環への移行がスムーズに進まない場合，一過性の心雑音を認めることがある，子宮外環境への適応現象としてしばしば聴取される生理的な所見であるが，病的でないと判断されるまで，定期的な聴診を中心とした観察が必要である。

2　リスク因子に対応したハイリスク新生児へのケア

1）出生時の対応

　出生となる在胎週数が 22 週 0 日以降，37 週未満の場合，早産児出生に対して新生児科医師が立ち会い，蘇生処置の準備が行われる。後期早産に対しての新生児科医師の立ち会い基準は，施設によりさまざまであろう。

　在胎週数が短ければ，出生体重も小さくなる。出生体重が 1,500 g 未満

の極低出生体重児の出生に対しては，呼吸・循環サポートの万全の準備と蘇生開始のタイミングが，その後の児の QOL に影響を与える。

　たとえば，胎児期に横隔膜ヘルニアが診断されている場合は，新生児科だけでなく，小児外科や放射線科など，チームで出生時の対応をすること，その後の治療計画を出生前に検討し，情報を共有することが重要である。チームでの情報共有の場における助産師の役割としては，胎児の両親が疾患をどの程度理解しているか，どのような心情かということや，バースプランなどの情報を伝達することがある。

　異常の指摘もなく順調に胎児期を経過してきた分娩の場面においても，予期せぬ低アプガースコアでの出生となることがある。分娩時はこうした予期せぬ事態への対処ができるよう，吸引の圧や酸素の準備，そして，助産師が第一蘇生ができるよう，新生児蘇生法（NCPR）の講習受講，訓練が必要である。

2）出生後の対応

　ハイリスク新生児が出生したら，児への呼吸・循環サポート，一般的な処置および観察が新生児科医師により実施され，リスク因子に応じた治療指示が出される。たとえば，血糖測定は生後 1 時間，2 時間，5 時間などでよいかや，光線治療開始基準の変更など，新生児科医師との治療に関する確認も必要である。新生児の観察のポイント（p.57〜を参照）も，医師との共有事項である。

3　ハイリスク新生児の母親・家族への支援

　早産児の場合，児は治療のために NICU に入院となり，母子分離となるが，児の状態が許す範囲での親子の接触を保証することが必要である。タッチング，早期母子接触，抱っこ，直接授乳などができるように環境を整え，児の状態の安定を守りながら援助を行う。

　自施設で低出生体重児のケアができない場合は，搬送システムが利用される。早産でなくても，治療，観察が必要な状況は，親にとって危機的状況であることには変わりないことを助産師は認識して，ケアを実施することが重要である。分娩直後の時期にこのような危機に直面する母親，家族が正しい理解が得られるよう，寄り添うことが役割である。

　退院後の支援については，「3　NICU 長期入院児への支援」も参照のこと。

引用・参考文献

1）馬場一雄（1980）：新生児，小児科学，文光堂，p.170.
2）山内逸郎（1971）：High risk baby——その概念と取り扱い．日本新生児誌，7：303.
3）仁志田博司（2018）：新生児学入門，第5版，医学書院，p.75.
4）中村敬（2003）：出生体重に関する母体側要因：栄養・嗜好．周産期医学，33(6)：667.
5）有森直子編（2021）：母性看護学Ⅱ周産期各論　質の高い周産期ケアを追求するアセスメントスキルの習得，第2版，医歯薬出版.
6）厚生労働省（2010；2021改訂）：重篤副作用疾患別マニュアル　新生児薬物離脱症候群.
〈https://www.pmda.go.jp/files/000240116.pdf〉

遺伝性疾患に不安を抱える 妊産婦への支援

1 | 遺伝／ゲノム医療の進歩と助産師の役割

　ヒトゲノムプロジェクトの完了や次世代シークエンサーの登場によって，着床前診断や出生前診断，疾患の診断などの遺伝／ゲノム医療に関する技術が画期的に進歩し，医療として提供されるようになってきた。カップルはこのような遺伝／ゲノム医療のメリット／デメリット，検査の結果の解釈の仕方など，遺伝学的情報の特殊性を理解した上で，意思決定していく必要がある。そのため助産師は，遺伝性疾患について正しい知識を持って，支援に当たることが望まれる。

2 | 遺伝性疾患

1）遺伝性疾患

● ゲノムは DNA の文字列に表された遺伝情報のすべて，遺伝子は蛋白質の生成につながる遺伝情報。

　遺伝性疾患（genetic disorder）とは，ゲノム（genome）・遺伝子（gene）の変化が原因となって生じる疾患の総称である。遺伝性疾患を引き起こす原因となっているゲノムの変化は，必ずしも継承（遺伝）するわけではない。
　遺伝性疾患は，ゲノム上に存在する「遺伝子」という物質の変化，つまり，「ゲノムの変化による疾患」（genetic disease）と，「次世代に継承（遺伝）しうる疾患」（hereditary disease/inherited disease）に区別される。日本語ではこれらが混同されて使用されているため，これらを区別して理解し，支援することが必要である[1]。

2）先天性疾患

　先天性疾患（birth defect/congenital anomaly）とは，出生時に見られる形態的，機能的異常が存在している疾患の総称である。出生児の3〜5%を占める。
　原因割合としては，全体の25%は染色体の変化が関与し，20%は単一遺伝子の変化が関与している。40%は多因子性とされ，遺伝学的要因だけでなく，環境要因や偶発要因が複雑に相互作用し，発症している[2]。
　染色体疾患は，染色体の変化（数・構造：表6-3，図6-2）が原因で起こる。この染色体の変化は，基本的には受精卵の時点で起こり，さまざまな臨床症状を引き起こす。

6

表 6-3　染色体の変化

モノソミー（monosomy）	染色体の数が1本少ない（1本）状態
トリソミー（trisomy）	染色体の数が1本多い（3本）状態
逆位（inversion）	染色体の一部が反対の向きでつながっている状態
挿入（insertion）	染色体の切断片が他の染色体に入り込み，結合した状態
欠失（deletion）	染色体の一部が失われている，部分モノソミーの状態
転座（translocation）	複数の異なる染色体に切断が生じ，交換して再結合した状態
重複（duplication）	染色体の一部が重複して存在している，部分トリソミーの状態

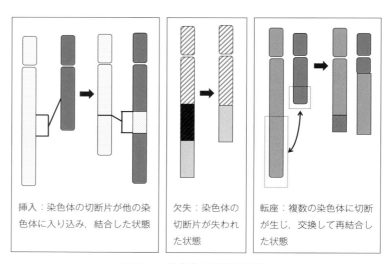

図 6-2　染色体の構造の変化

3）遺伝／ゲノム情報の特性

　遺伝／ゲノム情報は，① 生涯変化しない不変性，② 将来の発症を予測する予見性，③ 血縁者間で一部共有されている共有性，④ 曖昧性が内在していること，という特性がある[3]。助産師は，遺伝的課題を持つ妊婦や家族に対して，これらの特徴を考慮しながら相談に応じる必要がある。助産師が相談対応しうる例としては，下記のようなものがある。

● 結果の病的意義の判断が変わりうること，病的バリアント（遺伝子変化：p.225参照）から予測される，発症の有無，発症時期や症状，重症度に個人差がありうること，医学・医療の進歩とともに臨床的有用性が変わりうることなど。

助産師が遭遇する，遺伝に関連した相談内容の例（文献[4]による）
- 夫婦いずれかが常染色体顕性（優性）遺伝疾患罹患者または at risk 者，夫婦いずれもが常染色体潜性（劣性）遺伝疾患保因者の妊娠（＊）
- 妊娠中に薬剤の内服や，催奇形物質に曝露されていること
- 高年妊娠
- 妊娠後期に超音波検査所見で胎児の先天異常が疑われたこと
- 先天異常児を出産した既往がある夫婦の次子妊娠
- 不妊・不育の原因
- 自然流産や死産の原因
- 反復流産，習慣流産の原因
- 染色体転座保因者の妊娠
- 低身長や無月経（女性自身の生殖に関わる健康問題を持つ）
- 血族結婚

・先天性形態異常がある新生児の診断
・新生児マス・スクリーニング結果
・婦人科に関連した腫瘍（子宮がんや卵巣がん）（＊に関連）

3 高年妊娠と染色体不分離

　母体の年齢が上がると，染色体同士を接着している物質が分解されるため，卵子に分化する減数分裂の過程で，不分離（染色体の分配の誤り）が生じると考えられている[5]。

　不分離を起こした卵子が精子と受精すると，染色体数的異常（主にトリソミー）のある受精卵が生じる。染色体数的異常の多くは初期流産に至るが，21，18，13番染色体は保有する遺伝子量が少ないため，21トリソミー，18トリソミー，13トリソミーの児は出生の可能性がある[2]。したがって，高年妊娠であるほど，児の染色体数的異常の頻度は高くなる（表6-4)[6]。

4 不妊治療と遺伝性疾患

1）遺伝学的検査の影響

　不妊診療では，不妊スクリーニング検査として遺伝学的検査を受ける場合があり，そこで自身の性染色体異常や構造異常などの遺伝学的変化が診

表6-4　母体年齢とトリソミー児の出生頻度の関係

出産時年齢	21トリソミー	18トリソミー	13トリソミー
20	1/1,441	1/10,000	1/14,300
25	1/1,383	1/8,300	1/12,500
30	1/959	1/7,200	1/11,100
31	1/837	1/7,200	1/11,100
32	1/695	1/7,200	1/11,100
33	1/589	1/7,200	1/11,100
34	1/430	1/7,200	1/11,100
35	1/338	1/3,600	1/5,300
36	1/259	1/2,700	1/4,000
37	1/201	1/2,000	1/3,100
38	1/162	1/1,500	1/2,400
39	1/113	1/1,000	1/1,800
40	1/84	1/740	1/1,400
41	1/69	1/530	1/1,200
42	1/52	1/400	1/970
43	1/37	1/310	1/840
44	1/38	1/250	1/750
45	1/30		

（文献[6]，p.4より）

223

断されることがある。性染色体の異常を指摘されることで，自らのセクシュアル・アイデンティティの危機状況に陥ることがある[7]。また，不妊治療の継続や治療方法の決定，将来の家族のあり方についても考えていかなければならない。

このように，何らかの対処ができることを考慮して受けたはずの検査であるが，結果によっては，自身や家族で向き合うべき新たな遺伝的課題が生じることになる。

2）不妊と関連のある染色体／遺伝子の変化

不妊の原因となる主な染色体／遺伝子の変化としては，下記のものがある。

（1）性染色体異数性
①ターナー症候群（核型：45,X が最も多い）

ターナー症候群女性は，1,000〜2,000人に1人の頻度で，低身長や第二次性徴の遅れがきっかけで診断されることが多い。5〜20％は自然に第二次性徴を認める。卵巣機能不全がある場合には不妊になる。自然妊娠率はきわめて低く，心血管系合併症や腎機能の程度によっては，妊娠・出産が生命を脅かす可能性がある[8,9]。

②クラインフェルター症候群（核型：47,XXY が最も多い）

クラインフェルター症候群男性は，600人に1人程度の頻度で，小児期に短小陰茎や停留精巣などで診断されることもあるが，思春期以降，不妊によって初めて診断されることが多い[8]。臨床所見としては，高身長で，やせており，下肢が比較的長いことが特徴にあげられる[10]。成人では継続的アンドロゲン欠如により，筋緊張の低下，性欲の欠如，骨密度低下をきたすことがある[10]。出現する症状が比較的軽度で多様であるため，多くは未診断であると推定される。

（2）均衡型相互転座

相互転座は，染色体間でその一部が入れ替わって生じる。遺伝子量が変化しない均衡型転座と，一部の遺伝子量に変化をきたす不均衡型転座がある[1]。均衡型転座は，成人の約400人に1人に認められる[1]。染色体の形態は変わるが，遺伝子量に増減はないため，基本的には臨床症状は出現しない。しかし，配偶子（精子もしくは卵子）の段階で遺伝子量に増減が出る可能性があるため，不均衡型転座の子が発生しうる（図6-3）。

自然流産を2回以上繰り返す反復・習慣流産を経験したカップルの場合，カップルのどちらかが，均衡型相互転座を持っていることもある[7]。

（3）遺伝的保因者

常染色体顕性（優性）遺伝病とX連鎖顕性（優性）遺伝病は，対になっ

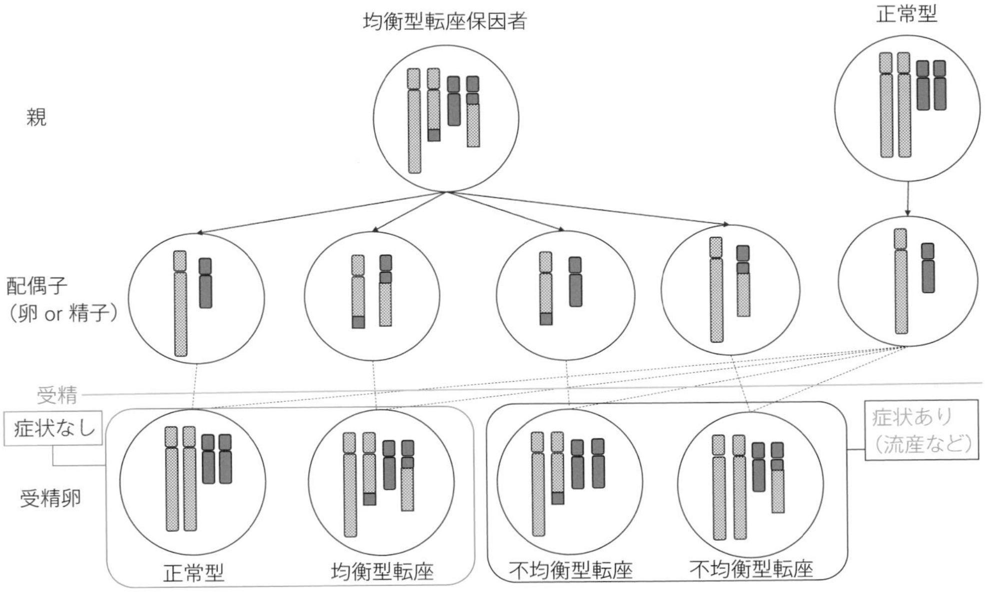

図 6-3　均衡型転座の親から不均衡型転座の子が生じる仕組み

（文献[11]より一部改変）

● ヒトの標準塩基配列と差があるゲノム配列の変化のことをいう。バリアントの中でも，蛋白質機能への影響が大きいものは遺伝性疾患の発症につながり，病的バリアントと呼ぶ。

た責任遺伝子の片方に病的バリアントがある場合に罹患する。一方で，常染色体潜性（劣性）遺伝病と X 連鎖潜性（劣性）遺伝病は，対になった責任遺伝子の両方に病的バリアントがある場合に罹患する。しかし，片方のみに病的バリアントがある場合には罹患しないため，保因者という。保因者であった場合は，生涯にわたり疾患が発現しないと考えられるが，次世代にその遺伝子を継承する可能性がある。

遺伝形式の種類と主な遺伝子疾患を表 6-5 に示す。

5　着床前遺伝学的検査（PGT）

生殖補助医療（assisted reproductive technology；ART）は不妊診療の重要な選択肢の一つであり，難治性不妊症に対する治療法として位置づけられている。着床前遺伝学的検査（preimplantation genetic testing；PGT）は，ヒト胚（受精卵）の遺伝学的解析を行い，その情報を利用する医療行為である[7]。

PGT は，下記の 3 つに大別される。

① PGT-A（aneuploidy）：着床前胚染色体異数性検査

② PGT-M（monogenic, single gene）：着床前遺伝学的検査

③ PGT-SR（structural chromosomal rearrangement）：着床前胚染色体構造異常検査

PGT-A，SR は，胚移植 1 回あたりの妊娠継続率の向上を目的として胚の染色体の数や形を調べる。PGT-M は，特定の遺伝性疾患の可能性を下

表 6-5　遺伝形式の種類と主な遺伝子疾患

遺伝形式	特徴	遺伝子疾患の例
常染色体顕性（優性）遺伝： 遺伝子の病的バリアントを 1 つ有するヘテロ接合体（Aa）で発症する。 A ● a	・世代にわたり発症者が存在する。 ・性別に関係なく 50％の確率で次世代に伝わる。 ・家系内において疾患の重症度が異なる場合もある（表現度の多様性）。	・筋強直性ジストロフィー ・ハンチントン病 ・遺伝性脊髄小脳変性症 ・軟骨無形成症 ・神経線維腫症 1 型 ・ヌーナン症候群 ・マルファン症候群 ・遺伝性 QT 延長症候群
常染色体潜性（劣性）遺伝： 遺伝子の病的バリアントを 2 つ有するホモ接合体(aa)で発症する。 a ●● a	両親がともに保因者の場合，子は性別に関係なく 25％の確率で罹患者であり，50％の確率で保因者である。	・フェニルケトン尿症 ・脊髄性筋萎縮症
X 連鎖潜性（劣性）遺伝： 遺伝子の病的バリアントを 1 本のみ有するヘミ接合体男性（XaY）が発症する。 Xa ● Y	・性別が関係し，罹患者は主に男性であるが，女性で発症する場合もある。 ・罹患者男性の娘はすべて保因者である。 ・保因者女性の息子は 50％の確率で罹患者となる。	・ファブリー病 ・デュシェンヌ型筋ジストロフィー ・副腎白質ジストロフィー ・血友病 ・先天赤緑色覚異常

A：正常遺伝子，a：変異遺伝子。
（文献[12]）を参考に作成）

表 6-6　PGT の実施対象

検査の種類	検査の対象
PGT-A （着床前胚染色体異数性検査）	体外受精と胚移植を 2 回以上行っても着床しなかった不妊症のカップルや，流産の経験が 2 回以上ある不育症のカップル
PGT-M （着床前遺伝学的検査）	カップルまたは男女どちらかが，重篤な遺伝性疾患児*が出生する可能性のある遺伝子変異または染色体異常を保因する場合 *：成人に達する以前に日常生活を強く損なう症状が出現したり，生存が危ぶまれる状況になったりしているが，現時点でそれを回避する有効な治療法がないか，高度かつ侵襲度の高い治療を行う必要がある状態[13]
PGT-SR （着床前胚染色体構造異常検査）	男女どちらかに染色体の構造異常があるとわかっていて，それが不育症の原因となっている，もしくはそれが原因となって今後，流産をしてしまう可能性のあるカップル

（文献[13,14]）を参考に作成）

げることを目的として遺伝子に病的バリアントがあるかどうかを調べる。PGT の実施対象を，表 6-6 に示す。

　特に PGT-M を受けることを希望するカップルは，家系内に重篤な疾患を持つ者がいる場合や，カップルのどちらかが疾患の原因遺伝子の保因者である場合がある。しかし，疾患原因が必ずしも遺伝子の変化ではないこ

ともあるため，疾患についてカップルがそれぞれ正しく理解しているかを確認する必要がある。また，PGT-M の適応については，疾患とそれを取り巻く状況（医療の進歩，福祉や教育の充実度など）に応じて常に議論され，更新されていくので，助産師は最新の情報収集が必要である。最新の情報は，日本産科婦人科学会のホームページなどを確認されたい。

● https://www.jsog.or.jp/modules/committee/index.php?content_id=225

　なお，2022 年 4 月より，ART の保険適用が拡大になったが，PGT の採卵手術を含めた体外受精は保険適用外であり自己負担となるため，経済的負担は小さくない。また，採卵手術や移植の回数，調べる胚の数，遺伝子変化のタイプ，遺伝子の解析方法によっても費用は変わってくる。

6　出生前診断

1）主な目的
出生前診断の主な目的としては，下記の事項がある[15]。

① 出生前の子宮内の胎児の予後をよくするために，さまざまな治療や処置（胎児治療や胎児手術など）を行うこと

② 分娩時期や方法，場所などについて検討し，分娩後の管理方針を決めること

③ 妊娠を継続するか，出生後に積極的な治療を行うか，あるいは出生後に看取りを行うかの選択をすること

2）種類
　出生前検査には，胎児の疾患を予測する非確定的検査（非侵襲性検査）と，胎児の疾患をほぼ確実に診断する確定的検査（侵襲性検査）がある（表6-7）。非確定的検査で結果が「陽性」と出た場合，流産のリスクがある確

表 6-7　出生前検査の種類

種類	非確定的検査（非侵襲性検査）			確定的検査（侵襲性検査）	
	超音波マーカー検査（コンバインド検査）	母体血清マーカー検査	NIPT（非侵襲性出生前遺伝学的検査）	絨毛染色体検査	羊水染色体検査
実施可能時期	11〜13 週	15〜18 週	9〜10 週以降	11〜14 週	15〜16 週以降
対象染色体疾患	21 トリソミー 18 トリソミー （13 トリソミー）	21 トリソミー 18 トリソミー	21 トリソミー 18 トリソミー 13 トリソミー	染色体疾患全般	染色体疾患全般
検査内容	超音波検査(NT など) ※コンバインド検査は採血も必要	採血のみ	採血のみ	絨毛穿刺	羊水穿刺
21 トリソミーについての検出率	NT：60％程度 コンバインド検査：80％	80％	99％	99.9％	99.9％
結果の出方	確率（1/n） および陽性・陰性	確率（1/n） および陽性・陰性	陽性・陰性・判定保留	染色体の写真・核型	染色体の写真・核型

（文献[6]，p.10-11 より抜粋）

定的検査を受けるかどうかを相談していくことになる。

　また，出生前検査で調べることができる疾患は，先天性疾患全体のうち染色体疾患（約20％）のみであるため，助産師は出生前検査の対象疾患について正しく理解した上で支援していく。最新の情報は，日本医学会出生前検査認証制度等運営委員会ホームページ[16]を確認されたい。

3）出生前検査と情報提供

　「NIPT等の出生前検査に関する専門委員会報告書」[13]では，出生前検査に関する妊婦等への情報提供の留意点として，以下のように記載している。

> **妊婦及びそのパートナーに対する出生前検査に関わる情報提供についての留意点[13]**
> ・当該情報提供は，出生前検査の受検を勧奨するものではなく，妊娠・出産・子育て全般に関わる妊婦やその家族の抱える様々な不安や疑問に対応する支援の一環として行うものであること
> ・情報提供を受けた妊婦は，検査を受けることが必須であると捉える場合もあり，また，出生前検査の存在を知ることによりかえって不安を抱く場合もあること
>
> **妊娠の初期段階における誘導にならない形での情報提供（文献[13]より抜粋・一部改変）**
> 　従来は，「医師が妊婦に対して，本検査の情報を積極的に知らせる必要はない」との見解が示されていたが，誰もが容易に出生前検査に係る情報へのアクセスが可能となっていることや，出産年齢の高年齢化や仕事と子育ての両立への懸念などを背景として，様々な不安や疑問を抱え，出生前検査についての正しい情報や相談ができる機関を求める妊婦が増加している。このような現状に鑑みれば，妊娠・出産に関する包括的な支援の一環として，妊婦及びそのパートナーが正しい情報の提供を受け，適切な支援を得ながら意思決定を行っていくことができるよう，妊娠の初期段階において妊婦等へ誘導とならない形で，出生前検査に関する情報提供を行っていくことが適当である。

　助産師には，これらのことに留意しながら，妊娠・出産・産後に関する包括的な支援と意思決定支援を行っていくことが求められている。

4）出生前検査と親子関係

　出生前検査を検討する時期の妊婦は，妊娠初期特有の身体的・心理的変化を体験している時期と重なる（図6-4）。具体的には，悪阻，気分の変動や，妊娠への喜びや戸惑いがあるというアンビバレントな（相反する）感情の揺れがある状態の中で，出生前検査に関する情報を理解し，受けるかどうかの決定をしていく[17]。

　また，羊水検査の結果を受け取るころには，胎動を感じ始める妊婦もいる。胎動を感じ始めた妊婦は，胎児の存在を実感し，愛着形成が促進されていく時期でもあるが，検査結果を待っている間は胎動に気づかないようにしたり，感情を抑えたりして過ごしていることもある[18]。

5）出生前検査を受ける理由

　妊婦が出生前検査を受ける理由は，下記のようにさまざまである。

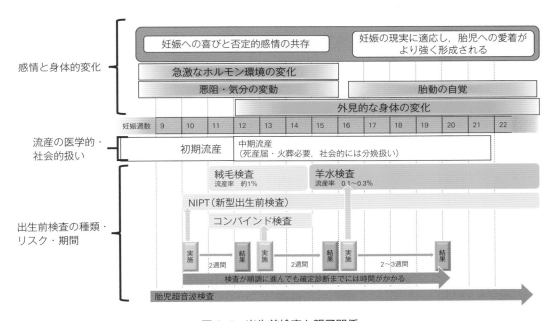

図 6-4　出生前検査と親子関係
(有森直子氏の許可を得て一部改変)

妊婦が出生前検査を受ける理由（文献13)より引用・改変)
・生まれてくる子どもの健康面についての不安
・高年齢での妊娠であること
・初産であること
・流産・死産の経験
・親族などに障害児・者がいること
・育児や家計状況
・育児と仕事の両立　など

　出生前検査を受ける妊婦の中には，胎児の命を障害により選別すべきで
はない，どんな命でも受け入れたいという意識を持ちつつも，障害のある
子どもを一生介護する責任を負う強い精神力，あるいは経済力がないので
あれば，妊娠継続を断念せざるをえないのではないかとの不安を抱き，そ
の葛藤の中で受検する者も少なくないという報告がある13)。

6) 出生前診断と助産師の役割

　出生前診断における助産師の役割は，遺伝に関する最低限の基本的知識
を持つことのほか，カップルの相談の潜在的なニーズに気づくことや適切
な相談機関につなぐこと，継続的にカップルを支援していくことなどであ
る。カップルが抱いている不安や迷いの原因が何か，遺伝の問題に関わる
ことなのかどうかなど，傾聴と問題の明確化を行う。

　助産師は，自分の信念・価値観は持ちつつも，カップルの多様な価値観
やニーズを尊重し，それに応じたケアを提供する。必要時，遺伝子医療部
などの専門部署につなぐなど，多職種連携が必要である。また，認定遺伝

●1 認定大学院遺伝カウンセラー養成課程を修了した後，日本遺伝カウンセリング学会と日本人類遺伝学会が共同で実施している認定審査に合格して取得できる資格。

●2 専門看護師（certified nurse specialist；CNS）とは，看護師としての実践経験を 5 年以上持ち，看護系大学院で修士課程を修了した後，日本看護協会の認定審査に合格して取得できる資格。遺伝看護 CNS は，2016 年 11 月に分野特定された。

カウンセラー[®1]や遺伝看護専門看護師[2]との相談，協働を通して，実践力を高めていくことも期待されている。

7 新生児マス・スクリーニング

新生児マス・スクリーニング（newborn screening；NBS）とは，知らずに放置すると，やがて神経障害などの重大な健康被害が生じるような疾患で，かつ，発症前に見つけて治療介入すれば障害から免れられるような疾患を，発症前の新生児期に見つけて障害を予防する公衆衛生事業である[19]。現行の NBS の対象疾患は，甲状腺機能低下症の大部分を除き，すべて遺伝性疾患である[19]。そのため，これらの疾患の支援では，遺伝医療としての配慮が必要である。

わが子の誕生を喜んでいるさなかでの疾患の告知は，両親に衝撃を与え，戸惑わせることになる。あまたある NBS 対象疾患に助産師が出会う機会は限定されるが，疾患を指摘された子の親へは，カップル間の関係性や親の罪悪感，家族の関係性などを確認しながら，正しい情報を理解ができるような支援をしていく。適時，全国の看護職や親の会（ピアグループ）との情報交換をしながら，親とともに情報整理をし，今後の生活について話し合っていく役割が期待される。

また，NBS 対象疾患は，原則的に治療法が確立されているものの，食事療法などの家族の負担は大きく，必ずしも予後が良好とは限らない[19]。そのため，次子妊娠を考えるに当たり，出生前診断や着床前診断を希望する場合もある。わが子の治療を担当している医師には相談しにくいこともあるため，適時助産師が相談に乗れるように，相談窓口を伝えておくことが推奨される。

引 用 文 献
1）渡邉淳著（2020）：第 2 章 「ヒトのゲノム」の変化で起きる疾患—遺伝性疾患．遺伝医学，羊土社．p.64-114.
2）関沢明彦，佐村修，四元淳子編著（2020）：周産期遺伝カウンセリングマニュアル，中外医学社．
3）日本医学会（2022）：医療における遺伝学的検査・診断に関するガイドライン．
4）中込さと子（2023）：出生前診断を受ける妊婦・家族へのケア．小林康江責任編集，助産師基礎教育テキスト 2023 年版，第 7 巻（ハイリスク妊産褥婦・新生児へのケア），日本看護協会出版会．p.376-383.
5）河村理恵，杉本岳，倉橋浩樹（2021）：2．染色体異常の発生機序．関沢明彦，佐村修，中岡義晴編著，四元淳子編集協力，生殖医療遺伝カウンセリングマニュアル，中外医学社．p.4-9.
6）令和 3 年度厚生労働科学研究費補助金（成育疾患克服等次世代育成基盤研究事業）「出生前診断の提供等に係る体制の構築に関する研究」NIPT（非侵襲性出生前検査）パンフレット．
7）片桐由紀子，玉置優子（2019）：不妊診療における遺伝カウンセリング—その内容とタイミング．柴原浩章編著，不妊症・不育症診療—その伝承とエビデンス，中外医学社，p.318-321.

8) 藤田みどり（2018）：性染色体異常. 有森直子，溝口満子編著，遺伝／ゲノム看護，医歯薬出版，p.101-115.

9) 日本産婦人科医会：研修ノート No. 106 思春期のケア（5）ターナー症候群の健康管理，妊娠出産.

10) Nussbaum, R. L., McInnes, R. R., Willard, H. F.（福嶋義光監訳）（2020）：第6章 染色体およびゲノムの量的変化にもとづく疾患：常染色体異常と性染色体異常. トンプソン＆トンプソン遺伝医学，第2版，メディカル・サイエンス・インターナショナル，p.113-119.

11) 中込さと子監修，西垣昌和，渡邉淳編集（2019）：Chapter 7 遺伝性疾患③染色体レベルの変化が関わる疾病—染色体異常症. 基礎から学ぶ遺伝看護学—「継承性」と「多様性」の看護学—，羊土社，p.62-67.

12) 伊藤志帆（2017）：遺伝子疾患をもつ親子を支えるケア. 小児看護，40（11）：1417.

13) 厚生科学審議会科学技術部会 NIPT 等の出生前検査に関する専門委員会（2021）：NIPT 等の出生前検査に関する専門委員会報告書.

14) 日本産科婦人科学会（2022）：「重篤な遺伝性疾患を対象とした着床前遺伝学的検査」に関する見解. 日本産科婦人科学会雑誌，74（7）：770-771.

15) 室月淳（2021）：出生前診断と選択的中絶のケア. メディカ出版，p.30.

16) 日本医学会出生前検査認証制度等運営委員会ホームページ.
〈https://jams-prenatal.jp〉

17) 御手洗幸子（2018）：出生前診断. 有森直子，溝口満子編著，遺伝／ゲノム看護，医歯薬出版，p.58-73.

18) Rothenberg, C. H., Thomson, E. J.（1994）：Women & Prenatal Testing：Facing the Challenges of Genetic Technology, Ohio State University Press；堀内成子，飯沼和三監訳（1996）：女性と出生前検査—安心という名の幻想，日本アクセル・シュプリンガー出版.

19) 山口清次編著（2019）：第1章 新生児スクリーニングの概要，よくわかる新生児マススクリーニングガイドブック，診断と治療社，p.4-9.

参 考 文 献

・日本産科婦人科学会（2022）：生殖・周産期医療に関係する生命倫理を考えるに際しての日本産科婦人科学会の基本姿勢.

・日本産科婦人科学会臨床倫理監理委員会：公開動画 重篤な遺伝性疾患を対象とした着床前遺伝学的検査（PGT-M）／不妊症および不育症を対象とした着床前遺伝学的検査（PGT-A・SR）.
〈https://www.jsog.or.jp/modules/committee/index.php?content_id=225〉

・厚生科学審議会先端医療技術評価部会出生前診断に関する専門委員会（1999）：母体血清マーカー検査についての見解（報告）.

・日本医学会出生前検査認証制度等運営委員会（2022）：NIPT 等の出生前検査に関する情報提供及び施設（医療機関・検査分析機関）認証の指針.

6

3 NICU 長期入院児への支援

1 NICU に長期入院を余儀なくされる子ども

　周産期医療の進歩，新生児集中治療管理室（neonatal intensive care unit；NICU）の整備により，子どもの救命率は上昇した。一方，障がいのある子どもや医療的ケア児は増加している。また，NICU 長期入院児の約 50％は，受け入れ施設や在宅支援体制の整備不足により NICU や新生児回復室（growing care unit；GCU）に長期入院を余儀なくされている。

　楠田ら[1]の調査によると，長期入院の原因となった基礎疾患は，先天異常が最も頻度が高く，次に極低出生体重児（出生体重 1,500 g 未満の新生児），新生児仮死，染色体異常の順で，生後 2 年の時点での入院児の基礎疾患では，新生児仮死，先天異常，極低出生体重児，染色体異常の順であり，新生児仮死で長期入院となった児では，その後に退院する可能性が極低出生体重児に比べて明らかに低かった。

　また，生後 1 年以上からの 1 年ごとの退院率は，年ごとに退院する割合が減少し，さらなる長期入院となる傾向がある[1]。長期入院児発生率の減少には，院内外の所属を問わず一体となって計画的に取り組むことで効果を得ているが，継続した支援体制においてはまだ課題が残る[2]。長期入院児に関しては，生後 1 年以内の退院支援，在宅移行支援についての考えが重要である。また，妊娠成立時からの医療や看護が出生後に影響を及ぼすため，妊娠中から退院に至るまでの継続したケアは重要であり，助産師の果たす役割は大きい。

　ここでは，長期入院児の看護ケアと在宅移行支援に焦点を当てて解説する。

2 長期入院児に必要な看護ケア

　NICU に長期入院を余儀なくされる子どもには，家族の支援が重要であり，家族との関係性の構築のためにも，子どもへの確実なケアが要求される。

　以下，日本看護協会が開発した「NICU/GCU における小児在宅移行支援パスと教育プログラム」（後述）[3]を参考に，NICU に入院する子どもの病状の時期を経時的に，妊娠期，出生急性期，急性期，回復期・慢性期，

家庭療育準備期に分け，子どもと家族の看護について述べる。

1）妊娠期（胎児期）

　纐纈ら[4]は，助産師が継続的に妊婦に寄り添うことは，胎児への関心や育児に対する主体性を高め，母子関係の構築につながると述べている。このため，妊婦との関係作りにおいて，妊娠初期から関わる助産師の役割は大きい。

　また，18 トリソミーなどの先天性疾患は，胎児期に診断される場合もある。妊娠中にわが子の疾患を知った上で，妊娠の継続を決心する両親が，大きな覚悟を持って出産に臨むことになるのはいうまでもない。しかし，妊娠の継続を中断する決心をする両親にも，計り知れない苦悩と罪悪感がある。

　在宅支援を実践している筆者と面談したある母親は，妊娠中に子どもの疾患を聞かされたときには「崖から突き落とされた気持ちになり，子どもをあきらめることも考えた」と涙を流す。そうした気持ちを夫以外の誰にも打ち明けられず，「誰か医療者に相談したかったけれど，誰も聞いてはくれなかった」という母親もいた。

　妊娠を継続するにも，断念するにも，大きな覚悟がある。両親が納得した意思決定ができるように全力でサポートし，その後も継続した支援が必要である。

2）出生急性期：出生（入院）から 72 時間以内

　―子どもが生命の危機にあり，同時に養育者も危機的な状態にある―

　この時期に必要な看護ケアは，子どもの胎外適応を支援することと，家族を静観することである。

（1）子どもの看護

　この時期の看護ケアの善し悪しが，後遺症などの合併症に影響を与えることも少なくない。妊娠経過の情報から，出生時の救命処置や不測の事態に備える。新生児看護に必要な呼吸管理，循環管理，体温管理，栄養管理，成長・発達などを理解しておく。また，在胎週数によるケアの違いや呼吸障害，仮死，先天異常など疾患について理解し，子どもの状態をトータル的にアセスメントし，繊細なケアを提供できることが要求される。

（2）家族への看護

　家族は，子どもを新しい家族として迎え入れることでの発達危機，子どもが病気で NICU に入院するといった状況的危機に陥っている。家族の心理状態を考え，まずは家族に寄り添い，家族との関係性を構築することが必要である。

出産時には子どもの誕生を祝うことを忘れない。また，家族の感情，思いを引き出し，共感する姿勢が必要である。さらに，こうした場合は母親に目が向きがちになるが，実は父親も支援を必要としている。父親は，母親の状態や子どもの状態が気がかりな中，出生届や各種手続きなど，1人で奔走していることも少なくない。父親にも寄り添うことが必要である。

3）急性期：出生後72時間から輸液が中止可能で栄養が確立する時期—子どもは生命の危機から脱して安定してくる，家族も子どもへの愛着を形成して，家族関係の構築へと向かう—

　この時期の看護ケアにおいては，子どもの現状を把握，状態安定に向けたケアの提供が必要で，家族に対しては，親役割の獲得，家族関係の構築に向けた支援が必要である。

（1）子どもの看護

　子どもの発達，病状をトータル的にアセスメントし，ディベロップメンタルケアを意識したケアの提供が要求される。また，子どもの人権を考えることも必要である。

（2）家族の看護

　ファミリーセンタードケアを意識し，家族との関係を構築する。親子関係の構築のため，産科病棟の助産師と連携し，面会など，子どもと家族が過ごせる時間を保証する。面会の際には，育児ケアへの参画を促す。また，この時期の個々の状態に応じた，搾乳などの母乳支援は重要である。

4）回復期・慢性期：子どもの状態が固定し，慢性的に経過する時期—生命の危機への不安は軽減されるが，障がいが残る場合はこの時期に告知され，家族は再び子どもの将来に漠然とした不安を抱き，危機的な状況に陥る—

　この時期の看護ケアにおいては，新生児の特徴から小児の特徴に変わり，呼吸管理などをアセスメントし，障がいの予測を立て，ケアに反映させる。また，家族には，子どもの病状や予後について認識できるようていねいに説明し，「どんな子でもわが子である」という，家族の一員と思えるような支援が要求される。

（1）子どもの看護

　小児の特徴を踏まえた子どもの現況，予測される障がいなどを考慮し，成長・発達を踏まえたアセスメントが必要である。その上で在宅生活を意識したケアを提供する。また，医療的ケアが必要な子どもにおいては，家族が担うことを考慮し，ケアをできるだけ簡素化する。

(2) 家族の看護

家族が子どもの状態を認識できるようていねいに関わることが必要である。家族情報についてアセスメントし，在宅移行に向けての支援を実施する。家族が「わが子だからこそ，家に連れて帰りたい」という意志を持てるようなケアが重要である。子どもと過ごす時間をできるだけ多く持てるように調整し，医療的ケアも日常の子育ての一環となるように自然な形で導入する。

5) 家庭療育準備期：退院の方向が決定する時期
　　　―在宅に向けて退院後の生活を強く意識した退院支援を行う―

この時期の看護ケアにおいては，子どもが家族の一員となり，地域で安心して生活できるように多職種と連携・協働することが必要である。

(1) 子どもの看護

ホームケアでの体調の変化をアセスメントし，個々の家庭での生活をイメージしながらケアを提供することが要求される。また，在宅用の医療機器をはじめ，地域でのサービスの利用や制度においても知識を得る。

(2) 家族の看護

医療的ケアの具体的な指導のみにとらわれず，基本的には子育て，育児指導という観点で家族の支援を実施する。家族の情報と居住地域の情報を得て，正しい情報を家族に伝える。

サービスは市町村によって異なるため，曖昧な情報は家族を混乱させることになる。医療ソーシャルワーカー（MSW）などと連携しつつ，地域での支援者に委ねることも必要である。在宅後の生活は，家族と話し合い，個々の家族の状況に沿った内容で支援する。

できれば入院中に身体障害者手帳取得などの手続きをしておくことが望ましい。医療的ケア児などが利用できる手当や制度は表 6-8 に示した。

3　在宅への移行支援

NICU の長期入院児の支援を考えるときには，先に述べたように，在宅移行支援が重要である。在宅移行支援は，退院することが目的ではなく，退院後の生活をいかに支えるかである。

(1) 在宅移行の成立条件

在宅移行に際しては，
・医療的成立条件：心身の状態が安定していること
・福祉的・教育的成立条件：療養中の QOL が向上する整備がなされる

表 6-8　医療的ケア児が利用できる医療費助成制度や手当

年齢	0 歳〜就学前の乳幼児	乳幼児医療費助成制度
	義務教育就学期にある児童	義務教育就学児医療費助成制度
疾患	小児慢性特定疾患に罹患している 18 歳未満の子ども	小児慢性特定疾病医療費助成制度
	指定難病で病状が一定程度以上の場合	難病医療費助成制度
医療内容	2,000 g 以下の低出生体重児，医学的管理を必要とする 0 歳児	未熟児養育医療
	18 歳未満の身体に障がいのある子ども	自立支援医療（育成医療）
手当	重度の障がいがある 20 歳未満の子ども	障害児福祉手当
	疾患や障がいがある 20 歳未満の子どもを養育する保護者	特別児童福祉手当
	一定の障がいがある 20 歳未満の子どもを養育する保護者	児童育成手当（障害手当）

（文献[5]により作成）

こと
・家族側の成立条件：家族に生活維持力があり，ケアの維持能力が継続できること，在宅生活における困難を家族が回避できる資源があること

以上のような条件があげられるが，十分に家族の状況を見極め，支援する必要がある。

退院後の生活の場は，決して自宅だけではない。時には子どもや家族の状況に鑑み，施設入所への選択をする場合もある。その決心に，家族は苦渋の選択を強いられていることを忘れてはならない。

(2) 多職種連携・協働における助産師の役割

在宅生活を送るには，生命の安全，健康の維持・増進，社会生活が維持されていなければならない。そして，それぞれの職種がサポート的役割を担うことが必要である。加えて，NICU からの在宅移行はまだ家族としての形成期であるために，支援の根底には家族形成と家族の安定化がある。全職種は，この「家族の安定化」をサポートしなければならない。また，在宅移行支援は多職種との連携・協働が必要である。「この子」のチーム作りがカギとなる。

図 6-5 に，子どものライフステージに沿って，関わる職種を示した。子どもの成長に合わせて，関わる職種と連携でチームを作り，支えることが重要である。特に訪問看護師は，地域での生活の最初から長期にわたって子どもと家族の伴走者になり，チームのリーダー的存在になりうる。近年，助産所が機能拡大のために，母子に特化した訪問看護を始め，助産師が母子の訪問においてアドバイザーとして活躍していることもある[7]。助産師の訪問は，子どものケアのみならず，母親の産後の体調などのケアも担うため，今後さらなる活躍が期待される（p.76〜も参照）。

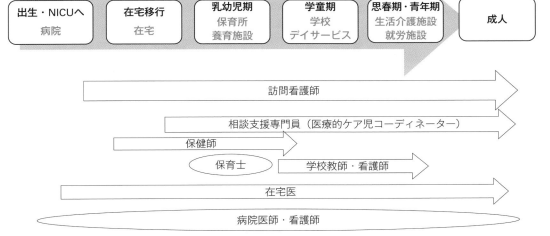

図 6-5　子どものライフステージにおいて関わる主な職種

(3) 小児在宅移行支援指導者研修の意義

　以上のような在宅移行支援の必要性から，日本看護協会は，「NICU/GCU における小児在宅移行支援パスと教育プログラム」[3] を開発し，在宅移行を推進するツールとして導入を推進してきた。このツールの導入は，全国の NICU におけるケア提供水準の保証，在宅移行支援の推進につながる。しかしそのためには，各施設において，この意図や活用方法を理解した上で，施設の状況に応じて導入・活用を推進することのできる指導者を育成することが求められる。

　そこで，日本看護協会では，「小児在宅移行支援指導者育成研修」を開催している。なお，本研修は，2020 年度の診療報酬改定により「入退院支援加算 3」の施設要件に明記された「小児患者の在宅移行に係る適切な研修」に該当する。

4　医療的ケア児について

　生活する中で経管栄養や人工呼吸器など医療機器を必要とする子どもを「医療的ケア児」という（18 歳以上の高校生も含む）。子どもにとって，生活を営む上で医療的ケアがその一部となっている状態を表し，重症度による区別はない。主な医療的ケアは，経管栄養，吸引，気管切開，人工呼吸器，在宅酸素，導尿，ストーマ，中心静脈栄養などである。全国に約 2 万人いると推計され，人口 1 万あたり 1.3 人を占める[8]。

　なお，医療者以外の家族や学校の教師がケアを行うことから，「医療的ケア児」という言葉は，最初は学校現場で使われてきた。

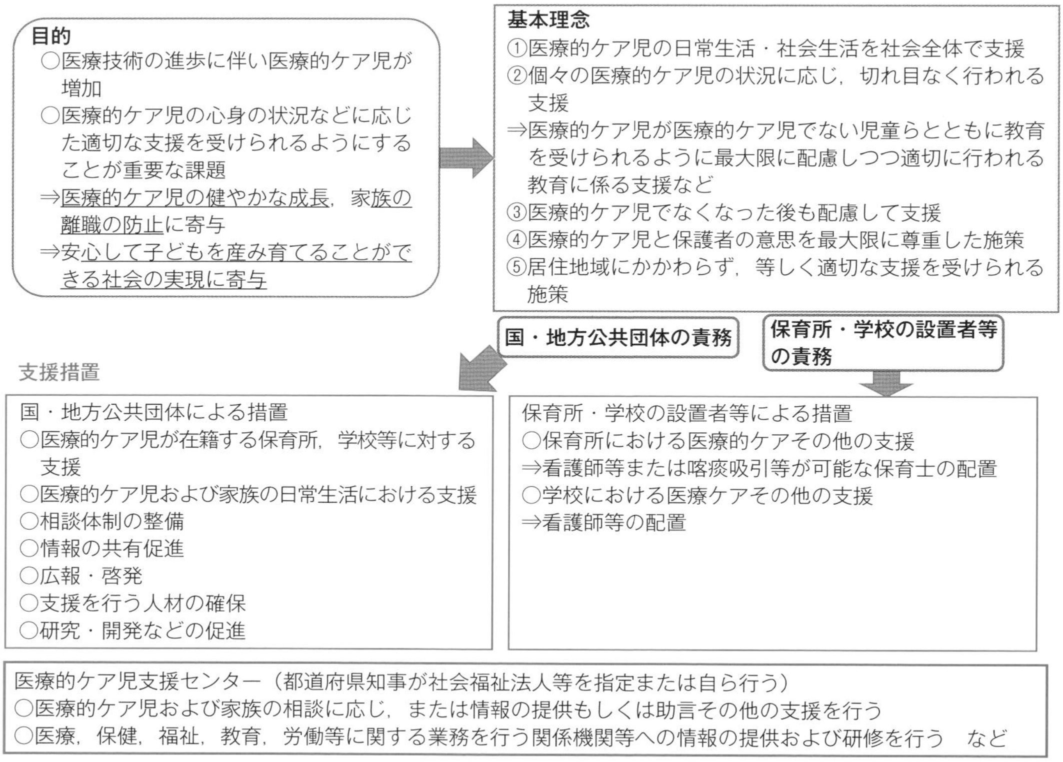

目的
○医療技術の進歩に伴い医療的ケア児が増加
○医療的ケア児の心身の状況などに応じた適切な支援を受けられるようにすることが重要な課題
⇒医療的ケア児の健やかな成長，家族の離職の防止に寄与
⇒安心して子どもを産み育てることができる社会の実現に寄与

基本理念
①医療的ケア児の日常生活・社会生活を社会全体で支援
②個々の医療的ケア児の状況に応じ，切れ目なく行われる支援
⇒医療的ケア児が医療的ケア児でない児童らとともに教育を受けられるように最大限に配慮しつつ適切に行われる教育に係る支援など
③医療的ケア児でなくなった後も配慮して支援
④医療的ケア児と保護者の意思を最大限に尊重した施策
⑤居住地域にかかわらず，等しく適切な支援を受けられる施策

国・地方公共団体の責務

保育所・学校の設置者等の責務

支援措置

国・地方公共団体による措置
○医療的ケア児が在籍する保育所，学校等に対する支援
○医療的ケア児および家族の日常生活における支援
○相談体制の整備
○情報の共有促進
○広報・啓発
○支援を行う人材の確保
○研究・開発などの促進

保育所・学校の設置者等による措置
○保育所における医療的ケアその他の支援
⇒看護師等または喀痰吸引等が可能な保育士の配置
○学校における医療ケアその他の支援
⇒看護師等の配置

医療的ケア児支援センター（都道府県知事が社会福祉法人等を指定または自ら行う）
○医療的ケア児および家族の相談に応じ，または情報の提供もしくは助言その他の支援を行う
○医療，保健，福祉，教育，労働等に関する業務を行う関係機関等への情報の提供および研修を行う　など

図 6-6　**医療的ケア児及びその家族に対する支援に関する法律の概要**（文献[9]により作成）

　2021 年 9 月には，医療的ケア児及びその家族に対する支援に関する法律（医療的ケア児支援法）が制定された（図 6-6）。これまでの努力義務から地方自治体の責務として成立した。医療的ケア児の日常生活・社会生活を切れ目なく支援できるように，保護者の意思を尊重した，等しく適切な支援などが盛り込まれている。支援センターなどの設置が全国で進んでおり，今後，この法律に基づきさまざまな支援体制が整うことが期待されている。

引用・参考文献
1) 楠田聡，小枝久子，山口文佳（2010）：NICU 長期入院児の動態調査　重症新生児に対する療養・療育環境の拡充に関する総合研究．厚生労働科学研究費補助金（成育疾患克服等次世代育成基盤研究事業）田村班 24-29.
2) 楠田聡，小枝久子，山口文佳（2010）：NICU 長期入院児の動態調査　長期入院発生率が減少した原因についての検討　重症新生児に対する療養・療育環境の拡充に関する総合研究．厚生労働科学研究費補助金（成育疾患克服等次世代育成基盤研究事業）田村班 30-34.
3) 井本寛子（2019）：小児在宅移行支援指導者育成研修プログラムについて．看護，71（4）：22-26.
4) 纐纈なつ子，服部律子（2015）：助産師による妊娠期からの育児支援．岐阜県立看護大学紀要，15（1）：29-40.
5) 海老澤早希（2022）：医療的ケア児が利用できる医療費助成制度や手当．冨田直，鎌田美恵子，森越初美，小川一枝編著，みんなでできる医療的ケア児サポート BOOK，照林社.

6）前田浩利編（2013）：地域で支えるみんなで考える実践‼小児在宅医療ナビ，南山堂，p.17-23.

7）長坂桂子，小六真千子（2022）：Q & A で知る産前産後の訪問看護基本のき．助産師雑誌，76（4）：372-382.

8）厚生労働省：医療的ケア児等とその家族に対する支援施策．
〈https://www.mhlw.go.jp/stf/seisakunitsuite/bunya/hukushi_kaigo/shougaishahukushi/service/index_00004.html〉

9）厚生労働省（2021）：「医療的ケア児及びその家族に対する支援に関する法律」について．
〈https://www.mhlw.go.jp/content/12601000/000794739.pdf〉

6

第7章

助産師に必要な知識と技術

新生児蘇生法

　日本では，周産期医療体制が整備され，ハイリスク分娩やハイリスク新生児の出生が予測される場合には，あらかじめ地域周産期母子医療センターや総合周産期母子医療センターへ母体を搬送し，分娩に小児科医師が立ち会うシステムが構築されている。しかしながら，順調な妊娠・分娩経過を辿り，胎児心拍数モニタリングで異常を認めないケースであっても，重篤な新生児仮死で出生することがある。出生したばかりの新生児は，自ら呼吸を始め，母胎内環境から母胎外環境への劇的な変化に適応しなければならないためである。

　正期産児の約85％は，出生後10〜30秒後に呼吸を開始する。残りの約15％の新生児は出生時に何らかの処置が必要となり，約5％が人工呼吸，約2％が気管内挿管による補助呼吸，約0.1％が胸骨圧迫，約0.05％が人工呼吸と胸骨圧迫，薬物投与が必要となる。たとえ出生時に自発呼吸を開始することができない新生児であっても，皮膚刺激と人工呼吸を適切に実施することによって約90％は自発呼吸を開始することができるのである。このため，助産師には標準的な新生児蘇生法（neonatal cardio pulmonary resuscitation；NCPR）の修得は必須であり，また，定期的なスキルアップが必要である。そこで，ここでは基本的なNCPRについて，アルゴリズムのステップに沿って解説する。

1　NCPR アルゴリズム

　NCPRアルゴリズムを図7-1に示す。

　NCPRアルゴリズムは児の状態の「評価」◇と「行動（介入）」▭で構成される。▭は「原因検索」と「さらなる治療の検討」，▭は「経過観察」を意味する。

　上から下に向かって「行動」と「評価」が交互に配置されているため，有効な行動（介入）後，おおむね30秒ごとに評価し，次のステップに進む。なお，進む場合も戻る場合も1ステップで行うことが基本となる。

　アルゴリズムの全体像を概観すると，蘇生の初期処置の後，「救命」と「安定化」2つの流れに分かれる。この流れを分ける重要なポイントは，刺激に対して自発呼吸が出現したかどうか，つまり，一次性無呼吸か二次性無呼吸かを判断することにある。一次性無呼吸の場合，児の心拍や呼吸は

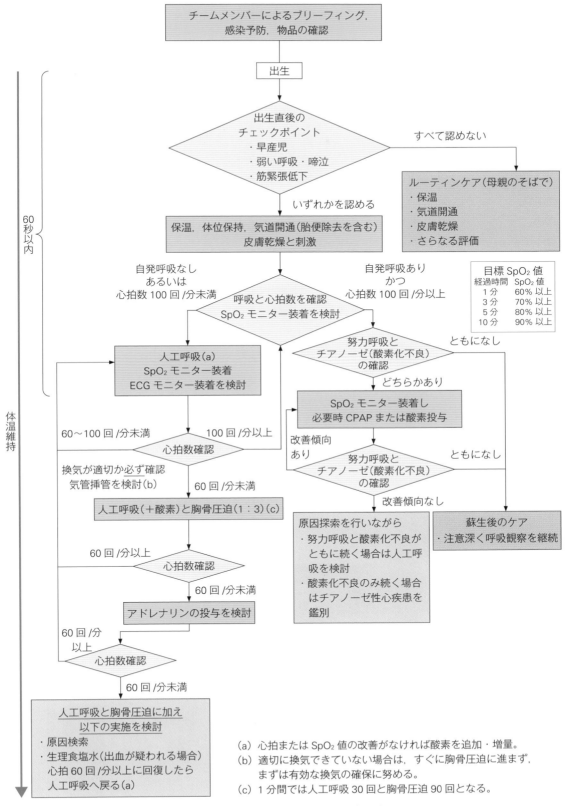

図 7-1　新生児心肺蘇生法のアルゴリズム
（文献[1]，p.234 の図 1 による）

維持されているが，あえぎ呼吸から二次性無呼吸に陥ると，アシドーシスが進行し，もはや児は心拍や血圧を維持することができない。そのため，有効な人工呼吸を直ちに開始することが重要である。出生から遅くとも60秒以内に人工呼吸を開始することによって，新生児仮死の約90%は救命できるということを強調しておきたい。

2 新生児蘇生の実際

1) チームメンバーによるブリーフィング

CoSTR 2020では，ブリーフィング（事前打ち合わせ）やデブリーフィング（振り返り）を実施することにより，蘇生の質や予後の改善につながる可能性があることが示唆され，2020年改定版ガイドラインからこの項目が新たに追加された。事前の情報収集からリスク因子を評価すること，評価に応じた人的・物的準備を整えて蘇生に臨むこと，蘇生の結果をチームで振り返り，経験から得た学びを次の実践に活かすことが重要である。

具体的な蘇生準備は，周産期のリスク因子の確認，標準感染予防策（standard precautions）としての個人防護具（personal protective equipment；PPE），保温のための室温調整，ラジアントウォーマーや保温・乾燥したリネン，タイマー，人工呼吸機器（自己膨張式バッグ，流量膨張式バッグ，Tピース蘇生装置，フェイスマスク），酸素やブレンダー・吸引などのガス供給源，聴診器，パルスオキシメーター・プローブ，心電図・電極，吸引チューブ・吸引圧の確認，気管内挿管チューブ・喉頭鏡・ラリンゲルマスク，胃管チューブ・シリンジ，静脈カテーテル，薬剤などである（写真7-1）。

● NCPRは，国際蘇生連絡委員会（International Liaison Committee on Resuscitation；ILCOR）の新生児蘇生ガイドラインに準拠して作成された，日本蘇生協議会（Japan Resuscitation Council；JRC）の新生児蘇生ガイドラインに基づくものである。ILCORは，さまざまな新生児蘇生の臨床上の疑問に対して系統的レビューを行い，CoSTR 2020（科学的根拠と治療の推奨）を作成しており，それらに基づいて新生児蘇生ガイドラインは5年ごとに更新や改定が行われている。

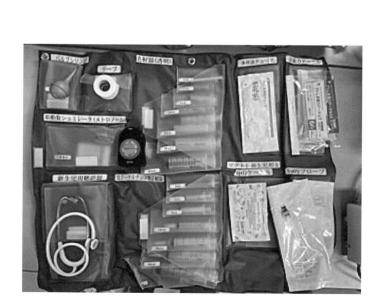

写真7-1　新生児蘇生の必要物品（例）

2) 出生直後の児の状態評価

　出生直後の主なチェックポイントは，① 早産児か，② 弱い呼吸・啼泣か，③ 筋緊張の低下があるか，の 3 項目である。いずれか 1 つでも当てはまる場合は，児をラジアントウォーマーに移動させ，蘇生の初期処置を開始する。

- ① 早産児は，その未熟さから蘇生や保温が必要となることが多い。そのため，ラジアントウォーマーのもとで慎重な観察と評価が必要である。
- ② 呼吸については，力強い泣き声やしっかりとした胸郭の動きが確認できない場合は，弱い呼吸と見なして蘇生の初期処置の行動・介入のステップに入る。なお，あえぎ呼吸は，前述したように二次性無呼吸に移行するため，無呼吸と判断する。
- ③ 筋緊張は，手足の屈曲で判断する。四肢をだらんと伸ばしていれば，筋緊張低下と判断する。

3) ルーティンケア

　出生直後のチェックポイント 3 項目すべてを認めない場合は，母親のそばで羊水を拭き取り，保温しながら経過を観察する。口鼻腔内の分泌物は乾いたリネンで拭うだけでよく，過剰な吸引は迷走神経反射を引き起こすおそれがあるため，積極的には実施しない。

　ルーティンケア後もチアノーゼ出現などの可能性があるため，さらなる評価が必要である。

　カンガルーケア（早期皮膚接触）に保温や母子愛着形成の促進，感染予防など，さまざまな効果があることは，周知のとおりである。しかしながら，安全のため，パルスオキシメーターなどのモニター装着をして，スタッフによる継続した観察を実施することが重要である。

4) 蘇生の初期処置

　出生直後のチェックポイント 3 項目いずれかを認める場合は，蘇生の初期処置（保温，体位保持，気道開通，皮膚の乾燥と刺激）を開始する。

　新生児の体温は，中心温度 36.5〜37.7℃ を維持することが推奨されている。アルゴリズムにおいても，出生直後から蘇生全体を通じて保温に努め，予後予測として体温を測定し，記録することが明示されている。

　体位保持は，気道確保の意味合いを持つ。新生児は後頭部が大きいため，そのまま仰臥位で寝かせると気道が閉塞しやすい。そのため，肩枕を挿入して "sniffing position"，つまり，児の頸部を伸展して頭部を後屈，下顎を挙上した体位，匂いをかぐような姿勢に保持する（写真 7-2）。この状態でも呼吸が弱い場合や，胸郭の動きが小さい場合は，分泌物貯留による気道閉塞が考えられる。そのため，口鼻腔吸引を実施して気道開通を図る。

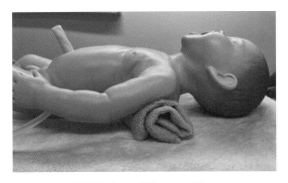

写真 7-2　sniffing position

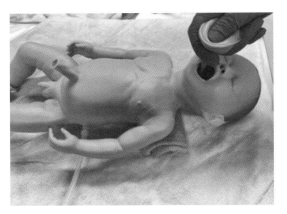

写真 7-3　バルブシリンジ

　自発呼吸のない児の吸引は，必ず口，鼻の順序で実施する。これは，鼻腔吸引の刺激によって自発呼吸が誘発され，誤嚥する危険性があるためである。また，100 mmHg（13 kPa）を超えない吸引圧で実施し，吸引チューブは早産児が 6〜8 Fr，正期産児は 10 Fr，羊水混濁がある場合は太めの 12〜14 Fr を用いる。

　過度な吸引は，迷走神経反射を起こす危険性があるため，カテーテルを咽頭まで深く挿入したり，長時間吸引したりすることは避ける。なお，バルブシリンジはガス源を必要とせず，吸引圧も適度で優しく，深く挿入する危険もないため，簡便な吸引器といえる（写真 7-3）。

　皮膚の乾燥と刺激は，保温・乾燥したリネンを用いて羊水を拭き取ることで同時に児の体幹や四肢，背部の刺激となる。自発呼吸が出現しない場合や，呼吸が弱い場合は，さらに足底を 2〜3 回叩いたり指で弾いたりする。また，児の背部を優しくこすって刺激し，自発呼吸を誘発させる。

5）蘇生の初期処置後の評価

　蘇生の初期処置後の評価は呼吸・心拍を確認する。呼吸はしっかりとした胸郭の動きがあるか，啼泣があるかを確認する。また，心拍は聴診器を胸部に直接当てて 6 秒間心拍を測定し，10 倍して 1 分間の心拍数とする。

　パルスオキシメーターは，プローブを装着後，測定値が表示されるまでに 90 秒以上かかる。そのため，呼吸・心拍を評価するタイミングでできるだけ早く装着しておくことが望ましい。また，プローブは動脈管開存の影響を受けにくい右手に装着する。さらに，ハイリスク分娩を取り扱う施設では心電図モニターも積極的に取り入れられている。迅速かつ正確な心拍数を蘇生チームメンバーで共有することができる。

　前述したように，この呼吸・心拍の評価が「救命の流れ」と「安定化の流れ」を分ける重要なポイントとなる。無呼吸・あえぎ呼吸・心拍数 100 回/分未満の徐脈を認める場合は「救命の流れ」となり，直ちに人工呼吸を開

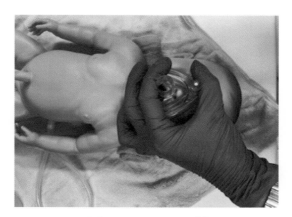

写真 7-4　IC クランプ法

始する。一方で，自発呼吸があり心拍数 100 回/分以上の場合は「安定化の流れ」となり，努力呼吸やチアノーゼの有無を観察する。

6) 人 工 呼 吸
必要物品の特徴と使用方法
① フェイスマスク
　児の鼻と口を覆い，眼にかからないサイズを選択する。人工呼吸を実施する際は，IC クランプ法（親指と人差し指で"C"の字を作り，マスクを顔に密着させ，中指で"I"の字で下顎を軽く持ち上げる：写真 7-4）で行う。
② 自己膨張式バッグ
　ガス供給源を必要とせず，速やかに人工呼吸器を開始することができる。また，過剰加圧防止弁（圧リリーフ弁）が付いているため，一定以上の圧がかからない（写真 7-5）。このため，災害時などでも安全に使用できるというメリットがある。
　しかしながら，フリーフロー酸素の投与ができないことや，マスクが正しく密着していない場合でもバッグが自然に膨張して加圧するため，適切に換気できているかの判断が難しいというデメリットがある。
　バッグの容量は 450〜500 mL，最大吸気圧が 30 cmH$_2$O 以上のものを選択する。
③ 流量膨張式バッグ
　ガス供給源を必要とし，ブレンダーを併用することで空気からフリーフロー酸素まで自由に酸素濃度を調節して投与することができる（写真 7-6）。マスクが正しく密着していない場合はバッグが膨張しないため，適切に換気できているか判断しやすい。また，持続的気道陽圧（continuous positive airway pressure；CPAP）として利用することができるというメリットがある。

7

写真 7-5　自己膨張式バッグ

写真 7-6　流量膨張式バッグ

　新生児蘇生では，5〜10 L/分程度の流量で使用し，エアーリーク症候群を予防するため，必ずマノメーター（圧力計）を接続して換気圧を確認する。

　人工呼吸は，前述の sniffing position に体位保持し，1 分間に 40〜60 回加圧する。正期産児の人工呼吸開始時の圧は 30 cmH$_2$O（早産児は 20〜25 cmH$_2$O）あるいはそれ以上の圧と，長めの吸気時間を必要とすることがある。過度な圧をかけて気胸を起こさないためにも，安全性の観点からマノメーターを装着して人工呼吸を実施することが推奨される。

　正期産児や在胎 35 週以上の早産児は空気で人工呼吸を開始し，目標 SpO$_2$ 値の目安を参考に酸素投与を検討する。酸素流量計にブレンダーを使用して酸素濃度を調節する目標 SpO$_2$ 値は，生後 1 分 60% 以上，生後 3 分 70% 以上，生後 5 分 80% 以上，生後 10 分 90% 以上とし，上限 95% を目安とする。

　効果的な人工呼吸が実施できているかを評価するための 3 つのポイントは，① 心拍数の上昇，② 胸郭の上がり，③ 呼気 CO$_2$ の検出，である。

　有効な人工呼吸ができていないと判断された場合には，3 つの解決ステップ，すなわち，① マスクの密着と sniffing position の確認，② 口鼻腔吸引と換気圧の上昇，③ 気管内挿管による人工呼吸，を検討する。

7）胸 骨 圧 迫

　効果的な人工呼吸を実施しても心拍数が 60 回/分未満で徐脈や心停止がある場合は，低酸素血症を起こす可能性があるため，必ず酸素濃度を上げて胸骨圧迫を開始する。胸骨圧迫 3 回に対して人工呼吸 1 回，1 サイクルを 2 秒間で実施する。胸骨下 1/3 の位置を胸骨前後径 1/3 へこむように圧迫する。

　胸骨圧迫の方法には，胸郭包み込み両母指圧迫法と二本指圧迫法がある。両母指法は疲労が少なく，他の臓器に与える影響も少ない。高い血圧

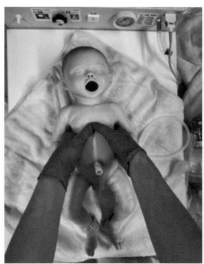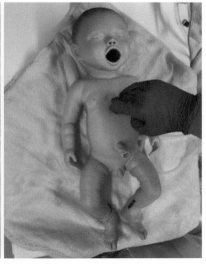

写真 7-7　胸骨圧迫（左：両母指法，右：二本指法）

を発生させることができるため，第一選択とされる。また，二本指法は，血管確保や 1 人での蘇生の際，手が小さい場合に選択される（写真 7-7）。

　どちらの方法も，拡張期に圧迫部位から指を離さないことが重要である。胸骨圧迫後は 30 秒ごとに心拍数を確認し，60 回/分以上に回復するまで胸骨圧迫を継続する。なお，心拍数を確認する際に人工呼吸を中止しないことも注意点としてあげておく。

8）薬 物 投 与

　効果的な人工呼吸と胸骨圧迫，酸素投与を実施しても，心拍数が 60 回/分未満のままであれば，アドレナリン（ボスミン®）を臍帯静脈や末梢静脈から静脈内へ投与する。静脈確保に時間を要する場合には，気管内挿管を考慮する。

　臍帯静脈は，新生児で最も早く確実に確保できる静脈である。臍帯静脈カテーテルは，血液の逆流が確認できればそれ以上深くは挿入せずに薬物を投与する。投与量が少ないため，生理食塩水でカテーテル内をフラッシュし，薬剤を心臓に届ける。気管内挿管チューブからの薬物投与は多くの量を投与する必要があり，静脈投与に比べて効果や信頼度は劣る。

　新生児蘇生で使用される薬物を，表 7-1 に示す。

9）呼吸障害の安定化

　自発呼吸や啼泣があり，心拍数は 100 回/分以上ある場合は，次に，努力呼吸と中心性チアノーゼの有無を確認する。努力呼吸や中心性チアノーゼが継続する場合は，パルスオキシメーターを装着してモニタリングを行い，CPAP や酸素投与を行う。CPAP は自発呼吸のある児に持続的に陽圧をかけることで，肺胞の虚脱を防ぐ効果が期待できる。

表 7-1　新生児蘇生で使用される主な薬物類

薬物類	投与量	溶解方法	溶解手順
ボスミン® （0.1％アドレナリン） （1 mg/mL）	静脈内投与 0.01〜0.03 mg/kg （0.1〜0.3 mL/kg）	生理食塩水で 10 倍希釈	ボスミン® 1 mL＋ 生理食塩水 9 mL （0.1 mg/mL）
	気管内投与 0.05〜0.1 mg/kg （0.5〜1.0 mL/kg）	生理食塩水で 10 倍希釈	ボスミン® 1 mL＋ 生理食塩水 9 mL （0.1 mg/mL）
生理食塩水	10 mL/kg/dose	原液	原液
メイロン 8.4％® （8.4％炭酸水素ナトリウム）	1〜2 mEq/kg/dose （2〜4 mL/kg/dose）	蒸留水で 2 倍 希釈	メイロン 8.4％® 5 mL＋蒸留水 5 mL （0.5 mEq/mL）

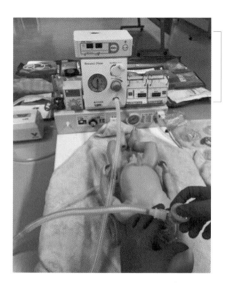

Ｔピース蘇生装置

写真 7-8　Ｔピース蘇生

sniffing position をとり，IC クランプ法でマスクを密着させ，流量膨張式バッグや Ｔピース蘇生装置（写真 7-8）を用いて行う。CPAP は 5〜6 cmH_2O の圧で 8 cmH_2O を超えないように注意する。

人工呼吸の場合と同様に，正期産児は空気で開始し，早産児は 21〜30％で開始する。酸素投与は SpO_2 目標値を参考に調整する。

酸素化不良が継続する場合はチアノーゼ性心疾患の可能性があり，努力呼吸のみが継続する場合は呼吸障害の可能性があるため，入院加療が必要である。

・努力呼吸：鼻翼呼吸，呻吟，陥没呼吸，多呼吸（60 回/分以上）
・陥没呼吸：肋骨弓下，肋間，胸骨部，肋骨上窩などの陥没

＊

助産師実践能力習熟段階（クリニカルラダー；CLoCMiP®）レベルⅢの申請要件にも，新生児蘇生法（NCPR）の資格認定が含まれるが，いつ遭

遇するかわからない新生児仮死に備えるには，日常からのトレーニングや学び直し，継続学習が大変重要である。また，実際の臨床で蘇生を経験した際には，必ずデブリーフィングの機会を持ち，さらにメンバーで再シミュレーションし，継続してトレーニングを積み重ねていくことが最も重要である。

引用・参考文献
1）日本蘇生協議会監修（2021）：JRC 蘇生ガイドライン 2020，医学書院．
2）細野茂春監修（2021）：日本版救急蘇生ガイドライン 2020 に基づく新生児蘇生法テキスト，第 4 版，メジカルビュー社．
3）細野茂春監修（2021）：日本版救急蘇生ガイドライン 2020 に基づく新生児蘇生法インストラクターマニュアル，第 5 版，メジカルビュー社．
4）仁志田博司（2018）：新生児学入門，第 5 版，医学書院．

7

2 胎児心拍数モニタリング

　胎児にとって出産は人生初めての旅であり，その安全と安心を確保することが助産師に求められる。分娩監視装置による胎児心拍数モニタリング（胎児心拍数陣痛図；cardiotocogram，CTG）は，その旅の間，胎児の情報を与えてくれる。母と子とその家族とそれを管理する医療従事者にとって，旅がよいものになるために，欠かすことができないツールなのである。

　胎児情報を適切に収集し，的確に判断するために，ここでは，その使用法と判読の基本を解説する。

1　分娩監視装置の使用法

　「産婦人科診療ガイドライン—産科編2020」[1]では，妊婦が陣痛で入院した際のCTG装着を，下記のように推奨している。

①　分娩第1期（入院時を含め）には分娩監視装置を一定時間（20分以上）使用する。

②　正常胎児心拍数パターン（レベル1）であれば，その後6時間は間欠的児心拍聴取（15〜90分ごと）でもよい。

　つまり，ローリスク妊婦では，入院時20分間以上モニターを装着し，異常なければその後6時間程度は間欠的児心拍聴取でよいということになる。これは，CTGの連続モニターは周産期死亡を減少させるが，帝王切開率や器械分娩率を増加させ，周産期予後全体に影響を与えないと報告されているためである。モニター装着は，分娩中の妊婦の行動を制限し，決して快適なものではない。しかし，状況に応じてCTGの有益性が，妊婦の快適性を上回ることもある。

2　連続モニターが必要になる場合

　間欠的聴取での心拍数異常（徐脈・頻脈），破水，羊水性状の異常（血性羊水，羊水混濁など）などがある場合，CTGの連続モニターが必要になる。母体や胎児に合併症がある場合も同様である。母体側の要因としては，糖尿病合併妊娠，妊娠高血圧症候群などの合併症に加え，脳性麻痺児の出産，子宮内胎児死亡，子癇，子宮切開手術などの既往歴があげられる。胎児側の要因としては，体位異常，胎児発育不全，多胎妊娠，低置胎盤など

があげられる。

　快適な分娩は，安全な分娩でなくてはならない。背景や状況を見極め，連続モニターの必要性を検討していただきたい。

3 胎児心拍数の調節

　心臓（心筋）には自律的に拍動する能力があるが，延髄の心臓血管中枢が自律神経（交感神経と副交感神経）を介してその調節を行い，循環動態の安定化を図っている（図 7-2）。

　心臓血管中枢からの刺激により，交感神経は心拍数と血圧を増加させ，副交感神経は心拍数と血圧を減少させる。心臓など，胸腹部に分布する副交感神経は，迷走神経と呼ばれる。交感神経と副交感神経の相互の働き（協関作用）の生理的な揺らぎが，CTG で確認される心拍数基線細変動の発生要因となる。

　体には，自律神経システムを作動させるセンサーがある。酸素分圧の変化（低酸素状態やアシドーシス）を感知する化学受容器（chemoreceptor）と血圧変化を感知する圧受容器（baroreceptor）である。低酸素状態や急激な血圧増加は，臓器の傷害を招く。化学受容器と圧受容器はともに頸動脈と大動脈に存在し，これらの変化からバイタルオルガン（心臓と脳）を保護している。

　低酸素状態になると化学受容器が感知し，心臓調節中枢にインパルスを送る。心臓血管中枢では，交感神経を介して心拍数，血圧を増加させ，少しでも多くの酸素を臓器に提供しようとする。

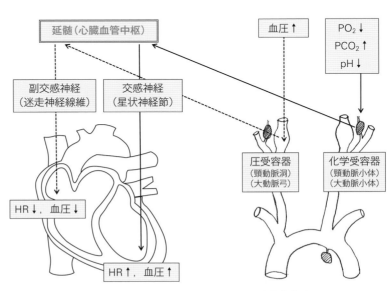

HR：心拍数，PO$_2$：酸素分圧，PCO$_2$：二酸化炭素分圧。

図 7-2　胎児心拍数の調節

一方，急激な血圧増加は，脳や心臓の血管傷害を引き起こすが，それを防ぐために圧受容器が働く。血圧が急激に増加すると，圧受容器がその異常を感知し，心臓血管中枢にインパルスを送る。心臓血管中枢では，副交感刺激を介して心拍数を減少させ，血圧を下げることで臓器を保護しようとする。いわゆる迷走神経反射である。

　胎児の心拍数は，これらの作用により変動する。CTG波形を見て，判読に迷ったら，低酸素か，圧変化か，あるいは双方が混在しているのか，必ずここに戻って考えていただきたい。

4 胎児心拍数陣痛図（CTG）判読の基本

　測定開始時には，記録紙の時刻が正しいかどうかを確認し，記録紙の紙送り速度は3cm/分とする。胎児心拍数は，児背側で心音が明瞭に聴取できる部位にプローベ（プローブ）を置く。収縮計は，子宮底に置き，子宮収縮がきちんと計測できるよう，ベルトもしっかり装着する。

　CTGの判読に当たっては，①胎児心拍数基線（10分間の平均心拍数で，5の倍数で表現），②胎児心拍数基線細変動（心拍数の細かい変動），③一過性頻脈（15秒以上2分未満の15bpm以上の心拍数増加），④一過性徐脈（15秒以上10分未満の心拍数減少），⑤子宮収縮（陣痛図で確認される子宮収縮）の5項目は必ずチェックする。また，これらの5項目は，上述の順に判読することがすすめられる。

　これに沿って図7-3のCTGを判読すると，①胎児心拍数基線は，一過性変動部分や基線細変動増加の部分は除外し，2分間以上持続している部

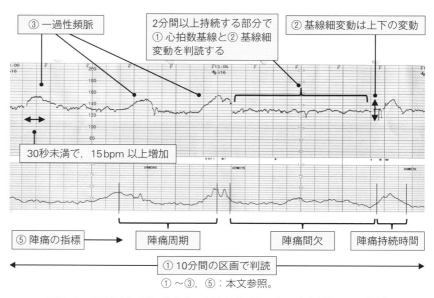

図7-3　CTG例（1）安心して胎児が健常であると保証できる状態

分で判断する。② 胎児心拍数基線細変動は，胎児心拍数基線が判読可能な部分で判読する。③ 一過性頻脈の特徴は，開始から 30 秒未満で，比較的急速に 15 bpm 以上増加することである。⑤ 外測陣痛計は，子宮収縮の強さ（陣痛強度）を正確に表すものではなく，陣痛周期，陣痛持続（発作）時間，陣痛間欠が指標となる。

　本症例は，正常脈（130 bpm），中等度の基線細変動（7〜8 bpm）で，一過性頻脈を認め，④ 一過性徐脈はない。また，子宮収縮は 2〜4 分で，陣痛発来しているが，まだ弱い。安心して胎児が健常であると保証できる CTG である。

5 　一過性徐脈の発生原因

　一過性徐脈（deceleration）は，酸素分圧か血圧の変化により出現する。酸素分圧変化（低酸素）に対する心拍数の減少は緩やかで，圧変化（高血圧）に対する心拍数の減少は急速である。

　一過性徐脈は，早発，遅発，変動，遷延の 4 種類に分類される。ここでは，臨床上，特に重要な 3 つの一過性徐脈（遅発，変動，遷延）を解説する。

1）低酸素への対応（図 7-4）

　子宮内の低酸素は，絨毛間腔の母体血酸素分圧の低下で始まる。絨毛における胎児への酸素移行が減少し，胎児低酸素症が発生する。化学受容器が低酸素を感知し，心臓血管中枢は交感神経刺激を介して心拍数や血圧を

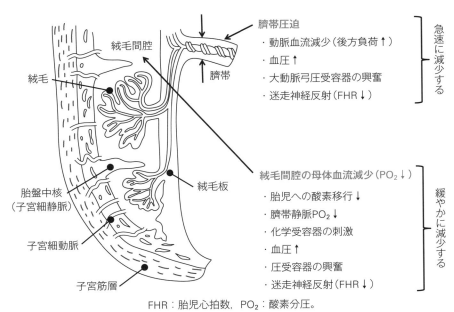

FHR：胎児心拍数，PO_2：酸素分圧。

図 7-4　一過性徐脈の発症原因

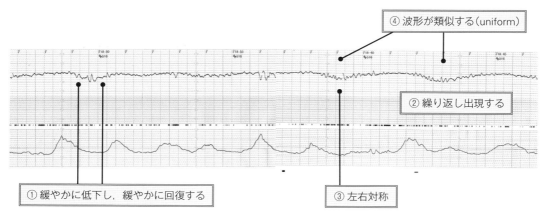

④ 波形が類似する（uniform）

② 繰り返し出現する

① 緩やかに低下し，緩やかに回復する

③ 左右対称

図 7-5　CTG 例（2）遅発一過性徐脈

増加させるが，この血圧増加が圧受容器を刺激し，副交感神経を介して心拍数を減少させる。

　過強陣痛，遷延分娩などが，絨毛間腔の母体血流減少や低酸素状態の原因になる。子宮収縮開始から迷走神経反射まで，手順が多く，時間がかかる。CTG 上，心拍数減少は緩やかで，子宮収縮の最強点から遅れて心拍数の最下点が出現し，遅発一過性徐脈と呼ばれる。心拍数の低下は 15 秒以上 2 分未満とされる。

2）遅発一過性徐脈（図 7-5）

　遅発一過性徐脈（late deceleration）には，下記 4 つの特徴がある。

① **緩やかに低下し，緩やかに回復する**：母体血の絨毛間腔への流入の減少から始まる一連の反応は，緩やかである。この心拍数低下は子宮収縮消退により回復するが，その過程もまた緩やかである。絨毛間腔への母体血の流入が回復し，児への酸素移行が増加し，化学受容器が感知し，やっと心拍数は回復する。そのため，心拍数の回復はその低下と同様，緩やかになる。

② **繰り返し出現する**：通常，子宮収縮は，一定の強さで繰り返す。仮に過強陣痛による低酸素状態だとすると，同様の収縮が繰り返すたびに，胎児は同様の対応を示すことになる。過強な収縮がランダムに発生することはまれで，一過性徐脈は収縮ごとに繰り返し起こる。

③ **左右対称の波形になる**：緩やかに低下し，緩やかに回復する心拍数波形は，左右対称になることが多い。

④ **波形が類似する（uniform）**：子宮収縮の強さが一定であれば，母体血流入減少の程度は収縮ごとにほぼ一定のものになる。一定に血流量が減少すれば，胎児の対応も一定のものになり，繰り返す遅発一過性徐脈の形態は類似する。

　以上の点に留意し，単に 1 つの波形を見るのではなく，その前後に何が

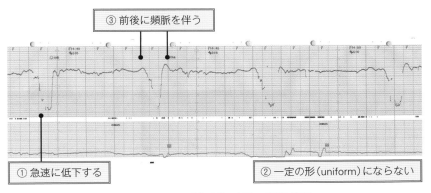

③ 前後に頻脈を伴う

① 急速に低下する

② 一定の形（uniform）にならない

図 7-6　CTG 例（3）変動一過性徐脈

あるか，慎重に見極め，判読していただきたい。ただし，厳密に左右対称で，uniform になるわけではない。大体でよいのである。

遅発一過性徐脈は，子宮内の低酸素状態や胎児酸血症（アシドーシス）に関連し，直接，胎児機能不全の診断につながる。判読の精度を高めるため，この 4 つの特徴を理解しておくことを強くすすめたい。

3）圧変化への対応（図 7-4）

臍帯圧迫は分娩進行中，しばしば観察される。臍帯動脈は心臓からわずかな距離にあり，その圧迫により心臓後方の大動脈内の血圧が急激に増加する（後方負荷）。この血圧増加を大動脈弓の圧受容器が感知し，心臓血管中枢にインパルスを送る。心臓血管中枢は副交感神経を介し，速やかに心拍数を低下させる。この現象は，いわゆる迷走神経反射で，心臓や脳を圧変化から守ろうとする，きわめて急速な反応である。

CTG 上，心拍数低下は急速で，変動一過性徐脈と呼ばれる。心拍数の低下は 15 bpm 以上で，15 秒以上 2 分未満とされる。子宮収縮に伴って発生するが，収縮がない場合でも臍帯圧迫が起こる可能性があり，波形を判読できる。

4）変動一過性徐脈（図 7-6）

変動一過性徐脈（variable deceleration）には，下記 3 つの特徴がある。

① **急速に低下する**：圧変化で速やかに迷走神経反射が出現するため，心拍数の低下は急速である。われわれが急に立ち上がったときに起こる，「立ちくらみ」（起立性低血圧＝迷走神経反射）を想像していただきたい。また，臍帯圧迫の解除により心拍数の回復も急速になる。

② **一定の形（uniform）にならない**：子宮収縮に伴う場合，圧迫の箇所や程度は異なることが多く，波形が uniform にならない。きつい臍帯巻絡や卵膜付着など器質的な原因がある場合，一定の圧迫を受ける可能性があるが，フリーループが体幹や四肢などで圧迫を受ける場合，多くは一

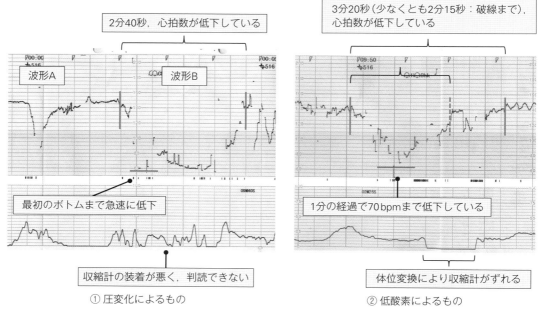

2分40秒, 心拍数が低下している

3分20秒（少なくとも2分15秒：破線まで）, 心拍数が低下している

波形A　波形B

最初のボトムまで急速に低下

1分の経過で70bpmまで低下している

収縮計の装着が悪く, 判読できない

体位変換により収縮計がずれる

① 圧変化によるもの　② 低酸素によるもの

図 7-7　CTG 例（4）遷延一過性徐脈

過性であり, 児の回旋や下降により圧迫の箇所や程度が異なり, 波形は uniform にならない。

③ **前後に頻脈を伴うことがある**：一過性徐脈の前後, あるいはどちらか一方に頻脈を伴うことがある。両側の場合, 徐脈に肩があるように見えるので, "shoulder" と呼ばれる。

臍帯圧迫が急速ではなく, 比較的緩徐な場合, 動脈より静脈が先行して圧迫される。この場合, 動脈遮断が起こる前に, 静脈血流のみ障害される時相ができる。静脈還流量の減少は圧受容器を刺激し, 心拍数を増加させる。また, 臍帯圧迫の解除が比較的緩徐な場合, 動脈遮断解除後に静脈のみ圧迫が残る時相がある。この間も同様に, 心拍数は増加することになる。

変動一過性徐脈は圧変化によるもので, 子宮内の低酸素状態を示す所見ではない。しかし, 繰り返す場合や圧迫の程度が強い場合, 低酸素状態に陥ることもある。変動一過性徐脈は予後も variable（変動する）といわれるゆえんである。

5）遷延一過性徐脈（図 7-7）

遷延一過性徐脈（prolonged deceleration）は,「心拍数減少が 15 bpm 以上で, 開始から回復まで 2 分以上 10 分未満の波形をいう。その心拍数減少は直前の心拍数より算出される。10 分以上の心拍数減少の持続は, 基線の変化と見なす。最下点が 80 bpm 未満のものは高度遷延一過性徐脈と呼ばれる」と定義される[2]。

基本的に一過性徐脈は「圧変化」か「低酸素」により発生するが, 遷延

表 7-2　胎児心拍数波形のレベル分類と判定

① 基線細変動正常例

心拍数基線 ＼ 一過性徐脈	なし	早発	変動		遅発		遷延	
			軽度	高度	軽度	高度	軽度	高度
正常脈	1	2	2	3	3	3	3	4
頻脈	2	2	3	3	3	4	3	4
徐脈	3	3	3	4	4	4	4	4
徐脈（<80）	4	4			4	4	4	

② 基線細変動減少例

心拍数基線 ＼ 一過性徐脈	なし	早発	変動		遅発		遷延	
			軽度	高度	軽度	高度	軽度	高度
正常脈	2	3	3	4	3*	4	4	5
頻脈	3	3	4	4	4	5	4	5
徐脈	4	4		5	5	5	5	5
徐脈（<80）	5	5			5	5	5	

3*正常脈＋軽度遅発一過性徐脈：健常胎児においても比較的頻繁に認められるので，「3」とする。ただし，背景に胎児発育不全や胎盤異常などがある場合は「4」とする。

③ 基線細変動消失例

一過性徐脈	なし	早発	変動		遅発		遷延	
			軽度	高度	軽度	高度	軽度	高度
心拍数基線にかかわらず	4	5	5	5	5	5	5	5

薬剤投与や胎児異常など，特別な誘因がある場合は，個別に判断する。
心拍数基線が徐脈（高度を含む）の場合は，一過性徐脈のない症例も「5」と判定する。

④ 基線細変動増加例

一過性徐脈	なし	早発	変動		遅発		遷延	
			軽度	高度	軽度	高度	軽度	高度
心拍数基線にかかわらず	2	2	3	3	3	4	3	4

心拍数基線が明らかに徐脈と判定される症例では，①の徐脈（高度を含む）に準じる。

⑤ サイナソイダルパターン

一過性徐脈	なし	早発	変動		遅発		遷延	
			軽度	高度	軽度	高度	軽度	高度
心拍数基線にかかわらず	4	4	4	4	5	5	5	5

〔胎児心拍数波形のレベル分類〕

レベル表記	日本語表記	英語表記
レベル 1	正常波形	normal pattern
レベル 2	亜正常波形	benign variant pattern
レベル 3	異常波形（軽度）	mild variant pattern
レベル 4	異常波形（中等度）	moderate variant pattern
レベル 5	異常波形（高度）	severe variant pattern

[付記]
(1) 用語の定義は，「日本産科婦人科学会雑誌」第55巻第8号，周産期委員会報告による。
(2) ここでサイナソイダルパターンと定義する波形は，(1) の定義に加えて以下を満たすものとする。
 ・持続時間に関して 10 分以上。
 ・滑らかなサインカーブとは，short term variability が消失もしくは著しく減少している。
 ・一過性頻脈を伴わない。
(3) 一過性徐脈はそれぞれ軽度と高度に分類し，以下のものを高度，それ以外を軽度とする。
 ・遅発一過性徐脈：基線から最下点までの心拍数低下が 15 bpm 以上。
 ・変動一過性徐脈：最下点が 70 bpm 未満で持続時間が 30 秒以上，または最下点が 70 bpm 以上 80 bpm 未満で持続時間が 60 秒以上。
 ・遷延一過性徐脈：最下点が 80 bpm 未満。
(4) 一過性徐脈の開始は心拍数の下降が肉眼で明瞭に認識できる点とし，終了は基線と判定できる安定した心拍数の持続が始まる点とする。心拍数の最下点は，一連のつながりをもつ一過性徐脈の中の最も低い心拍数とするが，心拍数の下降の緩急を解読するときは，最初のボトムを最下点として時間を計測する。
（文献[1]，p.229−230 より転載）

一過性徐脈ではその双方が原因となる。

(1) 圧変化による遷延一過性徐脈

　図 7-7 ① では，波形 A が繰り返し出現していたが，波形 B が出現した。心拍数基線 150 bpm で正常脈，基線細変動は 10 bpm で中等度。波形 A は心拍数の低下は急速で，変動一過性徐脈と判読できる。波形 B でも，急速に 30 秒未満の経過で，心拍数が低下している。心拍数低下は 2 分 40 秒で，子宮収縮との関係によらず，心拍数低下が 2 分以上 10 分未満持続す

表 7-3　胎児心拍数波形分類に基づく対応と処置（主に 32 週以降症例に関して）

波形レベル	対応と処置	
	医師	助産師*
1	A：経過観察	A：経過観察
2	A：経過観察 または B：監視の強化，保存的処置**の施行および原因検索	B：連続監視，医師に報告
3	B：監視の強化，保存的処置の施行および原因検索 または C：保存的処置の施行および原因検索，急速遂娩の準備	B：連続監視，医師に報告 または C：連続監視，医師の立ち会いを要請，急速遂娩の準備
4	C：保存的処置の施行および原因検索，急速遂娩の準備 または D：急速遂娩の実行，新生児蘇生の準備	C：連続監視，医師の立ち会いを要請，急速遂娩の準備 または D：急速遂娩の実行，新生児蘇生の準備
5	D：急速遂娩の実行，新生児蘇生の準備	D：急速遂娩の実行，新生児蘇生の準備

*：医療機関における助産師の対応と処置を示し，助産所におけるものではない。
**：保存的処置の内容：
　　・一般的処置：体位変換，酸素投与，輸液，陣痛促進薬注入速度の調節・停止など。
　　・場合による処置：人工羊水注入，刺激による一過性頻脈の誘発，子宮収縮抑制薬の投与など。
（文献[1]，p.231 より転載）

れば，遷延一過性徐脈と判読できる。心拍数が 60 bpm まで低下しているため，高度と判読される。

　この遷延一過性徐脈は，臍帯圧迫（圧変化）によるもので，低酸素負荷によるものではないと推察できる。実際，この後，徐脈は消失し，1 時間後に自然経腟分娩に至っている。

(2) 低酸素による遷延一過性徐脈

　一方，図 7-7 ② では，軽い子宮収縮にもかかわらず，高度な低酸素状態を想起させる波形が出現している。心拍数基線 150 bpm で正常脈，基線細変動は 10 bpm で中等度だが，緩やかに 1 分程度の経過で，心拍数が 70 bpm まで低下し，最下点が，子宮収縮の最強点より遅れて出現している。波形は遅発一過性徐脈だが，心拍数低下が 2 分を超え 10 分未満のため，遷延一過性徐脈（高度）と判読できる。原因は低酸素症によると推察される。

　実際，本症例の背景を見ると，妊娠 37 週，妊娠高血圧症候群のため分娩誘発を開始したもので，子宮口 2 cm 開大で，4 分おきに軽度だが規則的な子宮収縮が出現してきたところである。妊娠高血圧症候群では胎盤機能不全（胎盤循環不全）を伴うことが多く，胎児の予備能力が低いことがある。本症例はこの後，緊急帝王切開を受けている。

遷延一過性徐脈は，その原因により予後も変わる。いかなる原因により発生しているか，その波形から判読することが重要である。

6 胎児心拍数波形のレベル分類の有効な使用法

レベル分類は診断ツールではなく，物差し（スケール）である。判読はあくまでも肉眼的（主観的）に行い，その結果をスケールに当てはめ，レベルを求める（表7-2）。

レベル分類の導入により，CTG判読の再現性は向上し，高い臨床的有用性が報告されている。また，レベルごとの対応を標準化することは，日本の医療水準の向上に寄与する（表7-3）。

もう一つ強調しておきたい効果は，コミュニケーション能力の向上である。チーム医療を行う上で，レベル分類は共通の言語になる。スタッフ間の伝達，医師への報告，他部署（手術室，新生児科など）への連絡などに有用で，チーム力向上に寄与するものである。

引用・参考文献
1）日本産科婦人科学会，日本産婦人科医会編集・監修（2020）：産婦人科診療ガイドライン―産科編2020.
2）日本産科婦人科学会周産期委員会（2003）：胎児心拍数図の用語及び定義検討小委員会報告．日本産科婦人科学会雑誌，55（8）：1205-1206.

7

③ 超音波診断

1 超音波検査の目的

　産科における超音波検査の目的は，多岐にわたる。妊娠期における目的は，胎児発育の確認，胎児・胎児付属物異常の診断，子宮頸管・胎児 well-being の評価である。分娩期になると分娩進行の評価にも用いられ，産褥期には子宮復古の評価や出血源の検索などに常用されている。

　一方で，超音波検査は「広義の出生前診断の一つ」であることを認識しておかねばならない。「産婦人科診療ガイドライン―産科編 2020」[1]では，健診時に行われる「通常超音波検査」と胎児形態異常の抽出を目的とした「胎児超音波検査」が区別されている。助産師が担う超音波検査の標準検査は明らかではなく，勤務環境によっても求められるものは異なる。

　ここでは，日常行われる超音波検査の範囲内で，意図せず発見される胎児形態異常を示唆する所見を紹介する。なお，助産師が経腟走査法を行うことには，議論があることから，経腹走査法についてのみ述べる。

2 検査の施行時期

　上記ガイドライン[1]では，経腹走査法を用いた「通常超音波検査」（胎児発育，羊水量，胎盤位置）を妊娠 20 週および 30 週ごろの 2 回，施行することをすすめている。そして，本週数の健診は予後に多大な影響を与えうることなどにより，助産師主導の院内助産・助産師外来にあっても，医師の支援下でなされることが望ましいとしている。また，妊娠 36〜40 週に通常超音波検査などにより巨大児の可能性について評価すると記載されている。経腟走査法を用いた子宮頸管の観察は，妊娠 18〜24 週ごろに早産ハイリスク妊婦抽出目的に子宮頸管長測定を行うことが望ましいとされ，同時に前置胎盤を確認するのがよいと思われる。毎回の妊婦健診で全員に超音波検査をすることは，1 回あたりの検査時間の短縮などから，かえって精度が落ちうることも認識しておく。また，胎児の部位ごとに見えやすい週数がある。

・頭蓋内：妊娠中期が見えやすく，妊娠末期に近づくほど見えにくくなる。
・四肢：妊娠中期以前が見えやすい。
・心臓：妊娠 26〜28 週くらいが最も見えやすい。単心房・単心室などの大きな

奇形は，妊娠 14～15 週からでも診断できる。妊娠末期に近づくほど見えにくくなる。

以上より，妊娠 20 週では，頭蓋内病変，四肢の運動と異常，心臓（大奇形のスクリーニング），致死的異常の有無の観察が中心となり，妊娠 30 週前後では，消化器，心臓の観察が主となる。

3 胎児発育の確認

1）分娩予定日の確認

発育の評価は，分娩予定日が正しいことが前提である。検査前に，予定日決定の根拠を再確認し，根拠を診療録に明記する。予定日は，以下のように決定される。

① 胚移植日もしくは特定できる排卵日：生殖補助医療（assisted reproductive technology；ART）での妊娠例は，分娩予定日を表 7-4 のように決定している。

② 妊娠 8～10 週の頭殿長（crown-rump length；CRL）や妊娠 11 週以降の児頭大横径（bi-parietal diameter；BPD）：最終月経からの予定日の決定は，月経開始日から 14 日目に排卵・受精したと考え，算出している。約 15％の女性は，排卵が遅れる。近年は，適切に計測された CRL による妊娠週数は，最終月経からの計算に比して正確と考えられている。最終月経からの予定日と超音波計測が乖離する例では，超音波測定による予定日決定を優先する。CRL からの予定日の算出は，CRL が 14～41 mm の時期に行う。月経周期が 28 日前後の例は，修正はおそらく不要である。また，月経開始から 7 日以内に妊娠する可能性は低いことから，予定日を早めているときには，特に注意を要する。

③ 妊娠中期以降の初診例：BPD や大腿骨長（femur length；FL）などを参考にするが，誤差が大きい可能性を意識する。

表 7-4　生殖補助医療（ART）による妊娠例の分娩予定日の決定

ART の種類	分娩予定日の算出法
基礎体温表を記録している性交渉日が明確である	排卵日，性交渉日＝妊娠 2 週 0 日
人工授精	人工授精日＝妊娠 2 週 0 日
凍結胚移植ではない体外受精	採卵日＝妊娠 2 週 0 日
凍結胚移植など採卵周期と胚移植周期が異なる体外受精	胚移植日（妊娠 2 週 0 日）＋受精後の培養日数例：胚盤胞移植　5 日間培養＝妊娠 2 週 5 日

表 7-5　胎児発育曲線基準値（EFW 基準値）

妊娠週数	−2.0 SD	−1.5 SD	平均値	+1.5 SD	+2.0 SD
18 週 0 日	126	141	187	232	247
19 週 0 日	166	186	247	308	328
20 週 0 日	211	236	313	390	416
21 週 0 日	262	293	387	481	512
22 週 0 日	320	357	469	580	617
23 週 0 日	386	430	560	690	733
24 週 0 日	461	511	660	809	859
25 週 0 日	546	602	771	940	996
26 週 0 日	639	702	892	1,081	1,144
27 週 0 日	742	812	1,023	1,233	1,304
28 週 0 日	853	930	1,163	1,396	1,474
29 週 0 日	972	1,057	1,313	1,568	1,653
30 週 0 日	1,098	1,191	1,470	1,749	1,842
31 週 0 日	1,231	1,332	1,635	1,938	2,039
32 週 0 日	1,368	1,477	1,805	2,133	2,243
33 週 0 日	1,508	1,626	1,980	2,333	2,451
34 週 0 日	1,650	1,776	2,156	2,536	2,663
35 週 0 日	1,790	1,926	2,333	2,740	2,875
36 週 0 日	1,927	2,072	2,507	2,942	3,086
37 週 0 日	2,059	2,213	2,676	3,139	3,294
38 週 0 日	2,181	2,345	2,838	3,330	3,494
39 週 0 日	2,292	2,466	2,989	3,511	3,685
40 週 0 日	2,388	2,572	3,125	3,678	3,862
41 週 0 日	2,465	2,660	3,244	3,828	4,023

（文献[2]を一部改変）

2）胎児計測

　日本産科婦人科学会は，推定児体重（estimated fetal weight；EFW）（表7-5）の算出方法として，2003 年より modified Shinozuka の式[2]を採用している。この式では，週数や体重，児のプロポーションに関係なく 15〜18％の誤差で推定される。EFW は，児頭大横径（BPD），腹部周囲長（abdominal circumference；AC），大腿骨長（FL）の 3 つのパラメータから求められ，今日の超音波装置では，自動的に計算されることが多い。

　　EFW（g）= $1.07 \times BPD^3 + 0.30 \times AC^2 \times FL$

　　（BPD，AC，FL の単位はいずれも cm）

（1）児頭大横径（BPD）（写真 7-9）

　胎児頭部の正中線エコー（midline-echo）が水平・中央に描出され，透明中隔腔（および四丘体槽）が描出される断面において，超音波プローブに近い頭蓋骨外側から対側の頭蓋骨内側までの距離を測定する（**外-内**）。

（2）腹部周囲長（AC）（写真 7-10）

　胎児の腹部大動脈に直交し，胃胞と同時に胎児の腹壁から脊椎までの距離の前方 1/3〜1/4 の部位のみに肝内臍静脈が描出される断面において，エリプス（近似楕円）法による外周を腹部周囲長とする（**外周**）。

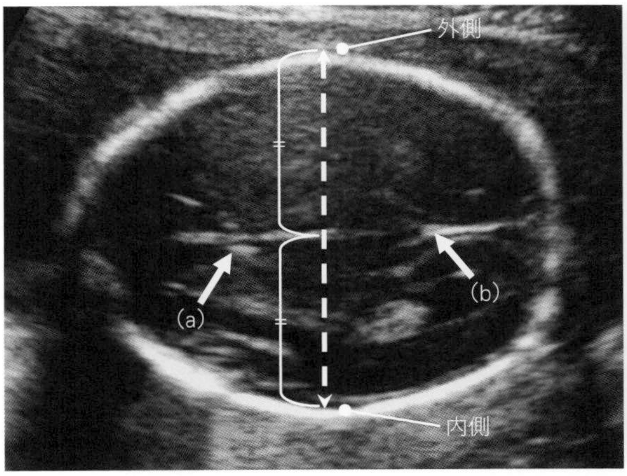

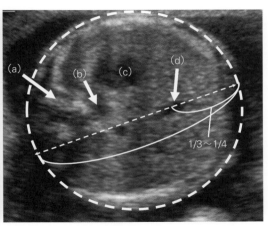

（a）透明中隔腔，（b）midline-echo。

写真 7-9　BPD 計測断面

（a）脊椎，（b）大動脈，（c）胃胞，（d）肝内臍静脈。

写真 7-10　AC 計測断面

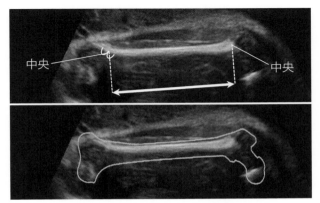

上：水平に描出する，下：垂直に描出すると短く計測される。

写真 7-11　FL 計測断面

（3）大腿骨長（FL）（写真 7-11）

　大腿骨の長軸が水平に描出され，最も長く両端の骨端部まで描出される断面において，大腿骨化骨部分両端の中央から中央を計測する（**中-中**）。

3）胎児発育不全（FGR）

　胎児の発育は，ある 1 点のみでの EFW が，該当週数の一般的な胎児体重に比して軽い／重いのみが問題ではなく，経時的に見ることも重要である。毎回の健診で EFW を求めることは過剰だが，子宮底長や母体体重の急激な増加，あるいは増加がないときには超音波検査を考慮する。

　胎児発育不全（fetal growth restriction；FGR）は，EFW が胎児体重基準値の − 1.5 SD 以下であることを目安とする。FGR 児は正常発育の児に比し，形態異常（10％）だけでなく胎児疾患を高率に伴い[3]，周産期死亡率は 6 〜 10 倍である[4]。新生児期以降には脳出血，脳室周囲白質軟化症，新生児壊死性腸炎の頻度が高く，長期生存例も神経学的予後不良の危険が高

い[5]。近年では胎児期の環境が，2型糖尿病や脂質異常症，血栓症の増加に関連し，成人期の慢性疾患発症のリスクに影響を与える DOHaD 説（第4章の8を参照）が提唱されている[6]。胎児発育の評価，すなわち FGR の抽出は，胎児疾患の検出を含む周産期管理の基本であるだけでなく，生活習慣病予防の端緒となるものである。

胎児の頭は変形しやすく，骨盤位に代表される長頭蓋では，BPD が短く計測されるために EFW が軽くなる。胎児発育不良が疑われたら，EFW と胎児頭囲（head circumference；HC）の双方で評価する。

4 胎児形態異常の診断

胎児形態異常の診断におけるスクリーニング検査の目的は，出生前診断が予後を大きく改善する疾患（表7-6）およびきわめて予後不良な疾患を抽出し，精査へ紹介することである。妊娠20週および30週ごろにスクリーニング検査が医師支援下で行われるとしても早期に精査対象を抽出することや，助産師がスクリーニング検査を理解することは有意義と考える。

1）きわめて予後不良な疾患

・重篤な神経管欠損症：無脳症，無頭蓋症
・肺低形成をきたす疾患：胸郭低形成をきたす致死性四肢短縮症，重篤な羊水過少症をきたす両側性腎欠損や多嚢胞腎，下部尿路閉鎖

これらの疾患は，疑われた時点で精査に紹介することが望ましい。次回妊娠について遺伝カウンセリングが必要な例もある。

2）意図せず発見される胎児形態異常

表7-7にスクリーニング検査における推奨チェック項目をあげる。チェック項目を認める胎児が，必ずしも形態異常を有するわけではないこと，検査の目的，意義，発見されうる異常および発見された場合の告知範囲などに関して事前のインフォームド・コンセントがすすめられているこ

表7-6　出生前診断が予後を大きく改善する疾患

出生直後より
（a）体温管理・感染防御が必要な小児外科疾患
（b）厳重な呼吸管理が必要な疾患
（c）動脈管依存性の心疾患

	疾患	出生前診断率（%）	生存率（%）
(a)	臍帯ヘルニア	52.4	83.6
	腹壁破裂	55.4	93.5
(b)	横隔膜ヘルニア	40.3	68.5
(c)	心臓血管系疾患	12.4	58.5

（文献[7]を一部改変）

表 7-7　胎児形態異常スクリーニング検査における推奨チェック項目，異常所見および疑われる形態異常
（妊娠中期：妊娠 18〜20 週）

観察項目	異常所見	疑われる形態異常（あるいは状態）
【全身】 ・浮腫はないか	浮腫あり	頸部嚢胞性リンパ管腫，胎児水腫
【頭部】 ・児頭大横径（BPD）は妊娠週数相当か	週数に比し長い 週数に比し短い 測定できない	水頭症，水無脳症 小頭症，脳瘤 無頭蓋症，無脳症
・頭蓋内は左右対称で異常像を認めないか ・頭蓋外に突出する異常像を認めないか	左右非対称 異常像 突出像	孔脳症，脳腫瘍 水頭症，脈絡膜嚢胞，脳腫瘍 脳瘤
【胸部】 ・心臓の位置はほぼ正中で軸は左に寄っているか	位置・軸が右	内臓逆位，錯位（無脾症，多脾症），横隔膜ヘルニア，先天性嚢胞状腺腫様形成異常（CCAM），肺分画症，各種の心形態異常
・左右心房・心室の 4 つの腔が確認できるか	腔の数の異常	各種の心形態異常
・胸腔内に異常な像を認めないか	胸腔内異常像	横隔膜ヘルニア，CCAM（先天性肺気道奇形；CPAM），肺分画症，胸水
【腹部】 ・胃胞が左側にあるか	胃胞が右側 胃胞が見えない	内臓逆位，錯位（無脾症，多脾症） 横隔膜ヘルニア，先天性食道閉鎖症
・胃胞，膀胱，胆嚢以外に嚢胞像を認めないか ・腹壁（臍部）から臓器の脱出を認めないか	他の嚢胞像 臓器脱出像	各種の腹部嚢胞性疾患（肝，胆道，腎，卵巣，尿膜管） 臍帯ヘルニア，腹壁破裂
【背部・殿部】 ・異常な隆起を認めないか	異常な隆起	二分脊椎（脊髄髄膜瘤，腰・仙尾部奇形腫，総排泄腔）
【四肢】 ・十分な長さの四肢が確認できるか	四肢が短い	各種の四肢短縮性骨系統疾患
【羊水】 ・羊水過多や過少は認めないか	羊水過多	嚥下障害をきたす胎児形態異常，皮膚欠損をきたす胎児形態異常，多尿をきたす胎児内分泌性疾患，胎児水腫，胎盤腫瘍（形態異常以外の原因検索要）
	羊水過少	腎尿路系疾患（腎無形成，多嚢胞腎，尿路閉塞）（形態異常以外の原因検索要）

（文献[1]，p.83 より転載）

とに留意する。胎児形態異常検出を目的とした妊娠中期胎児超音波検査精度に関するメタ解析では，胎児疾患検出率は平均 40％である[1]。

　ここでは，表 7-6 にあげられている所見の一部が，意図せずとも見出される所見であることを解説する。

（1）頭　　部

　頭部は，BPD 計測断面（写真 7-9 参照）にて，観察を行う。

① BPD は妊娠週数相当か：近年の超音波検査装置は，EFW の算出は無論，各パラメータと EFW の発育評価が自動的になされる。BPD に限らず，どのパラメータであっても − 2 SD 未満あるいは ＋ 2 SD 以上の

写真 7-12　胸部水平断面像（心臓）

s：脊椎，LA：左房，LV：左室，RA：右房，RV：右室。
(a) 正常。＊：心軸。
(b) 横隔膜ヘルニア。小腸（★）の胸腔内への脱出により心臓が右に変位。
(c) 僧帽弁狭窄による左心低形成症候群（HLHS）。

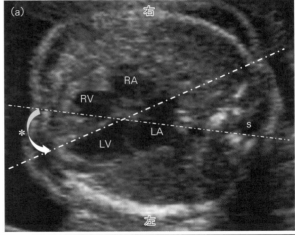

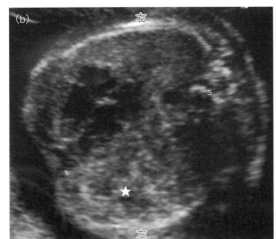

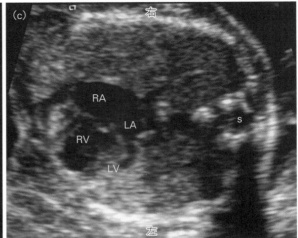

例は，精査対象である。頭蓋骨の欠如は，妊娠初期に確認しておきたい。

② 頭蓋内は左右対称で異常像を認めないか：midline-echo（写真 7-9 (b) 参照）が偏移している（どちらかに寄っている）例は，左右非対称である。

③ 頭蓋外に突出する異常像を認めないか：頭蓋骨が滑らかな円を描いているか観察する。

　頭部疾患は，致命的あるいは新生児期の治療がきわめて困難である。妊娠 22 週前に抽出したい。

(2) 胸　　　部

　胸部の観察は，水平断面を基本とする。

① 心臓の位置はほぼ正中で，軸は左に寄っているか（写真 7-12 (a)）。

・心臓の位置が正中からやや左にない：胸腔内病変（先天性横隔膜ヘルニア；CDH，写真 7-12 (b)）。

・心軸は 45°±20°（写真 7-12 (a) ＊）。

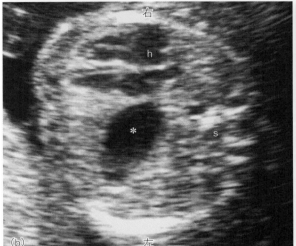
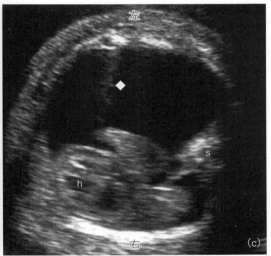

写真 7-13　胸部水平断面像（胸腔内病変）
h：心臓，s：脊椎。
(a) 正常胸部。
(b) 横隔膜ヘルニア。＊：胸腔内に侵入した胃胞。
(c) 胎児胸水。◇：胸水が肺を圧排している。

　②左右心房・心室の4つの腔が確認できるか。

　・4つの部屋が確認できない（写真 7-12（c））。

　先天性心疾患（CHD）の発生頻度は，正期産児の約 100 人に 1 人とされるが，流産児や死産児を含むと，その 5 倍との推定もある[8]。1/3 以上が 1 年以内に治療が必要な重症例であり，乳児死亡の最大の原因である。心臓の位置異常から CHD の 17％がスクリーニングされ，重症心疾患の 47％が心拡大しているとの報告もある[9]。現在，出生前診断を必要とする最も予後不良な CHD は，完全大血管転位と思われるが，ここで示した検査のみでは不十分である。胎児不整脈や母体糖尿病，同胞・母体の CHD 既往は，CHD のハイリスク群であり，異常所見を見出さずとも精査依頼することも考慮される。

　③胸腔内に異常な像を認めないか（写真 7-13（a））。

　・心臓以外の低輝度領域がある：CDH（写真 7-13（b）），胎児胸水
　　（写真 7-13（c））。

　胸部は，出生直後に外科的処置を含む緊急処置や厳重な呼吸管理を必要

7

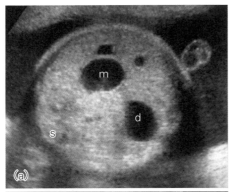

写真 7-14　腹部水平断面像
s：脊椎，m：胃胞，d：十二指腸，o：脱出した腸管，u：臍帯，
◯：－2SD 未満の AC。
(a) 十二指腸閉塞（double cysts（bubble）sign）。
(b) 空腸回腸閉塞（multiple bubble sign）。
(c) 臍帯ヘルニア。

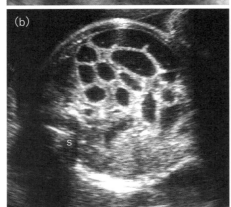

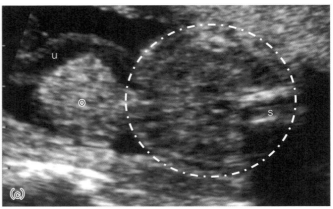

とし，出生前診断が生命予後に関わる疾患が多い。胎児胸水は，正常肺を
圧排し，肺低形成を生じうることから，胎児治療も検討される。

(3) 腹　　部

　腹部は，AC 断面のみならず，上部から下部まで観察する。

　① 胃胞が左にあるか：胃胞と心臓が同じ側にない例は，ほぼ100％，
　　CHD を有する。

　② 胃胞，膀胱，胆囊以外に囊胞像を認めないか。

　・上記以外の囊胞像を認める：十二指腸閉塞（写真 7-14（a）），空腸回
　　腸閉塞（写真 7-14（b））。

　③ 腹壁（腹部）から臓器の脱出を認めないか。

　・AC＜－2 SD：臍帯ヘルニア（写真 7-14（c））。

　消化管閉塞による通過障害により，閉塞部位より上方の消化管の拡張像
（＝囊胞像）が認められ，下方の消化管が映らなくなる。食道閉鎖で最も多
い Gross C 型は，気管食道瘻を有することから胃胞像を認める。一方，正
常でも胃胞像を認めないことがある。閉塞部位が上部消化管であるほど，
羊水を吸収しにくくなることから，羊水過多を認めやすくなる。経時的な
観察や羊水量を参考にする。AC が－2 SD 未満は，FGR の可能性も含め，
精査対象である。

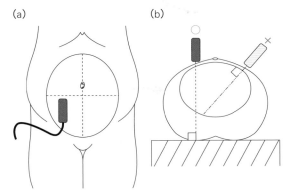

超音波プローブを床に垂直に当て，最大深度を測定する。
(a) 羊水インデックス（AFI）は，妊娠子宮を 4 分割し，
それぞれ長軸方向で最大深度を測定し，合計する。
(b) 最大垂直羊水ポケット（MVP）は，複数箇所で測定
し，その最大値である。

図 7-8　羊水量測定法
（文献[10] に加筆）

(4) 四　　　肢

・十分な長さの四肢が確認できるか：FL が－2 SD 未満は，精査対象と
した方が安全である。四肢の短縮している症例は，胸郭，ひいては肺
の低形成を伴い，致死的である場合がある。

(5) 羊　　　水

・羊水過多や過少を認めないか：妊娠中期以降の羊水は，ほぼ胎児尿か
らなる。羊水量の評価は，最大垂直羊水ポケット（maximum vertical
pocket；MVP）と羊水インデックス法（amniotic fluid index；AFI）が
ある（図 7-8）。主観的（直観的）な診断が不慣れな検者には，再現
性に優れた AFI 測定が安全である。

羊水量の評価
・羊水過少：MVP＜2 cm（1 cm 未満とし，1〜2 を境界型とする意見もある），
　　　　　　AFI＜5 cm
・羊水過多：MVP＞8 cm，AFI＞24 cm

羊水過少の最も多い原因は破水である。帯下の増加が破水であることも
よく経験する。

(6) 胎　　　盤

前置胎盤や低置胎盤などの胎盤位置異常の診断には，経腟走査法が優れ
ている。胎盤早期剝離の診断は，胎盤後方の低輝度像を認めるに至ってか
らでは遅い。腹痛，出血を認める例，胎児状態悪化（疑い含む）例は，胎
盤の厚みを測定し，55 mm を超える例は，胎盤早期剝離を疑う。

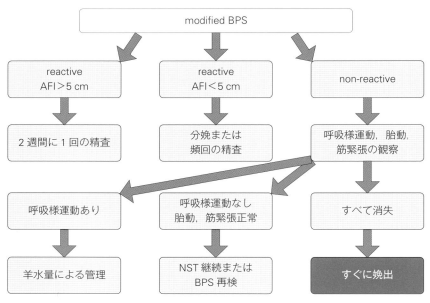

図 7-9　modified BPS による胎児管理

(文献[11]を一部改変)

5 胎児 well-being の評価

　胎児 well-being の評価方法として，胎児心拍数モニタリングが最も頻用されているが，胎児情報は心拍数のみであるため，偽陽性率が高い。その原因として，胎児の未熟性，胎児睡眠サイクル，薬剤の影響がある。そこで，non-stress test（NST）に加え，低酸素状態や疾病を持った胎児における，軀幹，四肢の運動および呼吸様運動が減少することを中枢神経系の活動の表現，胎児尿量減少に起因して羊水減少をきたすことを慢性的な胎児のストレスの表現として評価する方法が考案された[10]。

① BPS（biophysical profile scoring）：NST，胎児呼吸様運動，大きい胎動，胎児筋緊張，MVP＞2 cm（各項目を 2 点とし，10 点満点で評価）。

② modified BPS：BPS は時間を要するため，簡便かつ効果的な方法として提唱された。週 2 回の NST と AFI 測定のみを行い，NST が reassuring で，AFI＞5 cm 以上の場合を正常と判定する。modified BPS で異常を認めた例のみ，本来の BPS を含む精査を行う（図 7-9）[11]。

引用・参考文献
1）日本産科婦人科学会，日本産婦人科医会編集・監修（2020）：産婦人科診療ガイドライン―産科編 2020.
2）日本超音波医学会（2003）：「超音波胎児計測の標準化と日本人の基準値」の公示について．超音波医学，30：J415-438.
3）University of Southern California, School of Medicine course（1995）：*Perinatal Medicine, Feb.*, p.20-23.
4）Unterscheider, J., *et al.*（2013）：Optimizing the definition of intrauterine growth restric-

tion：the multicenter prospective PORTO Study. *Am. J. Obstet. Gynecol.*, 208（4）：290 e1-6.

5）Jacobsson, B. A. K., Francis, A., Hagberg, G., *et al.*（2008）：Cerebral palsy and restricted growth status at birth：population-based case-control study. *BJOG*, 115（10）：1250-1255.

6）Barker, D. J.（2004）：Developmental origins of adult health and disease. *J. Epidemiol. Community Health*, 58（2）：114-115.

7）日本小児外科学会学術委員会（1999）：学術委員会報告．日本小児外科学会雑誌，35：1003-1004.

8）Hoffman, J. I. E.（1995）：Incidence of congenital heart disease.Ⅱ. Prenatal incidence. *Pediatr. Cardiol.*, 16：155-165.

9）川滝元良（2004）：胎児心エコー　診断へのアプローチ．メジカルビュー社．

10）田所望，渡辺博（1999）：よりよい妊娠管理を目指して（その1）羊水過多（症），羊水過少（症）の管理．日本産科婦人科学会雑誌，51：N-11-N-14.

11）Manning, F. A., *et al.*（1980）：Antepartum fetal evaluation：Development of a fetal biophysical profile. *Am. J. Obstet. Gynecol.*, 136：787-795.

12）柳下正人（2006）：クリニカルカンファレンス（2）：胎児評価を考える　2）エコーによる胎児機能評価．日本産科婦人科学会雑誌，58：N-182-N-192.

7

4 会陰切開と縫合

　従来，分娩に伴う会陰切開や軟産道裂傷の縫合などの処置は医療行為そのものであるから，その実施は医師のみに許されると考えられてきた。しかし一方で，医療先進国の中には，助産師による会陰縫合を法的に認めている国もあり，日本の助産師業務を規定する現行法の解釈においても一定の条件下で助産師による会陰縫合は可能であり，むしろ，軽度裂傷に限れば，助産師による縫合は現状に適しているのではないかという意見も聞かれる。

　この助産師縫合を容認しようとする気運は，一連の看護職の業務拡大の流れが後押ししているのは事実だが，分娩の質そのものの観点から，軽度裂傷の処置は本来助産師が担当すべきとの考えが背景にある。ここでは，助産師が行う会陰切開や会陰縫合とはどうあるべきか，その方法と意義について解説する。

1 会陰切開と会陰裂傷

1）会陰切開が必要となる条件

　会陰切開が必要とされる理由として，産道が狭いままでは胎児娩出の妨げになるから，胎児をいち早く出産のストレスから解放するには，切開により会陰を広げる必要があるため，と説明されることが多い。つまり，何らかの理由で娩出期を短縮したいとの意図があって会陰切開は行われるわけだが，これは，娩出速度を上げれば修復困難な会陰裂傷を生じるおそれがあり，あらかじめ切開を加えておけばそれ以上の裂傷は回避できると考えるからである。

　逆をいえば，もし娩出期を十分延長することができるならば，会陰は徐々に軟化，伸展することで会陰裂傷の発生は抑えられ，予防的会陰切開の必要性も減少することになる。

　この娩出期短縮の必要性は，実は砕石位分娩体位と密接な関係がある。砕石位においては，生理的湾曲を有する仙骨下部は児頭娩出にとって障壁となり，乗り越えるための強い娩出力が求められる。そのため，バルサルバ法と呼ばれる声門を閉鎖した強い努責が加えられるわけだが，それにより胎盤血流量減少から胎児に低酸素血症を招き，早期娩出が必要となる切迫した状況が生じるのである[1,2]。さらに，吸引や鉗子分娩といった急速遂

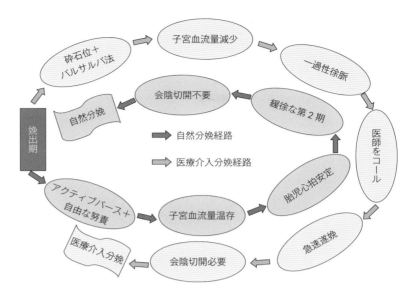

図 7-10　自然分娩経路と医療介入分娩経路

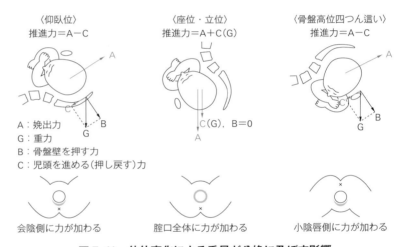

〈仰臥位〉
推進力＝A－C

〈座位・立位〉
推進力＝A＋C(G)

〈骨盤高位四つん這い〉
推進力＝A－C

A：娩出力
G：重力
B：骨盤壁を押す力
C：児頭を進める(押し戻す)力

C(G)，B＝0

会陰側に力が加わる

腟口全体に力が加わる

小陰唇側に力が加わる

図 7-11　体位変化による重量が分娩に及ぼす影響

娩術がとられれば，重度会陰裂傷の発生率は増し，その回避のために深い会陰切開は必須となる（図7-10）。

　また，砕石位では，児頭にかかる鉛直方向の重力ベクトルは肛門側に分力を生じ，会陰に対する力学的負荷から裂傷ができやすい[3]。この対応として，分娩介助者は，会陰側に加わる圧力を制御する必要があるため，常に会陰保護を行い，時に会陰裂傷回避のため予防的切開を施行するのである。これに対し，四つん這い体位では重力のベクトルはむしろ恥骨側に圧力を生じ，小陰唇の裂傷を伴うことが多い。また，蹲踞位をとれば腟口周囲に均等に力が加わるから，会陰保護の重要性は薄れることになる（図7-11）。

7

2) 会陰切開の種類と実際

　会陰切開としては，肛門に向かって垂直に切開する正中切開か，左右いずれかの斜め下方に切開を入れる正中側切開がなされるのが一般的である。切開の長さに対し最も効率的に腟口を拡大し，かつ術後疼痛も少ないのは正中切開であるが，この切開方法は万が一，切開創を越えて裂傷が延長された場合，肛門括約筋ばかりか最悪の事態として直腸粘膜をも断裂してしまう危険性がある。

　そこで，会陰の伸展具合や児頭の大きさから判断して，会陰裂傷は制御可能であると確信が持てる場合は別として，通常は正中側切開が選択されることが多い。

　会陰切開を行う際に初心者が往々にして犯す過ちは，切開を躊躇するあまり，創面が外陰部皮下脂肪層のみにとどまって腟壁にまで及んでおらず，産道を広げるという本来の目的を達成していないことである。目的とする部位の皮下に十分，局所麻酔剤を浸潤させた後，左手の示指と中指を児頭と会陰の間に深く挿入し，それらの指の間に鋏を立ててしっかりと切開を加えなくてはならない。

3) 会陰切開の縫合

　会陰切開の縫合は，自然発症した会陰裂傷のそれと基本的には同じであるが，唯一異なる点は，さまざまな形状をとりうる裂傷と違い，会陰切開は創面の形状が常に均一であり，ルーティンの縫合操作を行いやすいことである。このため，術者によってそれぞれ自分の得意とする会陰切開縫合の型が存在する。

　縫合方法は2つに大別される。一方は，皮下埋没単結節縫合と皮膚単結節縫合の基本的縫合手技の組み合わせであり，後日抜糸する必要があるが，技術の習得は比較的容易である。他方は，皮下埋没連続縫合および真皮内連続縫合の組み合わせであり，通常，2～3層に分け，細めの吸収糸による細かな連続縫合を繰り返し，抜糸は不要であるが，技術的難易度は比較的高い。

　かつては単結節縫合が標準的手技として主流であったが，針や糸の性能の向上に伴い，繊細な縫合が可能になったことや，体内に糸を留置したままでも感染や異物反応を起こしにくくなったことから，連続縫合の長所が顕著となり，現在では熟練者の多くはこちらを好む傾向がある。

　ただ，一定以上の深さの創に対し，どのような手技を選択するにしても，共通して重要なことは，皮下埋没縫合をきつすぎず緩すぎず，過不足のない状態で創の底部に置き，傷をいったん浅くしてから最終的な皮膚の縫合に取りかかることである。それにより皮下血腫や死腔形成を予防できるばかりか，表皮の縫合を小さなものにとどめ，創痛も軽減することができるのである（図7-12）。

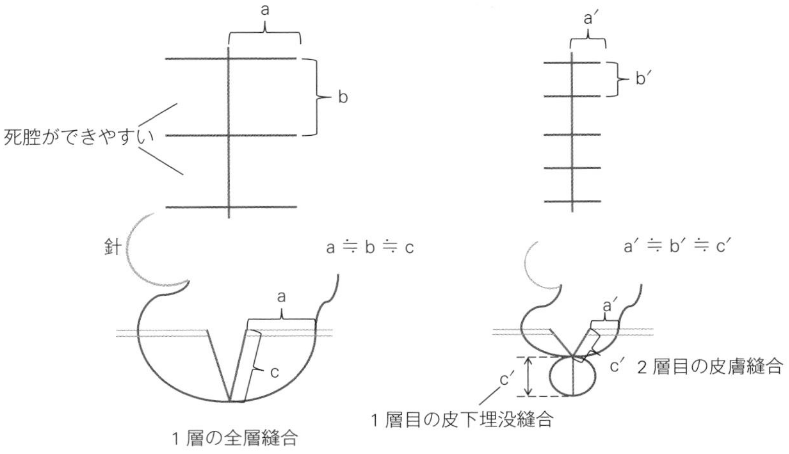

死腔ができやすい

針

$a \doteqdot b \doteqdot c$

$a' \doteqdot b' \doteqdot c'$

2層目の皮膚縫合

1層の全層縫合

1層目の皮膚埋没縫合

図 7-12　縫合の基本手技（皮下埋没縫合の意義）

4) 会陰裂傷の分類と縫合

　会陰裂傷はその程度により，以下の 4 段階に分類される。

会陰裂傷の分類
・第 1 度：会陰皮膚のみ，腟壁粘膜表面のみに限局し，筋層には達しない裂傷
・第 2 度：球海綿体筋や浅会陰横筋などの会陰筋層に及ぶが，外肛門括約筋には
　　　　　達しない裂傷
・第 3 度：外肛門括約筋や直腸腟中核に達する裂傷
・第 4 度：第 3 度裂傷に加え，肛門粘膜や直腸粘膜の損傷を伴う裂傷

　臨床上，第 1 度と第 2 度の開きはそれほどないが，第 2 度と第 3 度の損傷の差は非常に大きい。なぜなら，第 3 度裂傷は肛門括約筋の断裂であるから，術後の創部疼痛が著しく，母親の産褥期の精神状態に悪影響を与えるばかりか，授乳や育児といった行動にも弊害をもたらすためである。さらには，もし肛門括約筋断裂や直腸粘膜損傷の修復が不完全であれば，その後の正常な排便機能は損なわれることになり，生活の質（QOL）が大いに低下しよう。

　会陰裂傷における重症度が増すにつれ，縫合手技がより複雑になるのは当然であり，特に第 3 度の肛門括約筋断裂や第 4 度の直腸粘膜断裂の修復には細心の注意が必要となる。ただ，第 2 度裂傷までの縫合ならば，会陰切開の縫合も裂傷の縫合も，基本的に大きな手技上の差はない。原則として，縫合方法は術者の技量に応じて，単結節縫合か連続縫合かを選択すればよいのだが，助産師が会陰縫合を担当する場合は，それが第 1 度以下の軽度裂傷に限られるとしても，基本手技である単結節縫合を行うべきであろう。

7

2 助産師による会陰切開と縫合

1) 助産師縫合の法的根拠

　助産師業務を規定する保健師助産師看護師法第37条によれば，「保健師，助産師，看護師又は准看護師は，主治の医師又は歯科医師の指示があつた場合を除くほか，診療機械を使用し，医薬品を授与し，医薬品について指示をしその他医師又は歯科医師が行うのでなければ衛生上危害を生ずるおそれのある行為をしてはならない。ただし，臨時応急の手当をし，又は助産師がへその緒を切り，浣腸を施しその他助産師の業務に当然に付随する行為をする場合は，この限りでない」とあるが，助産師による会陰縫合の可否について直接的記述はない。

　しかし，ある一定の条件下であれば，助産師縫合は現法上も可能であると解釈できる。その根拠を施設勤務助産師と開業助産師の立場に分けて考える。

　まず，「主治の医師又は歯科医師の指示があつた場合を除くほか」は，いわゆる医療行為をしてはならないとしている。これは言い換えれば，「主治の医師又は歯科医師の指示があれば」ある種の医療行為を行うことは可能である，と読める。

　施設勤務の助産師が実際に会陰縫合をする場合は，産科医師が立ち会うことは当然可能であるから，医師の直接的指示や監督を得ることに何ら支障はない。

　問題は，「指示」とは具体的にどのようなものを指し，また，医師の指示が「あれば」助産師が実施してよい医療行為に会陰縫合は含まれるのかどうか，であろう。この問いに対する明確な判断は未だに示されていないが，その危惧をできるだけ減ずるためにも，助産師が行う修復は，会陰裂傷の第1度程度の軽度なものに限り，かつ，その実施者は事前に十分な縫合に関する教育を受け，修練を積んだ有資格者とする必要がある。

　開業助産師が会陰縫合を行う場合，「主治の医師の指示」を得るのは事実上困難であるから，自律的な会陰縫合の実施を正当化するには，別の論拠が求められる。その手がかりとなるのが，「臨時応急の手当」と「助産師の業務に当然に付随する行為」は医師の指示がなくとも独自の判断で行えるとの文言である。

　正常産といっても，多くの出産に軽度の会陰裂傷は当然のように付随してくるから，擦過創や第1度程度の軽微な裂傷は正常分娩の範疇ととらえれば，その修復も「助産師の業務に当然に付随する行為」と解釈できなくはない。しかし，この論旨には若干飛躍した感があり，多くの同意を得るのは難しいかもしれない。むしろ，軽度裂傷の修復は，開業助産師にとって「臨時応急の手当」に属するとして助産師縫合を正当化した方が，事を進めるに当たって障害は少ないと思われる。

2) 助産師縫合の留意点

　助産師が会陰裂傷を縫合する際に最も重要なことは，縫合の手技そのものよりも，むしろその傷の深さや腟壁への広がりなど，裂傷の程度を正しく見極められることである。一般に縫合は，経験を積むに従い技術が向上し，より重症例に対処できるようになる。

　しかし，助産師が裂傷縫合を担当する場合，あくまでも腟壁裂傷を伴わない処女膜瘢痕から外部の範囲で，深さは皮下脂肪までの筋層に達しない第1度裂傷に限るべきである。なぜなら，裂傷の程度が重くなれば，それだけ血腫や縫合不全などの合併症を併発する危険性も高く，その後の修復もより困難となり，負うべき責任も大きくなるからだ。助産師は自らの技量を考慮し，対象となる症例がその範囲に収まる傷かどうかを判断する目を養うことが何より重要なのである。

　こういった浅い傷に対し，かつては助産師がクレンメと呼ばれるクリップで応急的に対処していた時代もあったが，創傷治癒効果もあまり期待できず，妊婦自身も違和感があるなど不評であったため，現在ではほとんど使用されなくなった。

　つまり，助産師縫合とは，自然分娩に伴う軽度の裂傷で，本来なら縫合せずに放置したとしても，おそらく自然治癒するであろう程度のものを，縫合しなければ治癒が遅れ，尿や悪露の刺激で創部に不快な痛みが生じるなど，褥婦の QOL が低下するから縫合する必要があると見なし，行っているものだととらえるべきなのである。

3) 縫合処置の教育

　会陰裂傷は，外表皮膚の平面的創傷とは異なり，立体的で解剖学的にも複雑であり，術野も狭いため，修復技術の習得には通常の皮膚縫合にはない難しさがある。また，一般的には長い針付き吸収糸で持針器縫合を繰り返すという，産婦人科独特の縫合手技が用いられることが多く，特別な教育プログラムによる訓練が必要である。そこで，助産師縫合を可能にするための教育実習として，以下のような点を網羅する必要がある。

> **助産師縫合の教育実習に必要な事項**
> ・基礎知識：外生殖器の局所解剖，会陰裂傷の発生機序，縫合の一般的知識，局所麻酔剤の使用法
> ・結紮手技：女結び，男結び，外科結紮，持針器結紮
> ・縫合手技：単結節縫合（皮下埋没縫合，皮膚縫合）
> ・臨床実習：経腟分娩後の第1度会陰裂傷の縫合修復

　さらに，助産師により行われた会陰縫合の治癒状況を指導者が客観的に評価し，その情報を実施者にフィードバックしていけば，より一層の技術の向上につながるであろう。

3 縫合助産師院内認定制度

　日本においては現在，学校における助産師養成課程はもとより，卒後の臨床の場においても，実践を前提とした助産師による会陰縫合に関する教育の機会はないに等しい。それでも近年，各地の看護職能部会などによる，助産師を対象とした縫合セミナーの開催も散見されるが，いずれも必要に迫られてのものではなく，むしろ社会的認知度を上げ，将来の助産師縫合への道を開くための布石といった感は否めない。

　多くの関係者が助産師縫合の施行を躊躇するのは，法的解釈をめぐり未だに結論が出ていないのが最大の理由であるが，この状況下で現場の判断のみで実施するには精神的負担があまりに大きく，やはり何らかの公的組織が助産師による縫合行為を是認した上で，個人の判断を免責するような仕組みが必要である。そのためには，行政や職能団体ないしは関係学会のような機関が明確な判断を示し，一定の基準を満たす者を有資格者として認定するのが理想的である。しかし，その実現が容易でないならば，それに賛同する各医療機関が独自に教育の場を設け，医師に代わり縫合を担当する助産師がその教育と研修を修め，実施資格が十分あることを公に保証し，行為に対し，組織として責任を持つ制度が必要である。

　済生会宇都宮病院（以下，当院）では，全国に先駆け，2011 年 4 月に，軽度会陰裂傷に限り助産師の修復業務を院内認定する「縫合助産師」制度を創設した。5 年以上の助産師としての臨床経験を有し，かつ，会陰裂傷の修復に熱意がある希望者を対象に，実技実習を中心とした研修期間を設けた上で試験を課し，合格者には，院内において，医師の指示のもと，軽度会陰裂傷を縫合修復することを病院長が認めるという制度である。2023 年現在，38 人の縫合助産師が誕生し，業務を遂行している。

　具体的には，下記の 6 項目に対して講義と実技実習を行い，次の段階に進む前に必ず前回の内容の習得状況を確認しつつ，最後に筆記試験を行い，その合格をもって基礎実習終了とする。

縫合助産師院内認定制度の履修過程
① 講義と実技の基礎実習
　i　縫合の基礎知識に関する講義（60 分）
　ii　糸結び実習（60 分）
　iii　持針器縫合実習（60 分）
　iv　平面皮膚縫合実習（60 分）
　v　外性器模型を使用した縫合実習（60 分）
　vi　会陰裂傷縫合の実際の手順，会陰切開手技，局所麻酔剤の使用方法に関する講義と実習（60 分）
② 筆記試験（設問 20，合格 80 点以上）
③ 臨床実習（第 1 度会陰裂傷縫合 3 症例）
④ 縫合助産師認定証および認定バッジの授与

　合格者はさらに臨床実習段階へと進み，経腟分娩後の第 1 度会陰裂傷の

縫合を医師の立ち会いのもとで施行し、合格基準を満たした3症例をもって、最終的に縫合助産師としての資格を得ることになる。

さらには、助産師縫合業務の質の維持と同制度を管理する仕組みとして、縫合手技の評価と実施実績を把握する必要がある。そのために、助産師縫合カルテを通常の入院分娩カルテとは別途に作成し、他者による創傷治癒状況の定点での確認により、縫合手技を評価することにしている。

縫合助産師院内認定制度の管理
① 助産師縫合の詳細を助産師縫合カルテに記録
② 退院時の第三者（医師または助産師）による治癒状態の中間評価
③ 1か月健診時の第三者（医師または助産師）による治癒状態の最終評価
④ 縫合助産師は年間縫合実施症例を師長に全例提出。報告書は病院が保管管理

4 助産師縫合の意義

1）助産師縫合の利点と欠点

助産師による会陰縫合が社会的認知を受け、発展的に広がっていくためには、適法なのか違法なのか、法解釈の議論の前に、そもそも助産師が会陰縫合をすることの長所と短所を含め、どのような意義があるのかを明らかにすべきである。

助産師縫合に否定的な意見の多くは、未熟な技術による安全性の欠如が妊婦の不利益につながるというものである。しかし、軽度裂傷に限定した修復であれば、決して安全性が損なわれることはなく、教育と修練によって医師縫合に遜色のない技術の習得も望めよう。むしろ、医師に代わり助産師が裂傷縫合を担当することは、妊婦はもとより、助産師や産科医師といった現場の医療従事者、さらには、病院経営責任者や行政といった医療体制を統括する立場の者にとっても利益をもたらすと考えられる。

分娩の場には安全性の観点から、医師が常駐し、必要な医療処置もすべて医師が行うのが理想であるという考えもあるが、必ずしもそうではない。分娩の質とは、侵襲を伴う手術や検査といったほかの医療行為とは異なり、必ずしも安全性がすべてに優先するとは限らないからだ。そこには、長時間寄り添ってくれた者への信頼感や、自力で産みきったという満足感、あるいは異性への羞恥心といった妊婦独特の複雑な精神状態が介在する。

そもそも、産科医師の本務とは異常産への対応であり、出産への参加は医療介入を示唆する。そのため、助産師による分娩介助だけで完結することを正常産の証ととらえて、むしろ好感を持って受け止める妊婦は少なくない。軽微な会陰裂傷を正常産の範疇に含めれば、信頼する助産師が引き続き縫合まで担当することに、特に違和感を持たないのである。現に当院では、経腟分娩が想定されるすべての妊婦に対し、軽度な会陰裂傷であった場合の助産師縫合の可否を問うているが、実に85%の妊婦が助産師縫合

で問題はないと返答している事実が，このことを実証している。

　助産師縫合が最も影響を及ぼすのは，助産師自身の意識の変化ではなかろうか。助産師が自らの分娩介助の結果生じた会陰裂傷の修復を自らが担当することは，分娩の全過程に責任感を持ち，胎児の生理的状態を維持しつつ，かつ，裂傷を生じない分娩介助とはどのようなものかを振り返って考える契機となろう。それは，助産師としての技量を高めるばかりか，ひいては妊婦にも利益をもたらすことにつながるのである。

　さらに，医師が担当する縫合修復は重症例に限ってよいとなれば，産科医師は多くの正常産の現場から身を離すことが可能となり，その労力を本来の業務である異常産や疾患分野へ傾注できる余裕が生じることになる。そしてそれは，産科医師不足から産科病棟を閉鎖せざるをえないという悲しい現実を，多少なりとも改善し，病院経営ばかりか地域医療にも貢献することになるのではなかろうか。

2）助産師縫合の将来

　助産師がたとえ軽微なものであれ，会陰裂傷の縫合を行うということは，その行為自体以上に重大な意義を持っている。それは，医師と看護職の間を隔てる漠然とした境界線，すなわち，医療行為と医療介助の中間領域でありながら，これまでは慣例として医師が管理してきた緩衝地帯を看護職が徐々に侵蝕しつつあるという感覚を医師側に抱かせる。そしてこの潮流は，看護職の業務拡大問題とも関連し，看護職業務の再定義という，より大きな命題にも連結しているから，問題の解決を困難なものにしている。

　しかし，この助産師縫合の是非の問題解決が，職種間の綱引きで遅れているとしたら，妊婦にとっても国民医療全体にとっても不幸な出来事といわざるをえない。なぜなら，将来的には日本の分娩業務に携わる産科医師はさまざまな要因から，減少の一途を辿るであろうことはほぼ間違いないからである。その意味から，貴重な産科医師の労働力を有効に活用するためにも，助産師に施行可能な業務と権限を委譲し，それを安全に遂行できる仕組み作りに一刻も早く着手しなくてはならないのである。

引 用 文 献
1）飯田俊彦（2010）：アクティブバースと胎児の well-being．ペリネイタルケア，29（4）：62-67．
2）飯田俊彦（2010）：バルサルバ手技の弊害とアクティブバース．ペリネイタルケア，29（3）：48-53．
3）飯田俊彦（2010）：アクティブバースと娩出力．ペリネイタルケア，29（1）：66-71．

5 産科緊急時の薬物療法

1 産科緊急時の病態生理と薬物療法

　産科緊急には，母体緊急と胎児緊急がある。そのため，母体緊急薬物療法時の胎児への影響，および，胎児緊急薬物療法時の母体への影響に留意する必要がある。

　たとえば，母体重症高血圧に対して降圧薬を使用した場合，胎児胎盤循環への血液供給量が母体血圧の低下によって減少することから，胎児機能不全を惹起することがある。しかし，産科緊急への対応が遅れると母児ともに危機的状況に陥ってしまう可能性があることにも留意して，先を読んだ薬物療法を心得ることが肝要である。

　保健師助産師看護師法第 37 条に，「保健師，助産師，看護師又は准看護師は，主治の医師又は歯科医師の指示があつた場合を除くほか，診療機械を使用し，医薬品を授与し，医薬品について指示をしその他医師又は歯科医師が行うのでなければ衛生上危害を生ずるおそれのある行為をしてはならない。ただし，臨時応急の手当をし，又は助産師がへその緒を切り，浣腸を施しその他助産師の業務に当然に付随する行為をする場合は，この限りでない」と定められている。

　さらに，看護職の「静脈注射」に関しては，厚生労働省から，2002 年 9 月に「看護師等が行う静脈注射は，保健師助産師看護師法第 5 条に規定する診療の補助行為の範疇として取り扱う」と通知された[1]のに加えて，2007 年 12 月に「医師及び医療関係職と事務職員等との間等での役割分担の推進についての提言」が発出され，各医療機関において看護職員を対象とした静脈注射および血管留置針によるルート確保の研修を実施するとともに，施設内基準や看護手順の作成・見直しを行うことが示された。さらには，2021 年 9 月発出の厚生労働省通知「現行制度の下で実施可能な範囲におけるタスク・シフト／シェアの推進について」において，「静脈注射・皮下注射・筋肉注射（ワクチン接種のためのものを含む），静脈採血（静脈路からの採血を含む），動脈路からの採血，静脈路確保，静脈ライン・動脈ラインの抜去及び止血については，診療の補助として，医師の指示の下に看護師が行うことが可能である（小児・新生児に対して行う場合も含む）」とされている[2]。

　薬物療法は原則として医師の役割であるが，産科緊急時，特に診療所な

●1　厚生労働省医政局長通知「看護師等による静脈注射の実施について」，平成 14 年 9 月 30 日　医政発第 0930002 号。

●2　厚生労働省医政局長通知「現行制度の下で実施可能な範囲におけるタスク・シフト／シェアの推進について」，令和 3 年 9 月 30 日　医政発 0930 第 16 号。

283

どで発生した場合は，医師のマンパワー不足などから，看護職による薬物投与を実施せざるをえない状況がある。そのため，助産師が産科緊急時の薬物投与の実際と注意点を習得し，看護手順などを作成しておくことは必須の役割である。

ここにおいて，産科緊急時は薬物療法に続いて手術等の外科的療法が必要となることが多いことから，原則として絶飲食とする。そのため，薬物療法の中心は静脈注射となることを前提として，以下，概説する。

2 薬物管理上の注意

1) 薬物の表示と管理の原則

薬物の保存・管理に関して，薬物の「品質」管理，および安定した供給のための「在庫」管理の両面があるが，その方法は，医薬品，医療機器等の品質，有効性及び安全性の確保等に関する法律（薬機法）で定められている。

品質管理のためには，薬物の包装およびその表示内容を厳守する。注意する薬物の包装表示には，「麻薬」「毒薬」「劇薬」および「向精神薬」があり（表7-8），これら以外の毒性や劇性の低い薬物は，「普通薬」と呼ばれる。

これらは各々区分し，さらに，「麻薬」「毒薬」および第一種・第二種の「向精神薬」は施錠して保管することが義務づけられている。また，「毒薬」は，「劇薬」と比較して，より生命への危険度が高い（致死量が少ない）薬物である。

これら以外にも，実際の医療現場で特に注意を払うべき薬物，すなわち，使用法を誤ると患者の健康状態に対して死亡を含めた深刻な影響をもたらす「ハイリスク薬」があることに留意する。

たとえば，カリウム（製剤）は，もともと体内に存在して，それ自体に危険性はないが，急速に静脈内投与を行うと，致死性不整脈や心停止を起こすことがある。

表7-8　注意すべき薬物の包装表示例

種類	包装ラベル	
麻薬	⊕（麻）	白地に赤丸，中に赤字で「麻」
毒薬	毒○○○○○	黒地に白枠，白字で品名および「毒」
劇薬	劇○○○○○	白地に赤枠，赤字で品名および「劇」
向精神薬	⊕（向）	白地に黒丸，中に黒字で「向」

表 7-9 薬物の保管温度指定
の表記と温度

温度指定の表記	保管温度
標準温度	20℃
常温	15〜25℃
室温	1〜30℃
微温	30〜40℃
冷所	15℃以下

　また，各々の薬物が変質しないように，適切な温度管理（表 7-9），光線管理方法が指定されている。医薬品の多くは光の影響を受けて分解または不活化されるため，光の透過を防止（遮光）する必要がある。遮光は，払い出しの際にも留意する。たとえば，産科頻用薬物である輸液用総合ビタミン薬は，すべて遮光の必要がある。

　なお，有効期限とは，薬物が製造されて有効性が保証される期限（通常，2〜3 年）であり，使用期限とは，指定された保存条件下で，薬物が安全かつ十分な効果が得られる品質が保証される期限である。

2）薬物の管理の実際

　薬物の管理に際しては，誤薬を防ぐために，同一薬効の薬物は統一し，まぎらわしい薬物名やアンプルまたはバイアル（内服薬では錠型），複数の用量がある場合は，その表示などに工夫をする。

　また，産科緊急時に使用する薬物は，産科病棟，分娩室，手術室ごとに救急カートなど，わかりやすいところにまとめて常備する。

　日本産婦人科医会の母体死亡原因統計によると，母体死亡の原因には，① 産科危機的出血（子宮型羊水塞栓症を含む），② 頭蓋内出血・脳梗塞，そして，③ 心肺虚脱型羊水塞栓症が多いとされている。各々に対するガイドラインや指針を参考として，各施設状況に合わせたマニュアルを作成し，シミュレーションを行っておくことが望ましい。

　表 7-10 に，「産婦人科診療ガイドライン—産科編 2020」[1]で分娩室に常備することが推奨されている母体用薬物（医薬品）名を提示した。同ガイドラインでは，新生児用として，アドレナリンおよび生理食塩水を分娩室に常備することも推奨している（レベル A）。また，硬膜外麻酔（無痛）分娩を行っている施設では，局所麻酔薬中毒時に使用する脂肪製剤についても検討する必要がある（レベル C）。

3）医療機関における安全管理に関する確認

　近年，医療機関において，点滴袋の損壊など，患者の安全を脅かす事案が続いたことから，① 薬物の使用前には，容器やふた（汚染防止のシールなど）の損壊や異物混入がないかダブルチェックなどにより確認すること，

表 7-10　分娩室に常備することが推奨される母体用薬物

推奨レベル	レベル A	レベル B	レベル C
薬物名 （医薬品名）	**子宮収縮薬** ・オキシトシン注射薬 ・メチルエルゴメトリン注射薬 **昇圧薬** ・塩酸ドパミン ・アドレナリン **人工膠質液** ・ヒドロキシエチルデンプン **各種輸液用製剤** **局所麻酔薬**	**子宮収縮薬** ・プロスタグランジン製剤 **硫酸マグネシウム製剤** ・マグセント®（またはマグネゾール®） **抗不安薬（抗けいれん薬，催眠鎮静薬）** ・ジアゼパム注射薬 **降圧薬** ・ニカルジピン注射液（またはヒドララジン注射液）	トラネキサム酸 ニトログリセリン ステロイド グルコン酸カルシウム水和物

（文献[1]，p.194 より一部転載）

② 混合調整の際には，定められた環境・手順を遵守するとともに，処方せん・ラベル・薬物の照合をダブルチェックなどで行い，調整後は速やかに使用すること，そして，③ 薬物の保管に際して，必要に応じて施錠管理などの盗難・紛失防止対策をすることが確認された。

● 厚生労働省医政局総務課長通知「医療機関における安全管理について」，平成 28 年 11 月 25 日　医政総発 1125 第 2 号。

3 | 薬物投与上の注意

1）投与前の薬物の確認

　薬物投与は，薬物の用法・用量に関する指示を的確に受け，緊急時であっても，薬物使用の目的，効果，予測される副作用とその対応などに関して可能な限り患者へ説明し，同意を得てから実施する。その際に，薬物アレルギーや禁忌などがないことを再度確認する。薬物の用法（投与経路）の誤りは，重大な医療事故に結びつく可能性が高く，以下にあげる 6 点が正しいこと（6R）[2]を，準備時・投与直前に確認する。

投与前に確認する "6R"
① 正しい患者（right patient）
② 正しい薬剤（right drug）
③ 正しい目的（right purpose）
④ 正しい用量（right dose）
⑤ 正しい用法（right route）
⑥ 正しい時間（right time）

　さらに，前述した薬物の有効期限・使用期限，保管状態，混濁・破損・異物混入の有無を確認する。

　用量は，患者の体重から計算され，原液使用あるいは希釈溶液を用いた使用で指示されるが，処方（指示）せんの表記を統一し，施設マニュアルに調剤方法や通常の使用方法を具体的に明記しておくことが望ましい。

2) 投与ルートの確保

産科緊急時は，薬物療法の確実性・即効性，および絶飲食とされていることが多いことから，静脈注射が主体となる。経口投与の薬効発現時間の目安が15〜30分であるのに対して，静脈注射では30秒〜5分で薬効が期待できる。

投与ルートの確保時は，神経損傷や感染予防に留意する。前腕橈側皮静脈が，最もトラブルが少ない。静脈炎の徴候を見逃さないように，刺入部は透明のフィルムドレッシングなどで固定する。

また，薬物使用中は，薬物の血管外漏出による皮膚障害に注意する。薬物や漏出量によっては，皮膚が虚血となり，潰瘍や壊死を起こすことがある。皮膚障害の症状は，一般に漏出時間と量に相関するため，薬物は添付文書の希釈方法と用量を遵守し，細かく観察して，わずかな漏出をも早期に発見することが重要である。

薬物療法中は，緊急時を含めて，原則として医療側による観察が原則であるが，患者がすぐにナースコールを押すことができる状態であるかどうかも確認する。

3) 血管迷走神経反射とアナフィラキシーショック

採血時などに針が皮膚や血管を刺すことによって迷走神経が刺激され，血圧低下や徐脈を主症状とする血管迷走神経反射（vasovagal reaction；VVR）が起こりうることに留意する。また，詳細は後述するが，いかなる薬物においてもアナフィラキシーショックは起こりうることにも留意する。

4 産科緊急：主な疾患と薬物療法指針

産科緊急症の代表的疾患と，その薬物療法について概説する。

1) アナフィラキシーショック

アナフィラキシーとは，アレルギー反応の一種で，免疫グロブリン(IgE)とアレルゲン（抗原）が反応して起こる。抗原の侵入から15〜20分で発症し，1時間程度で消失することが多い即時型（Ⅰ型）アレルギーである。

主な原因薬物として，抗菌薬，解熱鎮痛薬，抗腫瘍薬（抗がん剤），局所麻酔薬，筋弛緩薬，造影剤などがあげられる。初期対応としては，バイタルサインを確認し，患者を仰臥位にして酸素を投与し，静脈ルートを確保する。治療においては，アドレナリンの筋肉注射が第一選択薬となる。

2) 分娩時の緊急子宮弛緩

子宮頻収縮や過強陣痛などの子宮収縮異常によって胎児低酸素状態への進展が強く疑われる場合や，早期産児の帝王切開で子宮収縮により児の娩

出困難が予測される場合など，緊急子宮弛緩を行う必要がある場合に，ニトログリセリン注射薬を使用する[3]。

1回 60～90 μg，最大 100 μg を緩徐に静脈内に投与する。20～40％程度に収縮期血圧の低下（90 mmHg 前後）が起こるため，産婦および胎児の状態を十分観察しながら投与する。使用法については，事前に手順を作成し，シミュレーションを行っておく。

3）重症高血圧

血圧が 160/110 mmHg 以上を複数回認める場合は，「高血圧緊急症」を念頭に置いて，速やかな降圧治療開始がすすめられる。

ニカルジピン持続静脈注射（10 mg/100 mL 生理食塩水を 0.5 μg/kg/分で開始），あるいはヒドララジン（20 mg を徐々に点滴静脈注射：5 mg を静脈注射後に，20 mg/200 mL 生理食塩水を 1 時間かけて点滴静注）などがすすめられるが，後者には頭蓋内圧上昇作用があることに留意する。

4）子　　癇

子癇発作に対しては，硫酸マグネシウム（MgSO$_4$）の使用が最も推奨されている。初回量として 4 g を 20 分以上かけて静脈注射し，引き続いて 1～2 g/時間の持続点滴静脈注射を行う。難治性けいれんあるいはけいれん重積時にはジアゼパムなどの抗けいれん薬の使用が必要になる。子癇が治まった後は，再発予防のために，MgSO$_4$ を 1～2 g/時間の持続点滴静脈注射を 24～48 時間，実施する。

5）子宮弛緩症

産科危機的出血対応については，「6　出血時のアルゴリズム」を参照のこと。

産後の過多出血の原因が子宮弛緩症と診断された場合，双手圧迫などに加えて，オキシトシン（筋肉注射：5～10 単位，点滴静脈注射：5～20 単位/500 mL など）やメチルエルゴメトリン（筋肉注射：0.2 mg を 2～4 時間ごと）を使用する。前者は希釈せず大量投与すると低血圧を惹起することがあること，後者は高血圧や冠疾患患者への投与を避ける必要があることに留意する。また，産科の過多出血は線溶系が亢進していることが多く，トラネキサム酸の 2～4 g の静脈注射が有効なことがある。

6）出血性ショック

出血性ショックには頻脈を伴うのが特徴である。重症度の判定にはショック・インデックス（SI＝1 分間の脈拍数÷収縮期血圧（mmHg））を用いる。原因疾患に対処しながら血漿増量薬使用や輸血を行うが，ショックが持続するようなら，昇圧薬，ステロイド剤などの使用を考慮する。

7) 内科合併症による緊急症

(1) 気管支喘息発作

喘息治療に用いられる薬剤で，妊娠中に禁忌とされる薬物は原則としてないことに留意する。喘息発作時は，母体の血中酸素飽和濃度をモニタリングしながら，酸素を投与し，短時間作用型 β_2 刺激薬の吸入から開始する。

(2) 糖尿病ケトアシドーシス

妊娠による耐糖能異常によって緩徐に進行・発症するものから，感冒様症状や全身倦怠感などの非特異的症状から短時間で昏睡に陥る妊娠関連発症劇症 1 型糖尿病まで，病態は多彩である。切迫早産に対するリトドリン塩酸塩使用中に突然発症することもあることに留意する。

治療は，補液とインスリンの使用であるが，急速な血糖低下によって脳浮腫や低カリウム血症を起こすことがあることにも留意する。

(3) 甲状腺クリーゼ

分娩を契機として発症することがある。心循環系モニタリングのもと，抗甲状腺薬，ヨード，β 遮断薬，ステロイドなどを使用する。

引用・参考文献
1) 日本産科婦人科学会，日本産婦人科医会編集・監修（2020）：産婦人科診療ガイドライン―産科編 2020，p.193-195.
2) 厚生労働省（2011）：技術指導の例.
〈https://www.mhlw.go.jp/bunya/iryou/oshirase/dl/130308-2.pdf〉
3) 日本産科婦人科学会，日本産婦人科医会編集・監修（2020）：産婦人科診療ガイドライン―産科編 2020，p.217-219.

出血時のアルゴリズム

妊娠・分娩・産褥期を通して患者からの訴えで最も多いのは，性器出血であろう。同じ出血であっても，原因により対応は異なり，その根拠となる診断のアルゴリズムを理解することは，重要なことである。診断に至るには，情報（患者からの情報，カルテにある超音波所見）を素早くピックアップする必要があり，普段から超音波画像などを見慣れておくことも重要である。

しかし，電話相談の場合には，目の前に患者がいないだけでなく，カルテなどの医療情報がないこともしばしばあるため，患者に確認すべき情報を系統立って理解しておくとよい。

ここでは，妊娠初期，中後期，分娩・産褥期に分け，患者が出血を主訴に来院（または電話相談）したときの基本的な考え方を解説する。

1 | 妊娠初期

妊娠初期に性器出血があった場合，最初に確認すべき点は，受診歴，妊娠週数である。異所性妊娠，切迫流産，不全・完全流産，絨毛性疾患のポイントと鑑別を示す（図7-13）。

1）受 診 歴

医療機関を受診しているかどうかをまず確認する。同時に，最終月経，月経周期を確認し，妊娠週数を推定する。患者自身で妊娠反応検査を行い，陽性だったが，まだ医療機関を受診していない場合，特に妊娠4週に入ったばかりの早い段階では，月経もしくは化学的流産（chemical abortion）の可能性が高い。腹痛の程度にもよるが，医療機関の受診を促し，妊娠初期の診断を行ってもらう。なお，最終月経は記憶によるものが多く，また，月経不順の場合は妊娠週数が不確実であるので，注意が必要である。

● **化学的流産**
生化学的検査（hCG陽性）により妊娠の成立を確認したが，胎嚢を認めず，月経様の出血により妊娠が終了すること。

2）子宮内妊娠の確認

医療機関受診歴があり，妊娠の診断がなされている場合は，超音波検査により胎嚢が子宮内にあるかどうか（＝子宮内妊娠かどうか）を確認する。近年，帝王切開率上昇による既往帝王切開手術後妊娠が増加している。帝王切開創部妊娠は，子宮内に胎嚢を認めても異所性妊娠として取り扱う必

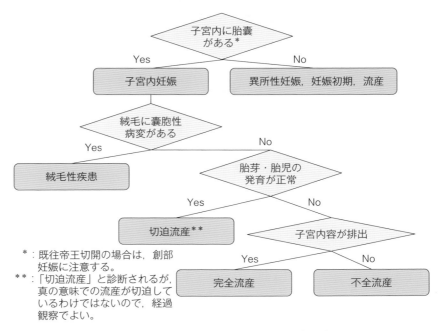

図 7-13　妊娠初期の出血の診断アルゴリズム

要があるので，既往帝切の場合は，胎囊が正常位置にあるかどうかも確認する必要がある。

　子宮内に胎囊が確認できていない場合は，① 正常妊娠だが妊娠初期のため胎囊がまだ確認できない，② 流産，③ 異所性妊娠，のいずれかになる。

　異所性妊娠は，全妊娠の 1～2％を占め，特に妊娠初期の出血で見逃してはならない疾患である。また，生殖補助医療（assisted reproductive technology：ART）では，2～4％とさらに高率になる。ART により子宮内外同時妊娠の発生が増えているので，不妊治療による妊娠かどうかを聴取することは重要である。妊娠 6 週を過ぎているのに胎囊が確認できていない場合は，異所性妊娠を強く疑う必要があり，すでに強い腹痛を訴えている場合は，速やかに医療機関を受診するよう指示する必要がある。

3）切 迫 流 産

　妊娠 22 週未満で出血や腹痛を伴う疾患を切迫流産というが，妊娠初期（妊娠 12 週未満）に，胎芽あるいは胎児およびその付属物は全く排出されておらず，子宮口も閉鎖し，少量の子宮出血がある場合は，真の意味の切迫流産とは異なると考えられる。なぜなら，妊娠 12 週未満の流産の原因はほとんどが胎芽／胎児の異常で，そのうち約 60％は染色体異常である。よって，現在妊娠 12 週未満の流産に対して有効な治療法は存在しない。

　一方，性器出血があっても，胎芽／胎児が順調に発育していれば，妊娠初期に流産することはまれである。

　以上のことから，日本産科婦人科学会・日本産婦人科医会による「産婦

人科診療ガイドライン―産科編 2020」の「CQ206：妊娠 12 週未満切迫流産の管理上の注意点は？」には，「子宮内に胎児心拍が確認されている患者では，軽度の切迫流産徴候（月経時の出血量と同等以下の出血や軽度腹痛）では外来時間外の受診は不要で，翌日あるいは予定期日に受診するようあらかじめ説明しておくことが望ましい」と記されている[1]。

4）稽留流産・進行流産・不全流産

稽留流産とは，胎芽／胎児が子宮内で死亡しているが，出血などの流産の徴候がない場合をいい，出血はあるが子宮口の開大などが認められない場合は遷延流産と定義されている。しかし，近年は後者も稽留流産と呼ばれることが多い（出血を流産徴候と見ていない）。

一方，流産徴候がはっきりしていて，腹痛を伴う性器出血があり，子宮口が開大しているが，胎芽あるいは胎児およびその付属物は排出されていない場合を進行流産，すでに胎嚢が排出されているが，一部の絨毛や脱落膜が子宮内に遺残（残留）している場合を不全流産，子宮内容が完全に排出され，子宮口は閉鎖し，出血もほぼ止まっている状態を完全流産という。子宮口の状態，子宮の内容，出血の有無で分類する。

5）絨毛性疾患

妊娠初期の出血では，異所性妊娠，切迫・進行・不全流産のほかに，絨毛性疾患を忘れてはならない。超音波検査で診断されることが多く，絨毛内に嚢胞性病変を認めれば，胞状奇胎と診断される。悪阻症状が強く出る場合が多く，妊娠初期に出血と悪阻症状が強い場合は，注意する必要がある。

2 妊娠中後期

妊娠中後期の性器出血の原因となる疾患には，頸管ポリープ，子宮頸がん，切迫早産，前置・低置胎盤，常位胎盤早期剥離などがある（図 7-14）。

1）出血時の基本的な考え方

妊娠初期に自然流産が淘汰されるため，性器出血の発生頻度は低下する。よって，妊娠中後期の出血は周産期合併症の初発症状であることが少なくない。妊娠中後期に性器出血があった場合は，その量の多寡にかかわらず受診させ，原因を見つけ出す必要がある。つまり，正常妊娠の初期のように「少量の出血なら特に問題ない」といった考え方は禁物である。

2）出 血 部 位

診察により出血部位を同定する。患者は性器出血があると訴えていて

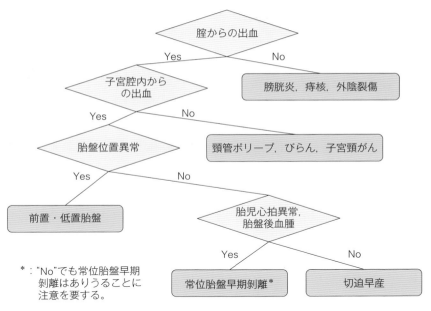

図 7-14　妊娠中後期の出血の診断アルゴリズム

も，腟内に出血の痕跡がない場合は，外陰部の裂傷，痔核，膀胱炎がないかどうか検索する。腟内に出血を認めた場合は，子宮腔内からなのか，子宮腟部の出血（頸管ポリープ，びらん）なのかを確認する。頸管ポリープと脱落膜ポリープの肉眼的鑑別は困難であり，除去の是非に関してはコンセンサスがない。もちろん，妊娠初期の子宮頸部細胞診の結果の確認も忘れてはならない。

3) 切迫早産・前置胎盤・常位胎盤早期剥離

　妊娠中後期に性器出血があり，その出血が子宮腔内からの場合は，診断をとりあえず切迫早産としてしまいがちだが，切迫早産は他の周産期合併症が除外されてから診断するものと考えるべきである。

　子宮腔内からの出血であれば，最初に，超音波検査で前置・低置胎盤の有無を確認する。ただし，妊娠20週未満では子宮下節が開いていないことが多いため，前置・低置胎盤に見えても最終的には違う偽陽性が含まれることを知っておく必要がある。子宮下節が十分開いている状態で観察された超音波所見であれば診断できる。

　次に，胎盤の位置異常がない性器出血の場合は，常位胎盤早期剥離を疑うことが重要である。典型的な常位胎盤早期剥離では，子宮が板状硬，超音波検査で胎盤後血腫が描出できるが，多くの場合，このような所見がきれいに揃うことはまずない。

　子宮収縮を伴う性器出血を切迫早産と安易に診断するのでなく，non-stress test（NST）で胎児心拍パターンがreactiveであること，超音波検査で胎盤肥厚がなく，胎盤の後方にフリースペースがないことなどを確認し，

常位胎盤早期剝離を否定した上で，初めて切迫早産と診断すべきである。

また，最初は切迫早産であっても，後に常位胎盤早期剝離を発生することもあることを忘れてはならない。

妊娠中後期の出血例で，最も見逃してはならない疾患は，常位胎盤早期剝離である。常位胎盤早期剝離には，妊娠高血圧症候群，早剝既往，外傷などのリスク因子が知られているが，このようなリスク因子がなくて発生することがしばしばある。胎盤の剝離が50%以上になると子宮内胎児死亡が高率に起こり，母体は播種性血管内凝固症候群（disseminated intravascular coagulation；DIC）を合併するので，早期診断は非常に重要である。妊娠中後期の出血では，最初に常位胎盤早期剝離を疑うことを，再度強調しておきたい。

3 分娩・産褥期

鑑別すべき疾患には，弛緩出血，胎盤遺残（残留），頸管裂傷，子宮内反症などがある（図7-15）。

分娩・産褥期の出血は多量出血となることがしばしばであり，産科業務がよく bloody business と称される理由は，ここに起因すると思われる。

分娩・産褥期出血の原因は，4つのTで鑑別する。すなわち，子宮収縮不良（tone）が70%，裂傷，子宮破裂，子宮内反などによる創部出血（trauma）が20%，胎盤遺残（tissue）が10%，そして凝固異常（thrombin）が1%となっている。分娩時異常出血に遭遇した場合は，医療チームがそれぞれの役割を担い，冷静沈着に対応する必要がある。

分娩時異常出血時の助産業務における重要な点は，以下のとおりである。

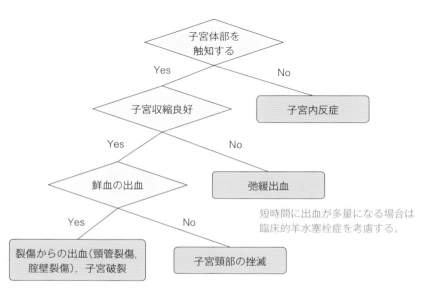

図7-15　分娩・産褥期の出血の診断アルゴリズム

異常出血時の助産業務のポイント
① バイタルサインおよび臨床情報（出血量）の把握と報告
② 医師からの指示の速やかな遂行
③ 記録
④ 患者・患者家族への精神的支援

　特に，患者の観察には心拍数を収縮期血圧で除した指数であるショック・インデックス（SI）が有用であり，関連6学会（日本産科婦人科学会，日本産婦人科医会，日本周産期・新生児医学会，日本麻酔科学会，日本輸血・細胞治療学会，日本インターベンショナルラジオロジー学会）によるガイドライン，「産科危機的出血への対応指針2022」（図7-16）[2]でもその使用を推奨している。分娩・産褥期の出血では，診断してから治療を行うのではなく，治療を行いながら診断をしていくことが多いことも特徴といえる。

【参考】フィブリノゲン製剤使用について
　2021年9月より，羊水塞栓症，弛緩出血，常位胎盤早期剥離などにおける産科危機的出血に伴う，後天性低フィブリノゲン血症に対するフィブリノゲンの補充がフィブリノゲン製剤の適応となった。しかし，その使用については，以下の基準を満たす必要がある。
・使用施設：総合・地域周産期母子医療センターおよび大学病院
・使用実態の把握：使用例の全数登録制
・使用方法の適切化：適応外の症例に対しては，学会が（患者背景などを）解析し，注意喚起を促す。
・投与基準の明確化：原則としてフィブリノゲン値が150 mg/dL未満であることを確認するまでは，新鮮凍結血漿もしくはクリオプレシピテートによる凝固因子の補充を行う。例外的に，持続する危機的出血で患者の生命に危険を及ぼすと判断される場合には，検査結果を待たずにフィブリノゲン製剤の投与を行うことが許容される。

　「産科危機的出血への対応指針」は，各医療機関にポスターとして配布されるので，分娩室などの目につきやすい場所に掲示しておくとよい。

1）子宮内反症

　産後に出血が止まるメカニズムは，胎盤排出後にらせん動脈が子宮筋の収縮による生理的絞扼を受けて止血するというものである。胎盤剥離徴候がないうちに胎盤を牽引し，強引に胎盤を排出すると，子宮体部が裏返り（＝内反），上記生理的止血機構が働かないため，出血が止まらなくなる。また，子宮内反症は多くの場合，母体がショック症状を示す。
　胎盤娩出後に出血が多く，子宮体部を触知せず腟内に腫瘤を触知したら，子宮内反症を強く疑う。経腹超音波検査で子宮が内反している所見が得られれば，確定できる。子宮内反症に気づかずに胎盤娩出後に子宮収縮薬を投与すると整復が困難になるので，胎盤娩出後に出血が多ければ子宮体部を確認し，子宮内反症を否定してから子宮収縮薬投与を行うべきである。

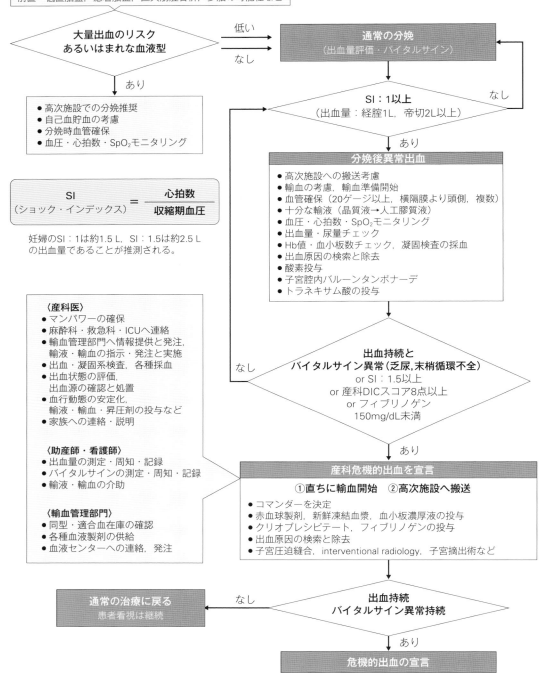

前置・低置胎盤，癒着胎盤，巨大筋腫合併，多胎の可能性など

大量出血のリスク
あるいはまれな血液型
　低い　→　通常の分娩
　なし　→　（出血量評価・バイタルサイン）

あり
- 高次施設での分娩推奨
- 自己血貯血の考慮
- 分娩時血管確保
- 血圧・心拍数・SpO₂モニタリング

$$SI（ショック・インデックス）=\frac{心拍数}{収縮期血圧}$$

妊婦のSI：1は約1.5 L，SI：1.5は約2.5 L
の出血量であることが推測される。

SI：1以上
（出血量：経腟1L，帝切2L以上）
なし

あり

分娩後異常出血
- 高次施設への搬送考慮
- 輸血の考慮，輸血準備開始
- 血管確保（20ゲージ以上，横隔膜より頭側，複数）
- 十分な輸液（晶質液→人工膠質液）
- 血圧・心拍数・SpO₂モニタリング
- 出血量・尿量チェック
- Hb値・血小板数チェック，凝固検査の採血
- 出血原因の検索と除去
- 酸素投与
- 子宮腔内バルーンタンポナーデ
- トラネキサム酸の投与

〈産科医〉
- マンパワーの確保
- 麻酔科・救急科・ICUへ連絡
- 輸血管理部門へ情報提供と発注，輸液・輸血の指示・発注と実施
- 出血・凝固系検査，各種採血
- 出血状態の評価，出血源の確認と処置
- 血行動態の安定化，輸液・輸血・昇圧剤の投与など
- 家族への連絡・説明

〈助産師・看護師〉
- 出血量の測定・周知・記録
- バイタルサインの測定・周知・記録
- 輸液・輸血の介助

〈輸血管理部門〉
- 同型・適合血在庫の確認
- 各種血液製剤の供給
- 血液センターへの連絡，発注

なし

出血持続と
バイタルサイン異常（乏尿，末梢循環不全）
or SI：1.5以上
or 産科DICスコア8点以上
or フィブリノゲン
150mg/dL未満

あり

産科危機的出血を宣言
①直ちに輸血開始　②高次施設へ搬送
- コマンダーを決定
- 赤血球製剤，新鮮凍結血漿，血小板濃厚液の投与
- クリオプレシピテート，フィブリノゲンの投与
- 出血原因の検索と除去
- 子宮圧迫縫合，interventional radiology，子宮摘出術など

通常の治療に戻る
患者看視は継続
　なし

出血持続
バイタルサイン異常持続

あり

危機的出血の宣言

図 7-16　産科危機的出血への対応フローチャート（2022 年 1 月改訂）
（文献[2]により作成）

2）弛緩出血

　産後出血の原因の多くは，この弛緩出血である。生理的止血機構が十分に働いていないために止血できない状態であり，子宮が収縮と弛緩を繰り返す場合は，それに合わせて間欠的に出血してくるのが特徴である。

　子宮が弛緩する原因として，子宮の収縮を妨げるもの（胎盤遺残）がないかどうかを確認する必要がある。また，短時間に産科危機的出血を引き起こすような弛緩出血は，臨床的羊水塞栓症であることがあり，この場合は，早期に DIC を発症するので，注意が必要である。

3）創部からの出血

　子宮内に遺残もなく，子宮収縮が良好にもかかわらず出血が続く場合（多くは，持続的出血）は，どこかの裂傷からの出血を疑う。

　腟鏡を用いて頸管裂傷や動脈性の腟壁裂傷がないかどうかを確認し，裂傷を同定できたら縫合止血を行う。子宮体部収縮が良好で腟鏡で明らかな出血点がなく，子宮口より出血が持続的に続く場合は，低置胎盤の剝離面の収縮不良や子宮破裂も考える必要がある。

　また，上記以外の疾患に，頻度は低いが母体の凝固異常がある。治療が奏功しない場合には考えるべき疾患である。分娩時の出血は，短時間で多量に及ぶことがあるため，早期に原因を突き止め，対応することが，何よりも重要である。

＊

　以上，出血時の診断アルゴリズムを，妊娠の時期に分けて説明した。フローチャートを用いて診断を行えば，対症療法でなく原因に対して治療を行うことができるので，臨床現場で役立つと思われる。しかし，その治療が有効でないときは，経時的変化や新しい所見を参考にし，最初に下した診断が本当に正しいかどうかを再検討することも忘れてはならない。

引用文献
1）日本産科婦人科学会，日本産婦人科医会編集・監修（2020）：産婦人科診療ガイドライン―産科編 2020，p.129-131.
2）日本産科婦人科学会，日本産婦人科医会，日本周産期・新生児医学会，日本麻酔科学会，日本輸血・細胞治療学会，日本インターベンショナルラジオロジー学会（2022）：産科危機的出血への対応指針 2022.

7

資料

母体血を用いた新しい出生前遺伝学的検査に関する指針

平成 25 年 3 月 9 日　公益社団法人日本産科婦人科学会倫理委員会／
母体血を用いた出生前遺伝学的検査に関する検討委員会

I　はじめに

　医学の進歩に伴い，出生前に子宮内の胎児の状態を診断する出生前診断技術が向上してきている。一部の疾患については，出生前診断をもとに出生前に子宮内の胎児に対して，または出生後早期の新生児に対して治療することも可能となっている。しかしながら，治療の対象とならない先天的な異常については，出生前診断を行うことにより，障害が予測される胎児の出生を排除し，ついには障害を有する者の生きる権利と命の尊重を否定することにつながるとの懸念がある。

　現在行われている出生前の診断技術には，超音波検査，絨毛検査，羊水検査，母体血清マーカー検査などがある。近年になって，母体血を用いた新しい出生前遺伝学的検査が開発され，海外で普及し始めており，米国においては対象を限定した臨床実施が始まった。母体血を採取するのみで，妊婦への身体的リスクなく行われるこの検査は，その簡便さから日本においても容易に普及していくことが予想される。

　母体血を用いた新しい出生前遺伝学的検査は，母体血漿中に存在する胎児由来の cell-free DNA を母体由来の DNA 断片とともに網羅的にシークエンスすることにより各染色体に由来する DNA 断片の量の差異を求めてそれらの比較から，胎児の染色体の数的異常の診断に結び付けるものである。したがって母体血を用いた新しい出生前遺伝学的検査による診断の対象となるのは，染色体の数的異常であり，現在普及している技術は，染色体のうちの特定の染色体（13 番，18 番，21 番）に対するものである。これら 3 つの染色体の数的異常は，母体血を用いた新しい出生前遺伝学的検査により診断を行っても，それが治療につながるわけではない。その簡便さを理由に母体血を用いた新しい出生前遺伝学的検査が広く普及すると，染色体数的異常胎児の出生の排除，さらには染色体数的異常を有する者の生命の否定へとつながりかねない。

　母体血を用いた新しい出生前遺伝学的検査が日本国内でも行われうる状況となっている現在，この検査の問題点とあり方について検討しておくことはきわめて重要である。日本産科婦人科学会では倫理委員会内に母体血を用いた新しい出生前遺伝学的検査に関する検討委員会を設け，さまざまな視点からの議論を行い，「母体血を用いた新しい出生前遺伝学的検査に関する指針」をまとめたので報告する。

　なお本指針で対象としている「母体血を用いた新しい出生前遺伝学的検査」とは，13 番，18 番，21 番の 3 つの染色体の数的異常を検出する非確定的検査を指している。性染色体の数的異常を検出するための血液による非確定的検査も臨床実施が可能となっているが，今回の検討の対象とはなっていない。性染色体の数的異常検出のための検査の指針策定には別途検討を要する。

II　検討の経緯

　従来，日本産科婦人科学会は，出生前に行われる新たな検査技術が臨床応用されるようになるたびに，それらの新技術に関する考え方や適用法を「見解」として会員に提示してきた。現在は，「出生前に行われる検査および診断に関する見解」として平成 23 年 6 月に改定されたものが提示されている。この領域の技術は進歩が著しく，母体血を用いた新しい出生前遺伝学的検査についても，既にこの検査法に関する考え方を「出生前に行われる検査および診断に関する見解」に取り入れるように「見解」のさらなる改定を目指して平成 24 年初頭から学会内で検討を始めていたところであった。しかしながら，平成 24 年 8 月末，母体血を用いた新しい出生前遺伝学的検査が日本国内で開始されるとの報道がなされるに及び，さまざまな出生前検査がある中，母体血を用いた新しい出生前遺伝学的検査についても学会としてなんらかの指針を示すことが喫緊の課題となったため，「母体血を用いた新しい出生前遺伝学的検査に関する検討委員会」が設置され，検討が行われてきた。

　本委員会は，日本産科婦人科学会倫理委員会の中に設置され，日本産科婦人科学会，日本小児科学会，日本人類遺伝学会，法学・生命倫理分野からの専門家が委員として加わり，組織された。委員会では，本委員会を構成する委員だけでなく，委員外の有識者にも随時出席を求め意見を聴取し議論を重ねた。出席を求めた委員外の有識者は，日本産科婦人科学会出生前診断見解改定ワーキンググループ委員長，NIPT 臨床研究代表者，日本医師会，遺伝看護学分野，遺伝カウンセリング分野，法学・医療倫理学分野，日本ダウン症協会からである。また公開シンポジウムを開催，さらに指針案を公表してパブリックコメントを求めること

を通じて，広く一般からの意見を指針策定の参考とした。
（4回の委員会，および公開シンポジウムの日程，パブリックコメント収集期間は次のとおりである。委員会：平成24年10月2日，11月1日，12月7日，平成25年2月4日；公開シンポジウム：平成24年11月13日；パブリックコメント収集：平成24年12月17日～平成25年1月21日）

このたびまとめた指針は，上記の4回の委員会，公開シンポジウム，およびパブリックコメントから得られた結果である。

Ⅲ　母体血を用いた新しい出生前遺伝学的検査の問題点

（1）妊婦が十分な認識を持たずに検査が行われる可能性があること。

母体血を用いた新しい出生前遺伝学的検査は，妊婦からの採血により行われるものである。きわめて簡便に実施できることから，検査に関する十分な説明が医療者から示されず，その結果，妊婦がその検査の意義，検査結果の解釈について十分な認識を持たないまま検査が行われるおそれがある。そのため，検査結果によって妊婦が動揺・混乱し，検査結果について冷静に判断できなくなる可能性がある。

（2）検査結果の意義について妊婦が誤解する可能性のあること。

母体血を用いた新しい出生前遺伝学的検査は，母体血中のDNA断片の量の比から，胎児が13番，18番，21番染色体の数的異常をもつ可能性の高いことを示す非確定的検査である。診断を確定させるためには，さらに羊水検査等による染色体分析を行うことが必要となる。この点は，従来の母体血清マーカー検査と本質的に変わるところはない。母体血を用いた新しい出生前遺伝学的検査においては，その感度が母体血清マーカー検査と比較して高いために，被検者である妊婦が得られた結果を確定的なものと誤解し，その誤解に基づいた判断を下す可能性がある。

（3）胎児の疾患の発見を目的としたマススクリーニング検査として行われる可能性のあること。

母体血を用いた新しい出生前遺伝学的検査は，妊婦から少量の血液を採取して行われる簡便さのため，医療者は容易に検査の実施を考慮しうる。また検査の簡便さゆえ妊婦も検査を受けることを希望しやすい状況となりうる。その結果，不特定多数の妊婦を対象に胎児の疾患の発見を目的としたマススクリーニング検査として行われる可能性がある。

Ⅳ　母体血を用いた新しい出生前遺伝学的検査に対する基本的考え方

医療の実践にあたっては，受療者に対して適切な情報を提供し十分な説明を行ったうえで，受療者がその診療行為を受けるか否かを決定することが原則である。ここでいう診療行為とは診断に至るための診察行為，検査，診断を受けての治療行為を含んでいる。したがって，母体血を用いた新しい出生前遺伝学的検査は，この原則に則って行われるべき診療行為に含まれることになる。しかし，母体血を用いた新しい出生前遺伝学的検査は，前章（1）に述べたように，その簡便さから妊婦がその意義，検査結果の解釈について十分な認識を持たずに検査を受ける可能性があり，受療者が検査についての適切な情報を事前に十分な説明とともに受けるという原則が達成されないおそれがある。

胎児に対して出生前に行われる遺伝学的な検査・診断は，その高度な専門性と結果から導かれる社会的影響を考慮すると，臨床遺伝学の知識を備えた専門医が情報提供と説明にあたるべきである。過去に母体血清マーカーによる出生前遺伝学的検査がわが国において実施されるようになった際に，厚生科学審議会先端医療技術評価部会の母体血清マーカーに関する見解（平成11年6月）が発表された。この中で，母体血清マーカー検査の意義の説明と遺伝カウンセリングの重要性が指摘され，検査の前後に検査の意義の説明と遺伝カウンセリングを十分に行うよう配慮したうえで，検査を慎重に実施するよう注意が喚起された。このため，十分な配慮の下に母体血清マーカー検査が行われることの重要性が認識され，慎重に実施される方向に進んできているとはいうものの，産婦人科医療の現場を見渡すと，現在においても，臨床遺伝学の知識を備えた専門医が診断前後に検査の説明と遺伝カウンセリングを行う姿勢が徹底されているとは言い難い。このため，現状では母体血を用いた新しい出生前遺伝学的検査を行う前に検査についての十分な説明と遺伝カウンセリングを行い，妊婦に適切な情報を提供することが不十分であるばかりでなく，検査施行後にその結果について妊婦が適正な判断をなしうるような遺伝カウンセリングを行うことにも体制の不備がある状況と言わざるを得ない。前章（2）に述べた検査結果に対する妊婦の誤解やその誤解に基づいた判断の可能性は払拭されないのである。

したがって，遺伝カウンセリングを必要とする妊婦に対して臨床遺伝学の知識を備えた専門医が遺伝カウンセリングを適切に行う体制が整うまでは，母体血を用いた新しい出生前遺伝学的検査をわが国において広く一般産婦人科臨床に導入すべきではない。また，遺伝カウンセリングを適切に行う体制が整ったとしても，本検査を行う対象は客観的な理由を有する妊婦に限るべきである。不特定多数の妊婦を対象としたマススクリーニングとして母体血を用いた新しい出生前遺伝学的検査を行うのは厳に慎むべきである。

しかしながら，海外，特に米国において母体血を用いた新しい出生前遺伝学的検査が急速に普及しつつある現状，およびこの検査の簡便さを考慮すると，現在の状況では，適切な遺伝カウンセリングが行われずに検査が施行される

ようになることも考えられ，きわめて憂慮される事態を招きかねない。

　母体血を用いた新しい出生前遺伝学的検査をわが国においても受けることができるようにと願う意見の中には，全面的に自由化し，すべての妊婦がその自由な意思によって受けられるように希望する意見のほかに，従来羊水検査等の侵襲を伴う手技による染色体分析を受けていたような，染色体の数的異常の胎児を出産する可能性の高い妊婦が，羊水検査等の前に母体血を用いた新しい出生前遺伝学的検査を受けることにより，侵襲を伴う検査を回避できる可能性のあることを論拠とする意見もある。たしかにこのような妊婦に母体血を用いた新しい出生前遺伝学的検査を実施し，陰性の結果が得られた場合，その的中率が高いために，胎児が染色体の数的異常を有する可能性はきわめて低いことを意味する。その場合においても，母体血を用いた新しい出生前遺伝学的検査が非確定的検査であることを遺伝カウンセリングを通じて妊婦に説明し，妊婦の正しい理解を得ることがきわめて重要であることに変わりはない。

　このような状況に鑑み，母体血を用いた新しい出生前遺伝学的検査は，十分な遺伝カウンセリングの提供が可能な限られた施設において，限定的に行われるにとどめるべきである。実施可能な施設として備えるべき要件，対象となる妊婦の基準，実施されるべき遺伝カウンセリングの内容，については第Ｖ章に記載する。

Ⅴ　母体血を用いた新しい出生前遺伝学的検査を行う場合に求められる要件

Ⅴ-1 母体血を用いた新しい出生前遺伝学的検査を行う施設が備えるべき要件

1. 出生前診断，とくに13番，18番，21番染色体の数的異常例について，自然史や支援体制を含めた十分な知識および豊富な診療経験を有する産婦人科医師（産婦人科専門医[*1]）と，出生前診断，とくに13番，18番，21番染色体の数的異常例について，自然史や支援体制を含めた十分な知識および豊富な診療経験を有する小児科医師（小児科専門医[*2]）がともに常時勤務していることを要し，医師以外の認定遺伝カウンセラー[*3]または遺伝看護専門職が在籍していることが望ましい。上記の産婦人科医師（産婦人科専門医[*1]）は臨床遺伝専門医[*4]であることが望ましく，上記の小児科医師（小児科専門医[*2]）は臨床遺伝専門医[*4]または周産期（新生児）専門医[*5]であることが望ましい。上記の産婦人科医師（産婦人科専門医[*1]），小児科医師（小児科専門医[*2]）の少なくとも一方は臨床遺伝専門医[*4]の資格を有することを要する。
   [*1] 公益社団法人日本産科婦人科学会認定産婦人科専門医
   [*2] 公益社団法人日本小児科学会認定小児科専門医
   [*3] 日本人類遺伝学会・日本遺伝カウンセリング学会認

定遺伝カウンセラー
   [*4] 日本人類遺伝学会・日本遺伝カウンセリング学会認定臨床遺伝専門医
   [*5] 一般社団法人日本周産期・新生児医学会周産期（新生児）専門医

2. 遺伝に関する専門外来を設置し，1項に述べた産婦人科医師と小児科医師（および認定遺伝カウンセラーまたは遺伝看護専門職）が協力して診療を行っていること。

3. 検査を希望する妊婦に対する検査施行前の遺伝カウンセリングと検査施行後に結果を説明する遺伝カウンセリングのいずれについても，十分な時間をとって行う体制が整えられていること。なお，検査施行前後の遺伝カウンセリングには，1項で挙げた専門職のすべてが直接関与することが望ましい。また検査施行前の遺伝カウンセリングから検査の実施までには，被検妊婦自身が検査受検の要否について十分に考慮する時間をもつことができるよう配慮すること。

4. 検査施行後の妊娠経過の観察を自施設において続けることが可能であること。

5. 絨毛検査や羊水検査などの侵襲を伴う胎児染色体検査を，妊婦の意向に応じて適切に施行することが可能であること。

6. 妊婦が侵襲を伴う胎児染色体検査を受けた後も，妊婦のその後の判断に対して支援し，適切なカウンセリングを継続できること。

7. 出生後の医療やケアを実施できる，またはそのような施設と密に連携する体制を有すること。

Ⅴ-2 対象となる妊婦

　母体血を用いた新しい出生前遺伝学的検査を受けることを希望する妊婦のうち，次の1～5のいずれかに該当する者とする。

1. 胎児超音波検査で，胎児が染色体数的異常を有する可能性が示唆された者。

2. 母体血清マーカー検査で，胎児が染色体数の異常を有する可能性が示唆された者。

3. 染色体数的異常を有する児を妊娠した既往のある者。

4. 高齢妊娠の者。

5. 両親のいずれかが均衡型ロバートソン転座を有していて，胎児が13トリソミーまたは21トリソミーとなる可能性が示唆される者。

Ⅴ-3 母体血を用いた新しい出生前遺伝学的検査を行う前に医師が妊婦およびその配偶者（事実上婚姻関係と同様の事情にある者を含む），および場合によっては他の家族に説明し，理解を得るべきこと。

（1）出生児が先天的に有する障害や平均からの偏りに関する一般的な説明。

1. 生まれてくる子どもは誰でも先天異常などの障害をもつ可能性があり，その可能性はさまざまであること。
2. 障害は，その子どもを全人的にみた場合の個性の一側面でしかなく，障害という側面だけから子どもをみるのは誤りであること。
3. 障害や平均からの偏りをもって生まれた場合でも，その成長発達は個人によってさまざまであり一様でないこと。
4. 障害の有無やその程度と，本人および家族が幸か不幸かということの間には，ほとんど関連はないこと。
5. 生まれる前に原因の存在する先天的な障害や平均からの偏りだけでなく，後天的な障害が発生することもあること。

（2）母体血を用いた新しい出生前遺伝学的検査の対象となる染色体異常（13番，18番，21番の染色体の数的異常）に関する最新の情報（自然史を含む）についての説明。

1. これらの染色体異常の特徴および症状。
2. これらの染色体異常をもって出生した子どもに対する医療の現状。
3. これらの染色体異常は，出生後の経過が一様でなく，個人差が大きい，したがって出生後の生活は個人によりさまざまであること。
4. これらの染色体異常や合併症の治療の可能性および支援的なケアの現状についての説明。

（3）母体血を用いた新しい出生前遺伝学的検査の位置づけについての説明。

1. 母体血を用いた新しい出生前遺伝学的検査の対象となる妊婦は，従来侵襲を伴う検査（羊水検査や絨毛検査）の対象となっていた妊婦であり，母体血を用いた新しい出生前遺伝学的検査がマススクリーニングではないこと。
2. 侵襲を伴う検査で診断される染色体異常の 60 ～ 70％が数的異常であるが，母体血を用いた新しい出生前遺伝学的検査が対象としているのは，染色体数的異常のうちの 3 つの染色体（13番，18番，21番の染色体）に限られること。
3. 母体血を用いた新しい出生前遺伝学的検査は，染色体数的異常以外の次のような異常は対象としていないこと。均衡型転座，微細欠失などの構造異常。微小でも重要な数の異常，胎児の染色体モザイク。胎児遺伝性疾患。胎盤性モザイク。
4. 母体血を用いた新しい出生前遺伝学的検査は，特定の染色体（13番，18番，21番の染色体）の数的異常の診断を目的としているが，染色体の数的異常である可能性が高いことを示す非確定的検査であり，検査を受けることにより確定的診断に到達するわけではないこと。
5. 特定の染色体（13番，18番，21番の染色体）の数的異常の診断の確定には，侵襲を伴う検査（絨毛検査または羊水検査）が必要であること。
6. 母体血を用いた新しい出生前遺伝学的検査を行っても，対象となる染色体異常に起因する疾患の治療にはつながらないこと。

（4）母体血を用いた新しい出生前遺伝学的検査の結果の解釈についての説明。

1. 検査が陰性の場合は，対象とする染色体異常のみられる可能性はきわめて低いが，0 ではなく，偽陰性となることがありうること。したがって，対象とする染色体異常がないことを確定させることにはならないこと。
2. 検査が陽性の場合は，対象とする染色体異常のみられる可能性は高くなるが，偽陽性がありうること。陽性適中率は事前確率により異なること。確定診断をするには，侵襲を伴う検査（絨毛検査または羊水検査）が必要になること。
3. 結果を確認するための母体血の再検査は意味がないとされていること。
4. 検査結果が判定保留（Not Reportable）となる場合があること。

（5）次の段階の選択肢となりうる侵襲を伴う検査についての説明。

1. 対象とする染色体異常の有無を確定させるために穿刺による羊水採取で羊水中胎児由来細胞の染色体検査（羊水検査）を行った場合，300 分の 1 の確率で流産が起こる可能性のあること。
2. 羊水検査を行っても，染色体異常に起因する疾患の治療にはつながらないこと。

（6）以上の事項を口頭だけでなく，文書を渡して十分に説明し，理解が得られたことを確認したあとに，検査を受けることについて文書による同意を得て，その同意文書を保管する。

（7）遺伝カウンセリングの結果，母体血を用いた新しい出生前遺伝学的検査を受けない選択をした妊婦に対し，その妊婦の要請ある場合は，妊娠の終了まで遺伝に関する相談に応じる。

V-4 母体血を用いた新しい出生前遺伝学的検査を行った後に，医師が妊婦およびその配偶者（事実上婚姻関係と同様の事情にある者を含む）に説明し，理解を得るべきこと。

（1）母体血を用いた新しい出生前遺伝学的検査の結果の解釈についての説明を行う。

1. 結果が陰性の場合，対象とする染色体異常のみられる可能性はきわめて低いが，0 ではなく，偽陰性となることがありうること。したがって，対象とする染色体異常がないことを確定させることにはならないこと。
2. 結果が陽性の場合，対象とする染色体異常のみられる可能性は高くなるが，偽陽性がありうること。陽性適中率は事前確率により異なること。確定診断をするには，侵襲を伴う検査（絨毛検査または羊水検査）が必要になること。

3. 陰性または陽性と出た結果を再確認するための再検査
は意味がないとされていること。
4. 結果が判定保留 (Not Reportable) の場合，血液中の胎
児由来 DNA 濃度が低いことが理由である可能性のある
こと。その場合，再検査を行うこと，または，侵襲を伴
う検査を行うことが選択肢であること。
（2）（1）の他，必要に応じて検査前に説明した項目（V-3）
の，（1），（2），（3），（5）について，妊婦およびその配
偶者（事実上婚姻関係と同様の事情にある者を含む）の理
解が得られるように説明する。
（3）確定診断としての侵襲を伴う検査（絨毛検査または羊
水検査）を受けるか，または受けないかの方針決定につい
ては，十分な遺伝カウンセリング下での妊婦およびその配
偶者（事実上婚姻関係と同様の事情にある者を含む）によ
る決定を尊重する。
（4）説明した内容，およびその後の方針につき，文書に記
載し，文書による同意を得たうえで，同意文書を保管する。
（5）V-1-1 項に述べた産婦人科医師と小児科医師（および
認定遺伝カウンセラーまたは遺伝看護専門職）は，当該妊
婦の妊娠終了まで担当医と連携して当該妊婦の遺伝に関す
る相談に応じる。
（6）V-1-1 項に述べた産婦人科医師と小児科医師（および
認定遺伝カウンセラーまたは遺伝看護専門職）は，当該妊
婦の妊娠終了後も，当該妊婦の要望があれば，遺伝に関す
る相談に応じる。

V-5 母体血を用いた新しい出生前遺伝学的検査を行う検査
会社に求められる要件

　母体血を用いた新しい出生前遺伝学的検査を担当する
検査会社は，その会社独自の検査精度や精度管理の状況，
感度や特異度について基礎データを検査実施施設に示し，
検査の質を保証しなければならない。また，検体の輸送手
段，取り違えの防止等のリスク管理についての具体的方法
を呈示しなければならない。
　この検査業務の遂行によって得られる個人情報，検査結
果等についての秘密保持を徹底するとともに，検体は検査
終了後速やかに廃棄し，他の検査や研究に利用してはなら
ない。
　本条項の順守のために，検査実施施設は検査会社との間
に文書をもって契約を交わし，その文書を保管しなければ
ならない。

VI 母体血を用いた新しい出生前遺伝学的検査に
対する医師，検査会社の基本的姿勢

　母体血を用いた新しい出生前遺伝学的検査の実施施設
であるかないかに関わらず，すべての医師は母体血を用い

た新しい出生前遺伝学的検査に対して次のような姿勢で臨
んで差し支えない。
1. 母体血を用いた新しい出生前遺伝学的検査について医
師が妊婦に積極的に知らせる必要はない。ただし，妊婦
が本検査に関する説明を求めた場合には，医師は本検査
の原理をできる限り説明し，登録施設で受けることが可
能であることを情報として提供することを要する。
2. 医師は，母体血を用いた新しい出生前遺伝学的検査を
妊婦に対して安易に勧めるべきではない。
　また，検査会社等がこの検査を勧める文書などを作成し
不特定多数の妊婦に配布することは望ましくない。

VII 認定登録制度の確立

　第 V 章に記載した各種要件を満たすために，母体血を
用いた新しい出生前遺伝学的検査を実施する施設を認定
し，登録する制度を発足させることが必要である。この，
実施施設の認定・登録を行う委員会は，各施設から「実施
施設」となることの申請を受け，その施設が母体血を用い
た新しい出生前遺伝学的検査を行う施設として第 V 章に
記載した各要件を満たしているか審査する。あわせて申請
施設と検査会社（および代理店がある場合はその代理店）
との間の契約書の写し，被検者に対する遺伝カウンセリン
グの際の説明文書の写しについて申請施設から提出を受
け，検査会社（および代理店がある場合はその代理店）と
の契約が交わされていること，および被検者への説明文書
が作成されていることを確認する。認定された各「実施施
設」は，実施された母体血を用いた新しい出生前遺伝学的
検査の結果，およびその妊娠の転帰について，認定・登録
を行う委員会に報告しなければならない。また，この認定・
登録を行う委員会は，認定された各「実施施設」に対して
定期的に評価を行う体制を整え，実行する。
　母体血を用いた新しい出生前遺伝学的検査が産婦人科
領域を超えた社会的要素を内包した臨床診療手段であるこ
とを考慮し，上記の認定・登録の主体となる委員会は，日
本産科婦人科学会だけでなく，関連する他の機関をもって
構成されることが望ましい。

（附）指針の提示にあたって

　本検査には倫理的に考慮されるべき点があること，試料
を分析する検査会社がいまだ国内にはないこと，わが国独
自の解析結果が存在しないことなどから，その実施は，ま
ず臨床研究として，認定・登録された施設において，慎重
に開始されるべきであります。当分の間，本検査実施施設
の認定・登録については，臨床研究の形態をとったものの
みを審査の対象といたします。

索 引

編者略歴

福井トシ子

国際医療福祉大学大学院教授・副大学院長／前公益社団法人日本看護協会会長

1982年，東京女子医科大学看護短期大学専攻科修了（助産師）。
1983年，福島県立総合衛生学院保健学科修了（保健師）。
1988年，厚生省看護研修研究センター看護教員養成課程助産婦養成所教員専攻修了。
1999年，産能大学大学院経営情報学研究科修了（経営情報学修士；MBA）。
2005年，国際医療福祉大学大学院博士後期課程修了（保健医療学博士；Ph.D）。
この間，東京女子医科大学病院（母子総合医療センター，糖尿病センター），杏林大学医学部付属病院（総合周産期母子医療センター師長，看護部長）の職歴を経て，
2010年7月より日本看護協会常任理事，2017年6月より会長。2023年6月より現職。
2015年，アドバンス助産師。

井本寛子

公益社団法人日本看護協会常任理事

1992年，日本赤十字社助産師学校卒業（助産師）。
2000年，青山学院大学第2文学部卒業（教育学士）。
2004年，文京学院大学大学院経営学研究科修了（経営学修士）。
2021年，日本赤十字看護大学大学院看護学研究科博士課程修了（看護学博士）。
この間，日本赤十字社医療センター（分娩室，NICU，褥棟，教育企画室，看護師長，看護副部長，周産母子・小児センター副センター長），柏原赤十字病院の職歴を経て，
2018年6月より現職。
2016，2021年，アドバンス助産師。

しんばん じょさんし ぎょうむ ようらん だい はん じっせんへん ねんばん
新版 助産師業務要覧 第4版　II 実践編　2024年版

〈検印省略〉

1997年 3月27日	第1版第1刷発行
2004年 2月10日	第1版第8刷発行
2005年 7月15日	新版第1版第1刷発行
2008年 2月10日	新版第1版第3刷発行
2008年10月30日	新版増補版第1刷発行
2012年 2月 1日	新版増補版第5刷発行
2012年11月 5日	新版第2版第1刷発行
2017年 2月 1日	新版第2版（2017年版）第1刷発行
2017年11月 1日	新版第3版（2018年版）第1刷発行
2023年 1月 1日	新版第3版（2023年版）第1刷発行
2023年10月 1日	新版第4版（2024年版）第1刷発行

ふくい こ いもとひろこ
編集 ……………… 福井トシ子・井本寛子

発行 ………………… 株式会社 日本看護協会出版会
〒150-0001　東京都渋谷区神宮前5-8-2　日本看護協会ビル4階
〈注文・問合せ／書店窓口〉TEL / 0436-23-3271　FAX / 0436-23-3272
〈編集〉TEL / 03-5319-7171
https://www.jnapc.co.jp

印刷 ………………… 三報社印刷株式会社

©2023　Printed in Japan　ISBN978-4-8180-2619-3

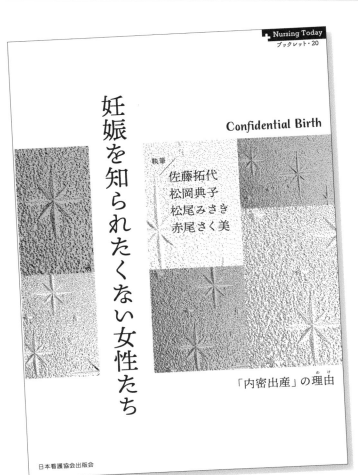

Nursing Today
ブックレット・20

Confidential Birth

執筆／
佐藤拓代
松岡典子
松尾みさき
赤尾さく美

妊娠を知られたくない女性たち

「内密出産」の理由

日本看護協会出版会

「誰にも知られたくない」
── その背景にあるものとは？

2022年9月、いわゆる「内密出産」に対するガイドライン（以下、GL）に該当する文書が発出されました。「内密出産」とはドイツで法制度化されている取り組みに倣ったもので、本GLは、国内初の例に対応するために、当該医療機関のある市が国に行った照会への回答をもとにまとめられました。

一般的には慶事とされる妊娠・出産を「誰にも知られたくない」という女性たち。本書では、GL発出というトピックを糸口に、女性たちの背景、現行制度や社会の課題について、解説・考察します。

ドイツの「内密出産」制度

「内密出産法」制定まで
こうした課題を重く受け止め、子どもの「出自を知る権利」、産む側である女性の「身分を隠したい権利」をそれぞれどう保障するかといった視点で検証が行われ、双方の権利を守るべく制定されたのが「内密出産法」である。二〇一四年五月に施行された本法は、「妊娠葛藤法」の中に位置づけられている。そのため、「内密出産」を希望する場合も相談所での相談は必須であり、相談所は重要な役割を果たすことになっている。筆者らが視察の際に出会った相談員たちの対応の質も非常に高いものであったが、本制度にはそうした適正な対応のできる能力が必須条件であろう。

「内密出産」の相談・実施の流れ
「内密出産」は、二段階の相談体制で実施される。つまり、匿名での出産を希望する妊婦に対し、優

このように、ドイツには、常に公的支援がありながらも、それにつながらない人々に対する策を民間機関などが探り実施してきた歴史もある。ただ、当然ながら課題とされるのが、「匿名出産」で生まれた子どもや「ベビークラッペ」に預けられた子どもが自分の出自を知ることができないという重大な人権侵害である。

Nursing Today ブックレット・20
妊娠を知られたくない女性たち
「内密出産」の理由

佐藤拓代・松岡典子・松尾みさき・赤尾さく美 著

A5判／**64**頁

定価990円（本体900円＋税10%）
ISBN 978-4-8180-2570-7

Nursing Today ブックレット

看護やケアをめぐる話題のワンテーマを取り上げ、
簡潔かつ幅広く発信し、読者の皆様とともに考えるシリーズです。

日本看護協会出版会　ご注文に関するお問い合わせはコールセンターまで▶▶▶ Tel. 0436-23-3271 Fax. 0436-23-3272
ホームページ https://www.jnapc.co.jp　日本看護協会出版会 営業部